NEW

서울대 선정

인문고전

60선

12

애덤 스미스 국부론

NEW 서울대 선정 인문 고전 ⑫

만화 애덤 스미스 국부론

개정 1판 1쇄 발행 | 2019. 8. 21
개정 1판 2쇄 발행 | 2021. 9. 27

손기화 글 | 남기영 그림 | 손영운 기획

발행처 김영사 | 발행인 고세규
등록번호 제 406-2003-036호 | 등록일자 1979. 5. 17.
주소 경기도 파주시 문발로 197 (우10881)
전화 마케팅부 031-955-3100 | 편집부 031-955-3113~20 | 팩스 031-955-3111



값은 표지에 있습니다.
ISBN 978-89-349-9437-4
ISBN 978-89-349-9425-1 (세트)

좋은 독자가 좋은 책을 만듭니다. 김영사는 독자 여러분의 의견에 항상 귀 기울이고 있습니다.
전자우편 book@gimmyoung.com | 홈페이지 www.gimmyoungjr.com

이 도서의 국립중앙도서관 출판예정도서목록(CIP)은 서지정보유통지원시스템 홈페이지(http://seoji.nl.go.kr)와
국가자료종합목록시스템(http://www.nl.go.kr/kolisnet)에서 이용하실 수 있습니다. (CIP제어번호 : CIP2018042484)

**어린이제품 안전특별법에 의한 표시사항**

제품명 도서 제조년월일 2021년 9월 27일 제조사명 김영사 주소 10881 경기도 파주시 문발로 197
전화번호 031-955-3100 제조국명 대한민국 ⚠주의 책 모서리에 찍히거나 책장에 베이지 않게 조심하세요.

미래의 글로벌 리더들이 꼭 읽어야 할 인문고전을 만화로 만나다

# NEW 서울대 선정 인문고전 60선

## 12

## 애덤 스미스 국부론

손기화 글 · 남기영 그림

주니어김영사

| 기획에 부쳐 |

# 〈NEW 서울대 선정 인문고전60〉이 국민 만화책이 되기를 바라며

제가 대여섯 살 때 동네 골목 어귀에 어린이들에게 만화책을 빌려주는 좌판 만화 대여소가 있었습니다. 땅바닥에 두터운 검정 비닐을 깔고 그 위에 아이들이 좋아하는 만화책을 늘어놓았는데, 1원을 내면 낡은 만화책 한 권을 빌릴 수 있었지요. 저는 그곳에서 만화책을 보면서 한글을 깨쳤고 책과의 인연을 맺었습니다.

초등학교 때는 용돈을 아껴서 책을 사서 읽었고, 중학교 때는 학교 도서 반장을 맡아 도서관에서 매일 밤 10시까지 있으면서 참 많은 책을 읽었습니다. 그 무렵 헤밍웨이의 《노인과 바다》를 손에 땀을 쥐며 읽으면서 인생에 대해 고민했고, 헤르만 헤세의 《수레바퀴 아래서》를 읽으며 사춘기의 심란한 마음을 달랬습니다. 김래성의 《청춘 극장》을 밤새워 읽는 바람에 다음 날 치르는 중간고사를 망치기도 했습니다.

당시 저의 꿈은 아주 큰 도서관을 운영하는 사람이 되어 온종일 책을 보면서 책을 쓰는 작가가 되는 것이었습니다. 나이가 들고 어느 정도 바라는 꿈을 이루었습니다. 큰 도서관은 아니지만 적당한 크기의 서점을 운영하고, 글을 쓰는 작가가 되었거든요. 저는 여기에 새로운 꿈을 하나 더 보탰습니다. 그것은 즐거운 마음과 힘찬 꿈을 가지게 해 주고, 나아가 자기 성찰을 도와주는 좋은 만화책을 만드는 일이었습니다. 이렇게 해서 만든 책이 바로 〈서울대 선정 인문고전〉입니다. 서울대학교 교수님들이 신입생과 청소년들이 꼭 읽어야 할 책으로 추천한 도서들 중에서 따로 60권을 골라 만화로 만든 것입니다. 인류 지성사의 금자탑이라고 할 수 있는 고전을 보기 편하고 이해하기 쉽도록 만화책으로 만드는 일은 쉬운 일은 아니었습니다. 약 4년 동안에 수십 명의 학교 선생님들과 전공 학자들이 원서의 내용을 정확하게 전달할 수 있도록 밑글을 쓰고, 수십 명의 만화가들이 고민에

고민을 거듭하면서 만화를 그려 60권의 책을 만들었습니다.

〈서울대 선정 인문고전〉이 완간되었을 무렵에 우리나라에 인문학 읽기 열풍이 불기 시작했습니다. 〈서울대 선정 인문고전〉은 인문학 열풍을 널리 퍼뜨리는 데 한몫을 하면서 독자들의 뜨거운 사랑과 관심을 받았습니다. 덕분에 지금까지 수백만 권이 팔리는 베스트셀러가 되었습니다. 그 사랑에 조금이나마 보답을 하기 위해 《칸트의 실천이성 비판》, 《미셸 푸코의 지식의 고고학》, 《이이의 성학집요》 등 우리가 꼭 읽어야 할 동서양의 고전 10권을 추가하여 만화로 만들었습니다.

〈서울대 선정 인문고전〉은 어린이와 청소년이 부모님과 함께 봐도 좋을 만화책입니다. 국민 배우, 국민 가수가 있듯이 〈서울대 선정 인문고전〉이 '국민 만화책'이 되길 큰마음으로 바랍니다.

손영운

# 근대화를 바라는 모든 나라의 참고서였던 《국부론》!

애덤 스미스는 18세기 초반에 태어나 18세기 후반에 세상을 떠난, 전형적인 18세기 사람이었어요. 스미스가 살던 18세기는 구질서와 신질서가 교차하던 과도기적 사회였답니다. 한편에서는 봉건적이고 절대주의적인 질서가 남아 있었고, 다른 한편에서는 근대적이고 자본주의적인 질서가 싹트고 있던 시대였죠. 이런 과도기적 시대에 애덤 스미스의 《국부론》은 근대화라는 새로운 시대를 여는 데 결정적으로 기여한 책이었습니다.

그러나 많은 위대한 사상가들에 대한 오해가 있듯이 애덤 스미스에 대해서도 바로잡아야 할 오해가 있답니다. 우선 사람들은 인간의 이기심을 강조한 사상가로 그를 오해하고 있어요. 물론 스미스는 인간의 이기심이 교환 성향을 가져오고, 이것이 분업을 가져와 경제를 움직이는 원동력이 된다고 주장하고 있죠. 그러나 경제 활동에서의 이기심은 무한정 보장되는 것이 아니라 국가와 사회의 번영과 정의라는 범위 내에서 허용돼야 한다고 보았어요.

스미스에 대한 또 다른 오해는 스미스가 자유방임을 강조한 나머지 국가의 기능은 최대한 제한되어서 밤에만 경계를 서면 된다는 야경국가론(夜警國家論)을 주장

했다는 오해입니다. 물론 스미스는 국가로부터 독립된 경제 영역을 처음으로 이야기합니다. 그러나 스미스는 국가의 역할은 경제가 발전하고 문명이 발달할수록 커질 수밖에 없다고 주장하고 있어요. "술을 많이 담으려면 술통이 튼튼해야 하듯, 술이라는 민간경제가 발전할수록 술통이라는 정부의 역할은 튼튼해야 한다."라고 밝혔으니까요. 스미스는 국가의 역할이 커질수록 국가는 필요한 경비를 유효하게 조달하여 효율적으로 사용해야 한다고 보았어요.

음악가들은 바흐를 '큰 바다'에 비유하고, 철학자들은 칸트를 '호수'에 비유합니다. 사회과학자들에게 애덤 스미스는 큰 바다나 호수 같은 존재일 거예요. 《국부론》을 읽는 여러분들이 이 책을 통해 종합적으로 사회를 이해하는 좋은 훈련을 할 수 있기를 기원합니다.

손기화

| 그림 작가 머리말 |

# 경제의 원리와 그 뿌리를 알기 위한 여행

재테크 관련 서적이 넘쳐나는 요즘, 18세기 영국을 주 무대로 한 이 《국부론》을 처음 봤을 땐 영화 〈쥐라기 공원〉에나 나올 법한 공룡 뼈 화석처럼 아득하게만 느껴졌습니다. 더군다나 이 책을 읽기 위해선 그 당시 유럽 역사에 대한 기본 상식도 필요했으니, 당시 제게 있어 《국부론》은 오르기 싫은 커다란 산처럼 느껴졌습니다.

하지만 한순간 한 줄기 햇살이 느껴졌던 건, 혹시나 이 책을 공부하게 되면 세계 경제의 모든 이치를 깨우칠 수 있게 되진 않을까 하는 생각이 들었기 때문이에요. 어렵게만 보이던 책에 이런 목적성을 갖게 되자 신기하게도 책이 흥미롭게 보이기 시작했어요.

《국부론》을 다 읽으니, 마치 마법 주문을 외운 것처럼 돈과 경제의 이치를 꿰뚫거나 하진 못하더라도, 그 옛날부터 우주로 로켓을 쏘아 올리는 현재까지의 산업과 경제, 화폐와 노동력, 자유경쟁 체제 등이 대체 어떻게 생겨나서 움직이고 변화해왔는지가 조금씩 이해되기 시작했습니다. 물론 겨우 이해한 글을 다시 그림으로 그려내는 데는 상상을 초월한 노동과 힘이 들었지만

요. 지금 생각하면 눈물이 앞을 가릴 정도랍니다.

《국부론》 원고를 출판사에서 받아본 지 어느덧 1년에 가까운 시간이 흘렀습니다. 옷과 건물, 헤어스타일, 작은 램프 하나까지, 그 시대의 자료가 될 만한 영화와 자료집을 찾고 모으던 많은 시간들…… 그 시간 동안 제가 마치 18세기의 영국으로 긴 여행을 다녀왔다는 착각이 들었다고 한다면 과장일까요. 프랑스, 에스파냐, 프러시아와의 전쟁과 무역 그리고 애덤 스미스와 같은 시대에 살았던 인물인 칸트, 마르크스, 흄, 케네, 루소 등의 이야기들 또한 이 책이 주는 보너스라고 생각됩니다.

21세기 자본주의 국가에서 살아가야 할 여러분들이라면, 자본과 경제의 근본적인 흐름을 이해하기 위해서라도 이 책 《국부론》을 꼭 읽어봐야 할 거예요. 《국부론》이라는 제목처럼 우리나라도 더욱 부강해지길 바라며 말이죠!

남기영

| 차 례 |

## 《국부론》이 더 쉬워지는 8가지 이야기

제1장
《국부론》은 어떤 책일까?
《국부론》은 세월이 흘러도 변하지 않는 삶의 지혜와
세월의 강
위대한 사상을 담고 있는 책이야.
국부론
사상이라고 하면 딱딱하고 어려운 느낌이 든다고?
사상
끼~
그렇지 않아. 모든 위대한 사상은 상식에 바탕을 두거든.
상
식
사상
자, 그럼 《국부론》의 바다에 빠져볼까?
국부론

《국부론》은 1776년 3월 9일 애덤 스미스라는 영국 사람이 낸 책이야.
본래 '여러 국가들의 부의 성질과 여러 원리에 관한 연구'라는 뜻을 가지고 있지.
나라가 다르듯 그 부의 성질도 다르다.
말 그대로 《국부론》은 여러 국가들의 부의 성질과 원리들에 관한 이론서야.
부의 성질
부의 원리
국부론
어떤 방법으로 국가의 재산을 늘릴 수 있을까?
바로 이 생각이 《국부론》의 기본 과제야.
문제) 국가의 재산을 늘리려면 어떤 방법이 있을까요?
?
요즘 신문이나 뉴스 어디를 봐도 경제라는 말이 홍수를 이루고 있잖아.
경제
경제
경제
대통령도, 정부도, 국회도 말이야.
나라 경제부터 살려야 하지 않겠습니까?
내 말이 …
정부
국회
이런 의미에서 《국부론》은 바로 최초의 경제 종합 교과서라고 할 수 있지.
이거 하나만 읽으면!
국부론
스미스는 당연히 경제학의 아버지 같은 사람이야.
자, 이제 이 책을 읽어야겠다는 생각이 점점 더 들지요?
《국부론》은 국가의 재산을 늘리기 위해서는 생산력을 높여야 한다고 말하고 있어.
생산력
국가의 재산
어렵다, 어려워! 생산력은 뭐고 생산력을 높이는 것은 또 뭐야.
우선 생산력이 무엇인지 알아볼까요?

생산력이란 물질적인 상품을
만들 수 있는 능력을 말해.
밀가루
다시 말해 생산력은 인간이 토지
위에서 일을 할 때
나타난다고 할 수 있어.
이 경우 토지와 노동이 생산력의
두 가지 요소가 되고
노동
토지
생산물은 그 결과로 나타나는
것이지.
재산 증가!
《국부론》에서는 농업이 상공업보다
생산성이 크다고 결론을 내리고 있어.
상공업
농업
생산성
그럼 생산력을 증가시키기
위해서는 어떤 방법이 있을까?
생산성
여기에 대해 스미스는 분업을 제시하고 있어.
난 흑연을
만들게.
난 나무를
깎고.
그럼 난 지우
개를 만들지.
분업이란 결국 노동을
분할해서 무엇을 만들어내는
일인 거지.
예를 들어 혼자서 김치를 담근다면
….
그 사람은 김치의 모든 제조 과정을
혼자서 책임져야만 할 거야.
저걸 혼자 다해?
재배
수확
다듬기

그리고 그 사람이 만들 수 있는 김치의 양도 적겠지.
겨우?
김치
그러나 그 일을 여럿이 분담한다면?
난 다듬고…
난 절이고…
난 양념~
하루에 담글 수 있는 김치의 양은 엄청날 거야.
와~
분업은 곧 생산력을 증가시키지.
생산력
분업
스미스는 분업의 발생 이유를
사람들에게 물건을 교환하려는 성향이 있기 때문이라고 보았어.
이걸 줄 테니 쌀 한 말만 주게.
나도 삼계탕이 먹고 싶었어.
그럼 왜 교환하려는 것일까?
?
답은 간단해. 우리가 밥을 먹으려면 시장을 봐와야겠지.
엄마, 밥.
시장 봐올 테니 좀만 기다려.
상인들은 엄마에게 식료품을 팔려고 할 거야.
생선이 싱싱해요.
갓 구운 빵입니다.
상인들이 고기나 빵을 팔려는 이유는 뭘까?
우리들 배 고프지 말라고요?
꼬르륵
바로 자신들이 돈을 벌기 위해서야.
이 돈으로 쌀도 사야지.
애들 학교 보내야지.
그러니 서로의 이기심 때문에 교환이 생기는 거지.
돈을 벌어 부자가 되기 위해서 장사하는 거야.
나도!

결국 스미스는 이러한 교환 성향이 이기심에 의해 촉진되고 이것이 분업을 일으킨다고 본 거야.
이기심
분업
교환 성향
이기심이야말로 경제 활동의 원동력이란 거지.
시끄러!
내 노래 연습이 더 중요하다네~
만약 어느 회사 사장이 항상 타인의 이익만을 생각하고
이번 달 회사 수익의 1/5은 고아원에, 1/5은 독거노인에게, 2/5는 세계 평화 기금으로 내고
자신과 회사의 이익은 생각하지 않는다면 어떻게 될까?
또 1/5은 지역 발전 기금으로…
지난 달 월급이라도 주지.
그런 사람은 분명 유능한 사장도, 신뢰할 수 있는 사람도 못 될 거야.
파업
파업
왜들 저러지?
사장은 자신과 회사의 이익을 위해 일해야만 하는 거야.
나와 회사를 위해서라면!!
그런 의미에서 이기심은 경멸의 대상이라기보다는 장려되어야 하는 거야.
상
<장려상>
이 사람은 자신만을 위한 이기적 행동으로 타의 모범이 되므로 이 상을..
그러면 경제 세계에서 자기 이익을 추구하는 것이라면 어떤 것이든 가능할까?
오전까지 천 원이었는데….
올랐어.
사과 1개 만원.
물론 아니야. 스미스는 개별 인간의 자유로운 활동에 경제를 맡겨두는 것이 효과적이고 국가와 사회에 좋다고 했지.
자유 경제
난 이거 할래.
난 요거.
면직
무역
이는 곧 경제 활동이 국가와 사회의 번영에 도움이 되어야만 한다는 말이기도 해.
국가
사회 번영
경제활동
경제활동
경제활동

결국 경제 활동에서의 이기심은 무한정 발휘되어선 안 되고
이
기
심
국가와 사회의 번영과 정의의 한계 내에서 허용이 되는 거야.
이기심
이기심
국가와 사회의 번영과 정의
스미스에 따르면 교환 없는 분업은 성립될 수 없고
물건은 내가 가져올 테니 장사는 예쁜 당신이 해.
그럼 소득의 절반은 내 거!
분업이 발달한 사회는 상업 사회로 볼 수 있다고 했어.
분업
분업
사회
분업
이런 상업 사회는 바로 시민 사회를 가리키고 있어.
결국 시민 사회란 분업과 교환을 축으로 유지되는 사회라는 거야.
<시민 사회>
분업
교환
그럼 이런 사회가 되기 위해서는 무엇이 필요할까?
나 여기서 약 팔 거니까 말리지 마.
약
첫째로 개인의 자유가 보장되어야 해.
물론.
나도 말리지 마.
약
약
이런 자유 경쟁의 사회가 사람들에게 행복을 가져다 줄까?
자유경쟁사회
스미스는 자유 경쟁이 '자연 가격'이라는 바람직한 상태를 가져오고
행복
만족
사회에 만족과 안정을 가져다 준다고 보았어.
자연가격

그런데 자연 가격이 뭘까?
이것은 의도된 행동이 아니라
1,000원에 내 놓으니 안 팔리고….
가격:
100원에 팔자니 안 남고….
'보이지 않는 손*'에 의해
자동적으로 형성되는 가격을 의미해.
500원
자유 경쟁이 공정하게 이루어지면
사회가 풍요로워진다고 본 거야.
맛있는 사과가 500원이오!
10개 주세요.

*보이지 않는 손 invisible hand – 모든 이익과 손해는 자연적으로 조화를 이룬다는 사상.

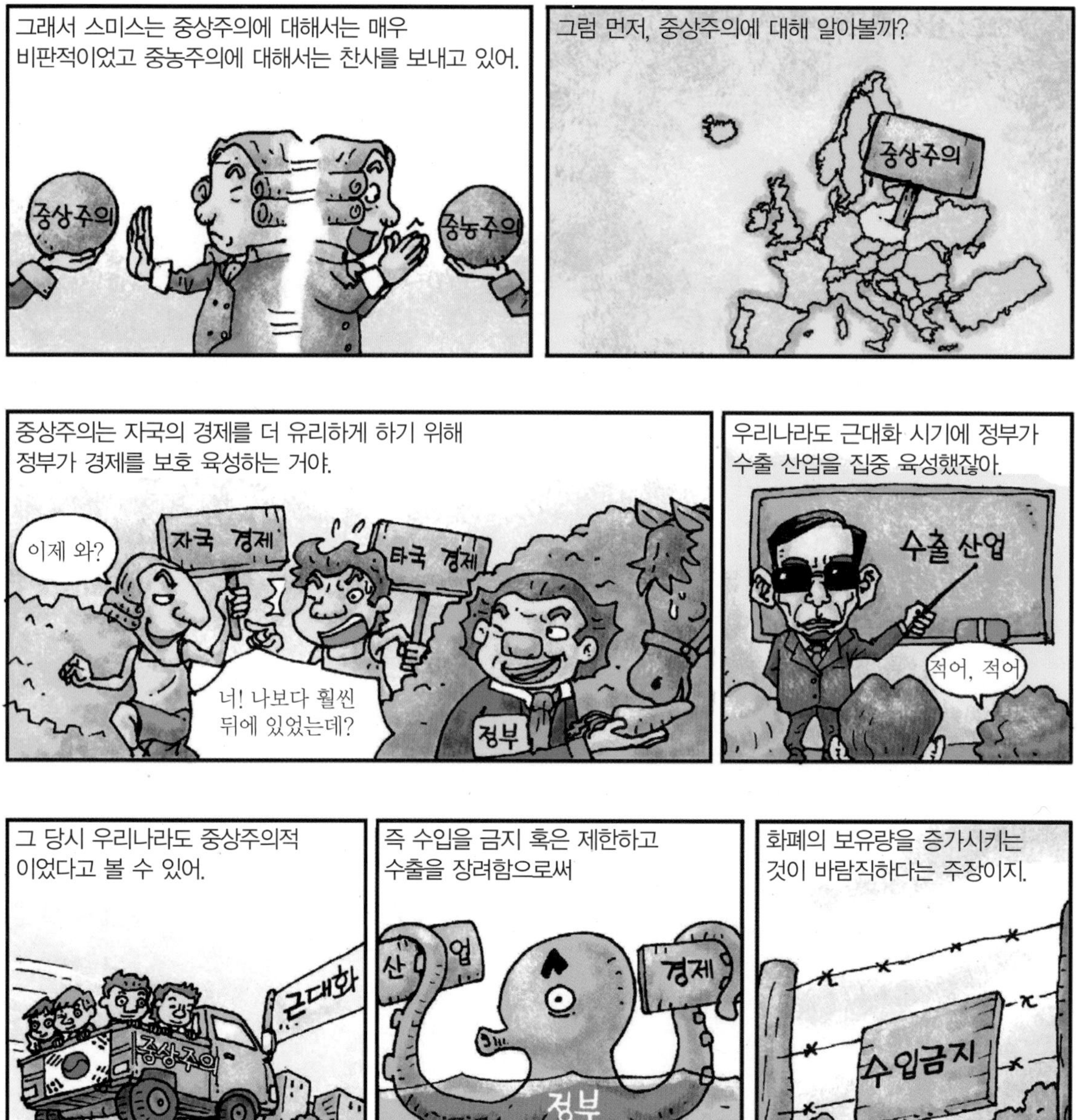
그래서 스미스는 중상주의에 대해서는 매우
비판적이었고 중농주의에 대해서는 찬사를 보내고 있어.
중상주의
중농주의
그럼 먼저, 중상주의에 대해 알아볼까?
중상주의
중상주의는 자국의 경제를 더 유리하게 하기 위해
정부가 경제를 보호 육성하는 거야.
이제 와?
자국 경제
타국 경제
너! 나보다 훨씬 뒤에 있었는데?
정부
우리나라도 근대화 시기에 정부가
수출 산업을 집중 육성했잖아.
수출 산업
적어, 적어
그 당시 우리나라도 중상주의적
이었다고 볼 수 있어.
근대화
중상주의
즉 수입을 금지 혹은 제한하고
수출을 장려함으로써
산업
경제
정부
화폐의 보유량을 증가시키는
것이 바람직하다는 주장이지.
수입금지

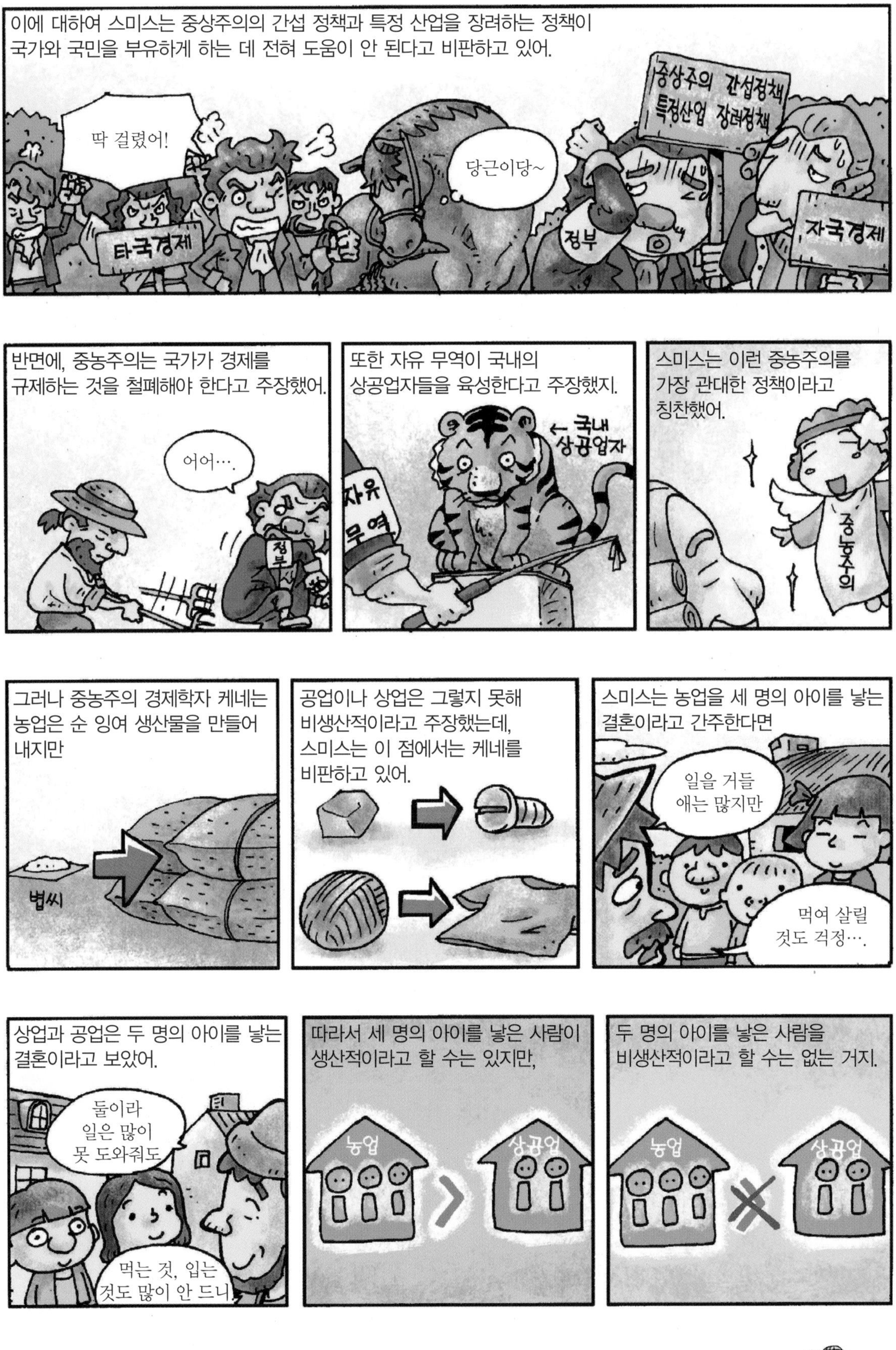
이에 대하여 스미스는 중상주의의 간섭 정책과 특정 산업을 장려하는 정책이 국가와 국민을 부유하게 하는 데 전혀 도움이 안 된다고 비판하고 있어.
딱 걸렸어!
타국경제
당근이당~
중상주의 간섭정책
특정산업 장려정책
정부
자국경제
반면에, 중농주의는 국가가 경제를 규제하는 것을 철폐해야 한다고 주장했어.
어어….
정부
또한 자유 무역이 국내의 상공업자들을 육성한다고 주장했지.
← 국내 상공업자
자유 무역
스미스는 이런 중농주의를 가장 관대한 정책이라고 칭찬했어.
중농주의
그러나 중농주의 경제학자 케네는 농업은 순 잉여 생산물을 만들어 내지만
볍씨
공업이나 상업은 그렇지 못해 비생산적이라고 주장했는데, 스미스는 이 점에서는 케네를 비판하고 있어.
스미스는 농업을 세 명의 아이를 낳는 결혼이라고 간주한다면
일을 거들 애는 많지만
먹여 살릴 것도 걱정….
상업과 공업은 두 명의 아이를 낳는 결혼이라고 보았어.
둘이라 일은 많이 못 도와줘도
먹는 것, 입는 것도 많이 안 드니.
따라서 세 명의 아이를 낳은 사람이 생산적이라고 할 수는 있지만,
농업
상공업
두 명의 아이를 낳은 사람을 비생산적이라고 할 수는 없는 거지.
농업
상공업

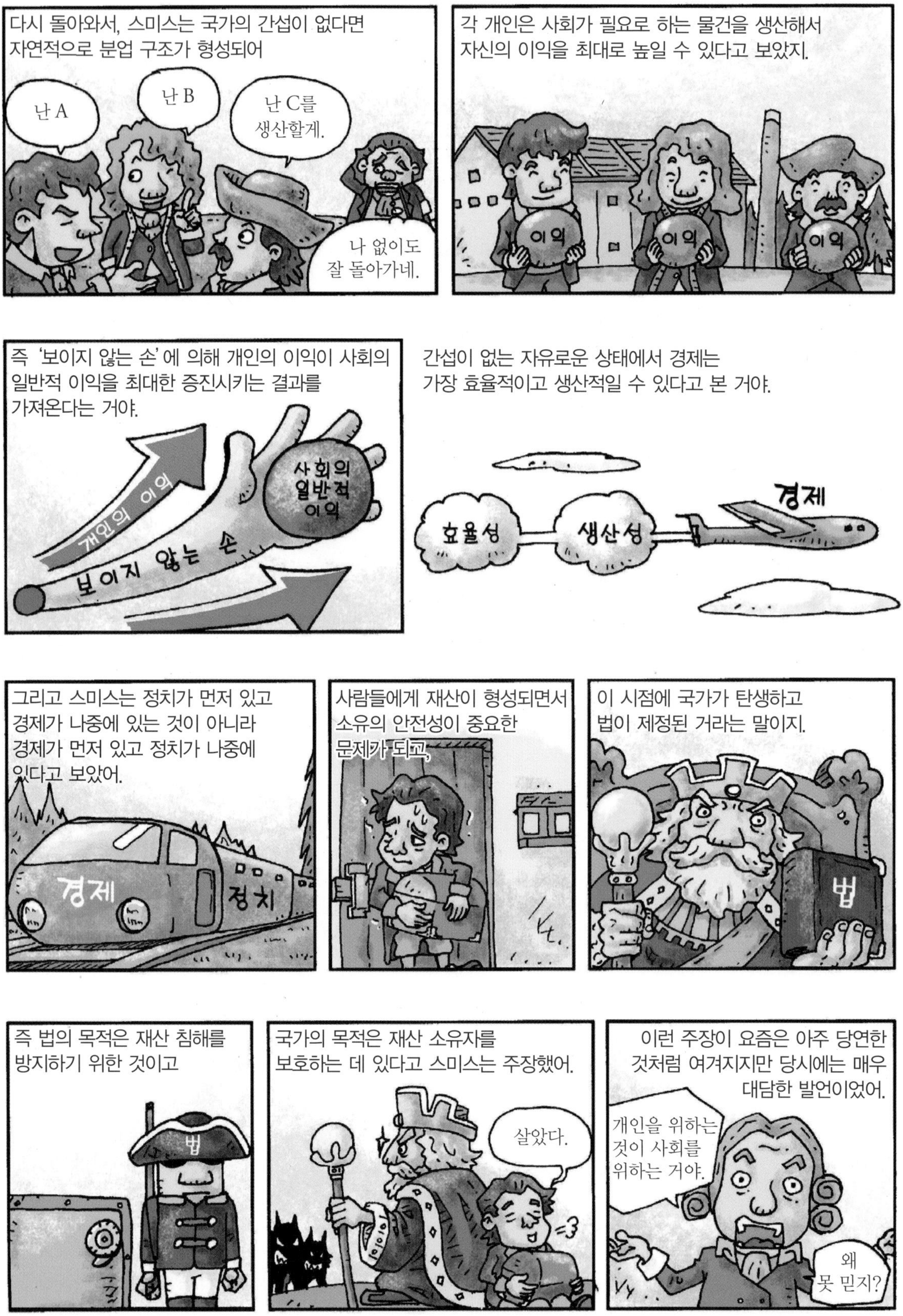
다시 돌아와서, 스미스는 국가의 간섭이 없다면 자연적으로 분업 구조가 형성되어
난 A
난 B
난 C를 생산할게.
나 없이도 잘 돌아가네.
각 개인은 사회가 필요로 하는 물건을 생산해서 자신의 이익을 최대로 높일 수 있다고 보았지.
이익
이익
이익
즉 '보이지 않는 손'에 의해 개인의 이익이 사회의 일반적 이익을 최대한 증진시키는 결과를 가져온다는 거야.
개인의 이익
사회의 일반적 이익
보이지 않는 손
간섭이 없는 자유로운 상태에서 경제는 가장 효율적이고 생산적일 수 있다고 본 거야.
경제
효율성
생산성
그리고 스미스는 정치가 먼저 있고 경제가 나중에 있는 것이 아니라 경제가 먼저 있고 정치가 나중에 있다고 보았어.
경제
정치
사람들에게 재산이 형성되면서 소유의 안전성이 중요한 문제가 되고,
이 시점에 국가가 탄생하고 법이 제정된 거라는 말이지.
법
즉 법의 목적은 재산 침해를 방지하기 위한 것이고
법
국가의 목적은 재산 소유자를 보호하는 데 있다고 스미스는 주장했어.
살았다.
이런 주장이 요즘은 아주 당연한 것처럼 여겨지지만 당시에는 매우 대담한 발언이었어.
개인을 위하는 것이 사회를 위하는 거야.
왜 못 믿지?

당시 영국 사회는 본격적인
근대화가 시작되기 전 단계였고,
근대화
영국을 제외한 다른 유럽 국가들은
여전히 국가 권력이 사회와 경제를
장악하는 게 당연하다는
분위기였어.
경제
사회
상대적으로 다른 유럽 국가들보다
앞서 갔던 프랑스를 한번 볼까?
프랑스
절대 왕정 시대였던 프랑스의
루이 14세는 '짐이 곧 국가다.' 라고
주장했지.
짐이
국가니까
당근
내 말이
국법! 세금도
짐 앞으로
납부!
왕은 국무총리 제도를 폐지하여
정부가 자기의 결정 사항을 집행하게
했고,
국무총리 제도
폐지
파리 고등 법원의 권한을 대폭
줄였어.
파리 고등 법원
하지만 루이 14세가 만든 왕 중심의 독재 정치에 대한 반발로
1789년 프랑스 혁명이 일어났지.
결국 루이 16세와 왕비 마리 앙투아네트는
단두대에서 비참한 최후를 맞이했어.
콰콰
이러한 사정으로 보아 프랑스
사회는 아직 근대 사회로의 성숙된
단계가 아니었어.
영국
그러니까 국가의 지배로부터 경제
영역이 독립성을 가지는 것은
당시로서는 상상할 수가
없었던 거야.
이 안에서
잘 놀고 있어.
국가
경제
경제가 정치보다 먼저라는 스미스의
주장은 당시 사회에는 굉장히
혁신적이었던 셈이지.
혁신
?
?

또한 스미스의 《국부론》은 세계의 부가 아니라 주로 영국의 부에 대해서 이야기한 거야.
국부론
영국
물론 《국부론》은 영국이나 유럽뿐 아니라 근대화를 바라는 전 세계 모든 나라들에게 참고가 되는 경제 모델을 제시한 것이기는 하지만 말이야.
하지만 《국부론》에서 스미스는 영국인의 입장에서 세계를 보고 있었다는 것을 기억해야 해.
영국
특히 스미스의 이런 민족주의적 측면은 중상주의 정책을 비판하는 데서 볼 수 있어.
쾅
중상주의
당시 영국은 유럽의 여러 나라들과 달리 산업 혁명이 본격적으로 진행되는 단계여서
뻥
산업 혁명
발전하는 산업들이 넓은 시장을 확보하는 것은 필연적으로 중요했지.
산업
자유주의자였던 스미스는 조국 영국의 산업 발전을 위해 중상주의의 정책을 격렬하게 반대했던 거야.
스미스
중상주의
스미스에게 자유는 영국을 위한 자유였거든.
영국
그런 스미스의 민족주의적 입장은 '항해법'을 현명한 정책이었다고 주장하는 데서도 볼 수가 있어.
항해법
스미스는 국방은 재산보다 중요하기 때문에 항해법은 영국의 상업 규칙 중에서도 가장 현명한 규칙이었다고 주장하고 있지.
중요도
국방 > 재산
항해법(Navigation Act)이란 1651년 영국 정부가 제정한 것으로, 해외 국가와 영국 간의 상품 무역을 영국 선박이 독점하려는 것이었어.

사실은 당시 유럽의 해운계에 큰 영향력을 갖고 있던 네덜란드로부터 영국을 보호하려는 입법이었지.
크르릉!
해운
무역
스미스가 한쪽으로는 자유 무역을 주장하고 다른 한쪽으로는 보호 무역을 옹호하고 있어서 이상하게 생각할 수도 있겠지만
자유 무역
보호 무역
모든 고전의 출발은 그 시대의 문제와 그 문제를 극복하는 것에 관한 거라고 할 수 있어.
시대적 문제
고전
그러므로 스미스 역시 자신이 살고 있던 18세기 영국의 입장에서 이야기하는 것은 자연스러운 일이야.
18C 영국
그럼 국가의 역할에 대한 스미스의 입장을 한번 알아볼까?
국가의 역할
스미스는 일반 시민에게 맡겨서는 안 되는 정부의 고유한 역할로 국방, 사법, 공공 사업 및 청소년 교육에 대한 사업 등을 들었어.
정부의 역할(수첩)
국방
공공 사업
청소년 교육
아, 경제가 빠져 있지?
경제
정부의 역할
《국부론》에 따르면 국가는 개인이나 기업의 경제 활동을 지배하려고 해서는 안 된다고 해.
개인 경제활동
기업 경제 활동
콩!
그래서 당시 사람들은 스미스의 정부를 '값싼 정부(cheap government)' 라고 비난했어.
비싼정부
비싼정부
값싼정부
콩!
특히 영국보다 늦게 근대화의 대열에 들어선 독일의 경우는
근대화
영국
독일

최소한의 임무만 수행하는 스미스의
자유주의 국가론을 야경 국가(夜警國家)라고
비난을 했었지.
야경국가
야경 국가는 말 그대로 밤에 경계만 서는 최소한의 국가를 의미해.
근대화에 늦은 독일은 정부가
주도하여 강력하게 근대화를
추진할 필요가 있었기 때문에
근대화
독일정부
스미스가 주장하는 《국부론》을
받아들이기는 어려웠을 거야.
스미스 국부론
그러나 이것은 스미스를
오해한 것이라고 볼 수 있어.
야..경..국..가?
제대로
좀 봐~!
스미스는 반대로 정부의 역할은 문명이
발달함에 따라 강화되고 증대되어야
한다고 보았어.
?
정부의
역할
정부의
역할
예를 들면 술통에 술을 안전하게
담으려면 술통이 튼튼해야
하잖아.
술의 양이 많을수록 통은 더
튼튼해야 하지.
즉 술이라는 민간 경제가 발전할수록,
술통이라는 정부의 역할은 튼튼해야
하는 거야.
?
민간경제
정부역할
스미스는 국가가 많은 일을 하기
때문에 필요한 경비를 능률적으로
사용해야 한다고
보았던 거야.
국가경비

이제는 스미스를 비판하는 사람들에 대해서 한번 알아볼까?
스미스 형아! 즐~
탁탁탁
스미스는 《국부론》에서 선진 영국을 배경으로 이론을 전개했어.
영국
그러므로 자연히 후진국의 입장에서는 받아들일 수 없는 부분이 많았던 거야.
국부론
사글세 사는 사람한테 명동 좋은 땅 사라는 격이지.
그중 대표적인 나라가 독일이었어.
이 당시 독일은 영국에는 비할 수 없을 후진국이었지.
우리 속담에 '뱁새가 황새를 따라가면 가랑이가 찢어진다.' 라는 말이 있잖아.
빨리 오라니까 뭐해.
가랑이 찢어진 거 안 보여?
독일이 영국에 대해 느끼는 것이 그랬었나 봐.
영국
뛰어!
독일
….
그래서 독일 학자들이 특히 스미스를 많이 비판했단다.
저게 또 폼 잡고 있네.
저걸 확!
독일의 경제학자 프리드리히 리스트는 후진국 독일의 입장에서 애덤 스미스를 비판했어.
프리드리히 리스트 (1789~1846)
나도 스미스 안티카페 정회원이야.
첫째, 리스트는 스미스가 개인의 이기심을 강조한 나머지, 국가와 국민을 위해 개인이 스스로를 희생할 수도 있다는 점을 무시하고 있다고 보았지.
전쟁이다!
난 국가를 위해 이 한몸 다 바칠 거야.
스미스 말대로라면 전쟁나면 다 도망가야지.
리스트는 만약 스미스의 자유주의 사상이 독일에 도입된다면 독일 국가나 국민이 해체되었을 거라고 주장했어.
자유주의 사상

둘째, 리스트는 스미스가 세계주의자인 것처럼 말하지만 영국의 특권 유지에만 힘쓴다고 비판했어.
세계주의
자국 특권유지
특히 네덜란드로부터 영국의 해운업을 보호하기 위한 항해법을 칭찬한 것은 자기모순이라고 비판했지.
네덜란드
넘어오기 없기
지-익
영국 해운업
결국 리스트는 스미스를 영국 산업의 우월적 지위를 유지하려 노력한 사람으로 몰아세웠던 거야.
영국 산업
영국인 스미스의 자유주의 사상이 독일의 현실에는 맞지 않는다며 경계해야 한다고 주장했던 거지.
스미스의 자유주의사상
다음은 사회주의 경제 원리를 주장한 마르크스(1818~1883)의 생각을 살펴볼까?
근대 자본주의 사회의 미래에 대해 스미스와 마르크스는 다른 입장을 보이고 있어.
스미스에 따르면 세계는 조화와 번영이 자연스럽게 전개되는 장밋빛 미래라고 보았어.
자유 경쟁으로 서로에게 필요한 것을 생산할 수 있고 이것이 번영의 미래를 가져온다고 보았던 거야.
이 녀석으로 곡식을 사야지.
이 곡식을 팔아 고기로 바꿀 거야.
이에 반해 마르크스는 근대 자본주의 시장 경제 체제는 그 자체의 모순을 극복하지 못해 멸망한다고 주장했어.
모순
자본주의 시장 경제 체제
하지만 마르크스 경제학의 많은 부분이 스미스의 《국부론》에서 영향을 받았어.
마르크스 경제학
스미스 국부론
스미스의 근대 사회는 경제가 정치에 우선한다는 주장을 그대로 받아들였거든.
근대 사회는 경제 〉 정치
그건 인정!
문제는 마르크스가 사회를 지나치게 경제 결정론적으로 바라보는 데 있었어.
경제
경제

경제 결정론은 경제가 정치, 문화, 예술 등 사회의 모든 영역들을 결정한다고 보는 이론이야.
내 결정에 따르라!
경제
정치
예술
문화
스미스는 근대 사회가 노동자, 자본가, 지주로 구성된다고 보았어.
노동력이 상품.
마르크스 역시 노동이 상품화된다는 스미스의 주장을 받아들였지.
뭐… 그것도 인정.
다만 차이점은 스미스가 말하는 노동자들은 가내 노동자같이 열악한 환경에 처해 있지 않은 노동자들이었어.
이것도 엄연한 노동이지.
반면에 마르크스가 말하는 노동자들은 기계화된 공장에서 살아남기 위해 몸부림치는 사람들이었지.
그리고 스미스의 근본 사상은 토지, 노동, 자본의 생산물이 한 나라의 부를 결정한다는 데 있었어.
국가의 부
토지 생산물
자본 생산물
노동 생산물
토지의 소유주는 지대를, 노동자는 임금을, 그리고 자본가는 이윤을 자신의 몫으로 가져간다고 보았어.
지대
임금
이윤
그래서 자유 경쟁이 되면 평등한 시민들 간에 같은 노동량이 교환된다는 노동 가치론을 주장하고 있지.
마르크스 역시 이를 받아들이고 있지만 지주가 받는 지대와 자본가가 받는 이윤은 아무 노력 없이 받는 대가라고 보았어.
지주
결국 마르크스는 노동만이 유일하게 생산물을 증가시킨다는 극단적인 노동 가치론을 주장했던 거야.
노동
생산물 증가
공산주의, 사회주의의 이론적인 토대를 제공했던 마르크스의 사상도 많은 부분 《국부론》의 주장을 수용하면서 나름대로 근대 자본주의 사회에 대한 다른 해석을 하고 있었던 거야.
국부론
마르크스 사상

# 제2장 애덤 스미스는 어떤 사람일까?

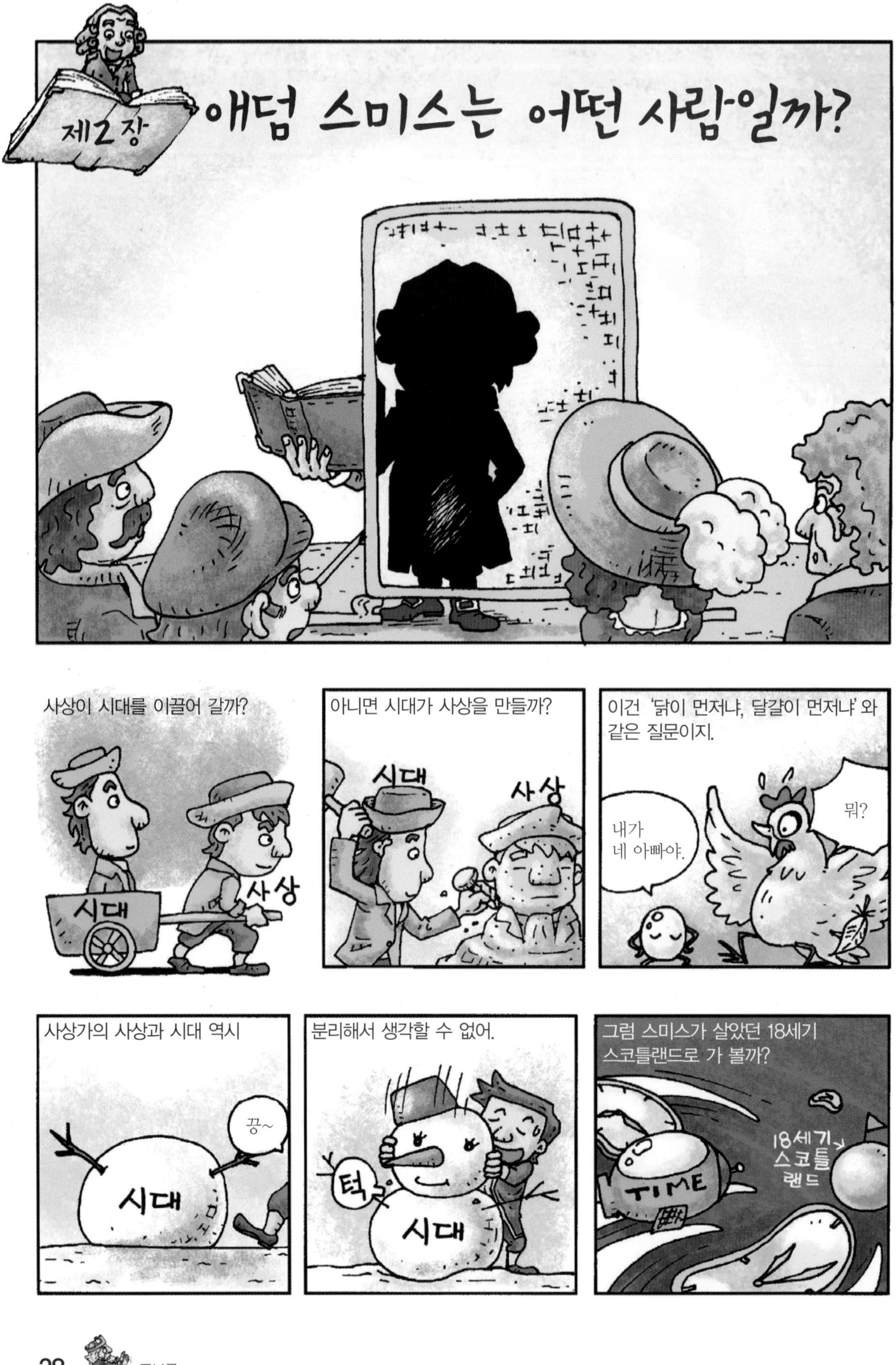
사상이 시대를 이끌어 갈까?
시대
사상
아니면 시대가 사상을 만들까?
시대
사상
이건 '닭이 먼저냐, 달걀이 먼저냐'와 같은 질문이지.
내가 네 아빠야.
뭐?
사상가의 사상과 시대 역시
끙~
시대
분리해서 생각할 수 없어.
턱
시대
그럼 스미스가 살았던 18세기 스코틀랜드로 가 볼까?
TIME
18세기 스코틀랜드

18세기는 전형적으로 구질서와 신질서의 과도기였어.
신질서
구질서
구질서는 봉건주의적 질서, 절대주의적 질서를 말해.
자, 줄 서. 줄!
봉건주의
절대주의
반면 신질서는 근대 자본주의적 질서 그리고 자유주의적 질서라고 할 수 있어.
자, 알아서들 줄 서세요.
힘들어. 난 앉을래.
그러니까 18세기는
구질서
신질서
봉건적 질서가 무너지고 근대 자본주의가 형성되기 시작한 시대지.
까불래?
졌다.
18세기가 얼마나 격변기였나 볼까?
18세기 격변기
우선 영국에선 1760년대부터 산업 혁명이 시작되었어.
산업혁명
콰
광
영국
산업 혁명은 기술 혁신으로 기계화를 가져왔고
기계화는 대량 생산 체제를 가져왔지.
18세기 산업 혁명기의 모습

기계화로 생산된 많은 제품들은
넓은 시장이 필요했고,
떡 좀….
내가 아까 두 봉지나 샀잖아.
그에 따라 자유 무역이 싹트기 시작했어.
이웃 나라로 가서 팔아야지.
정부의 간섭으로부터
정부
빵 사고 싶은데….
독립적인, 자유로운 시민 정신이 생기는 시기였지.
빵 주세요.
빵
여기.
스스로 자신들의 생활을 개선하기 위해
생선이 없네.
레몬도 필요한데….
노력할 수 있는 시대가 온 거야.
MILK
뭐라고 써 놓은 거야?
여친 급구.
정치적으로는 민주주의가,
모든 결정은 왕인 내가…
시민
No!
우리가 다수결로!
경제적으로는 자유 경쟁의 원리가 싹트게 된 거야.
옷 사세요. 최고급 브랜드 예요.
이건 이태리제~
지들 맘대로군.

1775년에는 미국에서 독립 전쟁이,
독립할래.
장난하냐!
1798년에는 프랑스에서 프랑스 혁명이 일어났어.
들라크루아 〈민중을 이끄는 자유의 여신〉
이 두 사건은 각 나라의
내부 문제이긴 했지만
미국
프랑스
구질서를 무너뜨리고 새로운 근대 질서를 열었다는 점에서
공통점이 있어.
근대 질서
미국의 독립 전쟁은
콰
광
영국의 가혹한 억압 정치와 중상주의 무역에 반발하여
억압
정치
중상주의
더 이상은
못 참아.
미국의 동부 13개 주가
영국으로부터의 독립을 주장하고
일으킨 전쟁이야.
와~
탕
탕

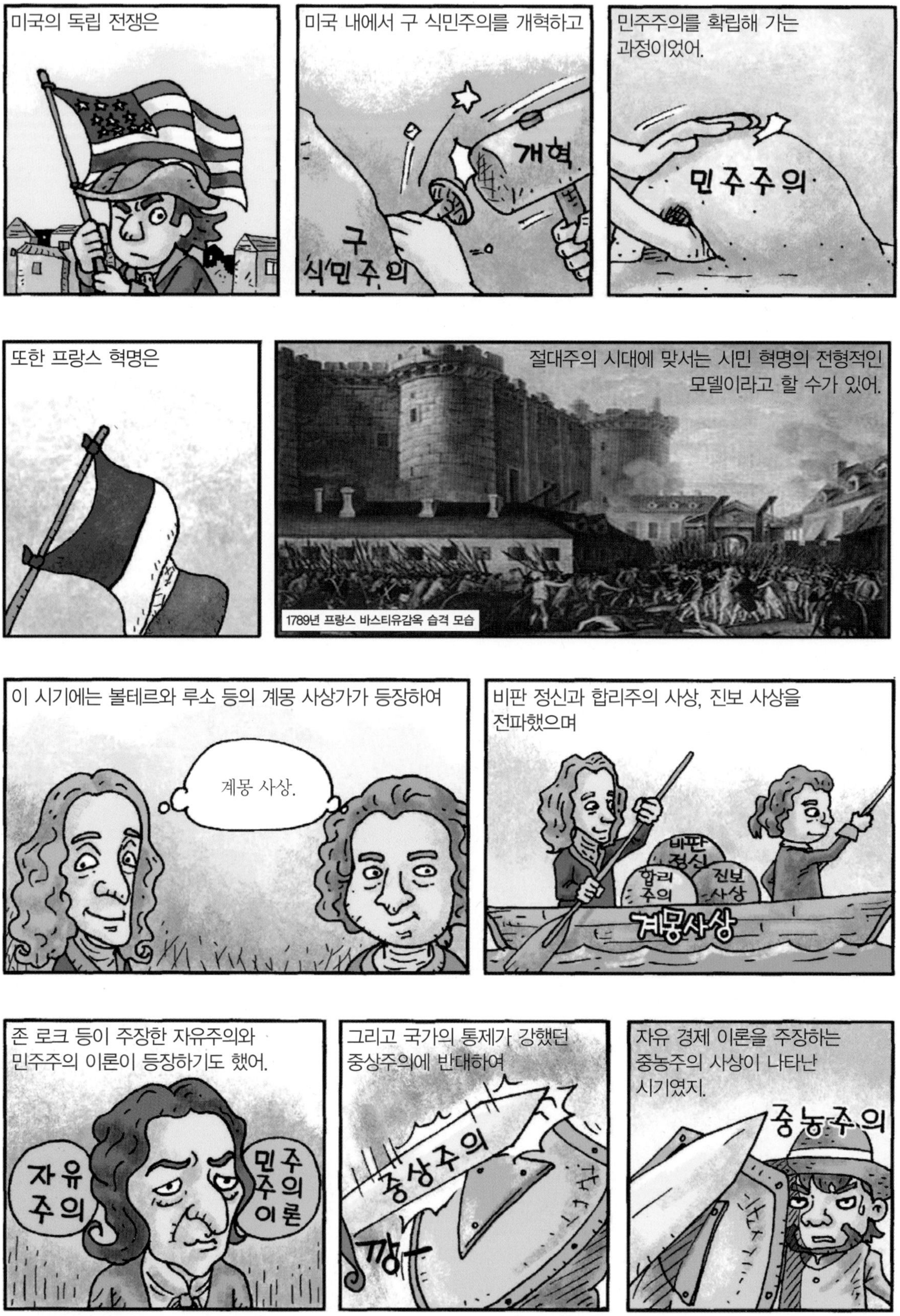
미국의 독립 전쟁은
미국 내에서 구 식민주의를 개혁하고
구 식민주의
개혁
민주주의를 확립해 가는 과정이었어.
민주주의
또한 프랑스 혁명은
절대주의 시대에 맞서는 시민 혁명의 전형적인 모델이라고 할 수가 있어.
1789년 프랑스 바스티유감옥 습격 모습
이 시기에는 볼테르와 루소 등의 계몽 사상가가 등장하여
계몽 사상.
비판 정신과 합리주의 사상, 진보 사상을 전파했으며
비판 정신
합리 주의
진보 사상
계몽사상
존 로크 등이 주장한 자유주의와 민주주의 이론이 등장하기도 했어.
자유 주의
민주 주의 이론
그리고 국가의 통제가 강했던 중상주의에 반대하여
중상주의
깡-
자유 경제 이론을 주장하는 중농주의 사상이 나타난 시기였지.
중농주의

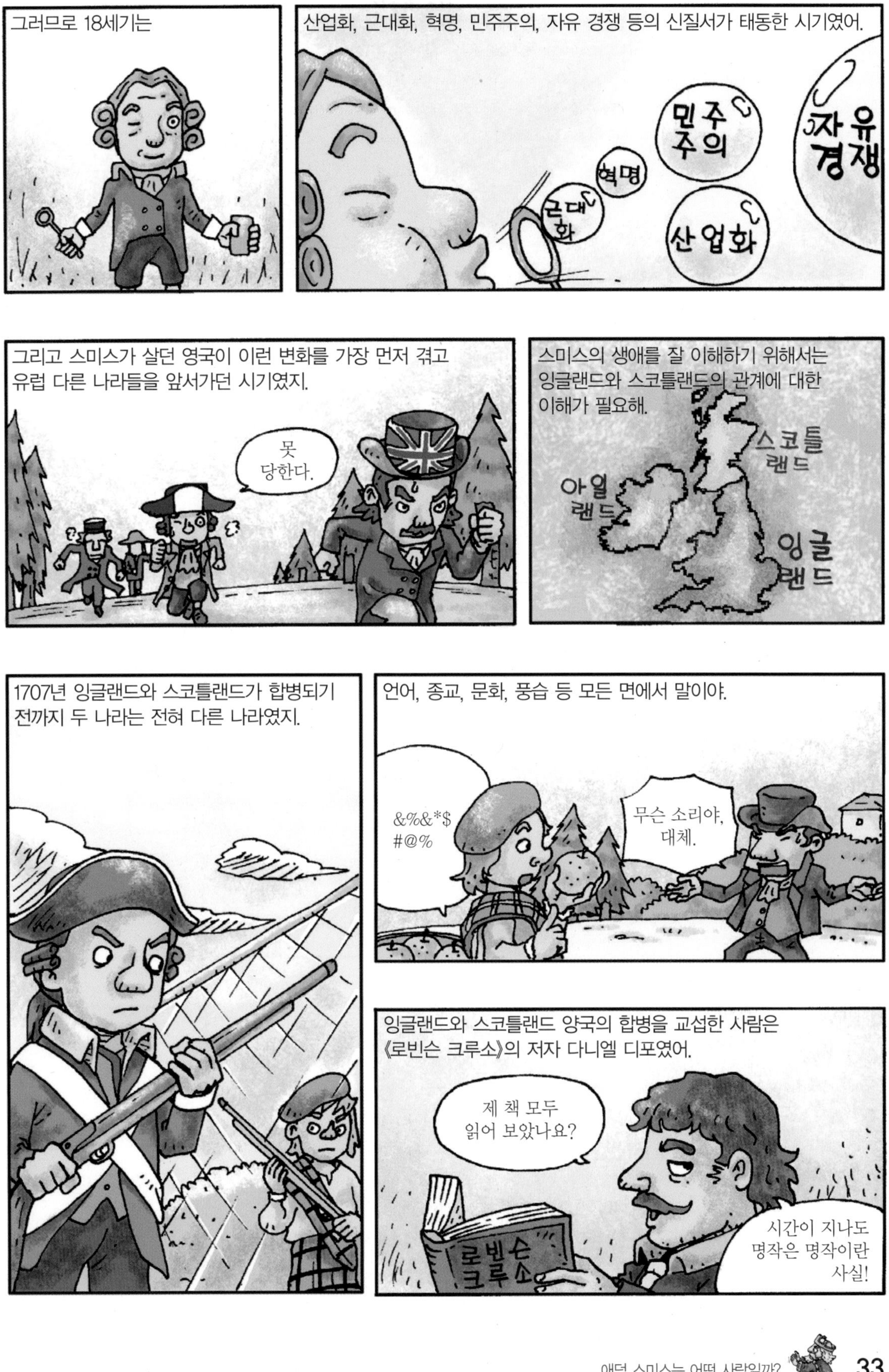
그러므로 18세기는
산업화, 근대화, 혁명, 민주주의, 자유 경쟁 등의 신질서가 태동한 시기였어.
민주주의
자유 경쟁
혁명
근대화
산업화
그리고 스미스가 살던 영국이 이런 변화를 가장 먼저 겪고 유럽 다른 나라들을 앞서가던 시기였지.
못 당한다.
스미스의 생애를 잘 이해하기 위해서는 잉글랜드와 스코틀랜드의 관계에 대한 이해가 필요해.
스코틀랜드
아일랜드
잉글랜드
1707년 잉글랜드와 스코틀랜드가 합병되기 전까지 두 나라는 전혀 다른 나라였지.
언어, 종교, 문화, 풍습 등 모든 면에서 말이야.
&%&*$ #@%
무슨 소리야, 대체.
잉글랜드와 스코틀랜드 양국의 합병을 교섭한 사람은 《로빈슨 크루소》의 저자 다니엘 디포였어.
제 책 모두 읽어 보았나요?
로빈슨 크루소
시간이 지나도 명작은 명작이란 사실!

1707년 양국 합병안의 통과로
합병안
스코틀랜드는 잉글랜드의 시장과 식민지에 진출할 기회를 갖게 된 거야.
시장
식민지
스코틀랜드
이것을 계기로 스코틀랜드는 오랜 빈곤에서 벗어나
벗자.
벗어.
가난
번영을 향해 갈 수 있게 되었어.
역시 옷이 날개야.
이 시기에 활동했던 스코틀랜드의 대표적 지식인들인 흄, 스미스 등은
흄 저서
스미스 저서
유럽 대륙의 사상가들에게 많은 영향을 주었어.
흄, 스미스 사인전
자, 그럼 이제 우리의 주인공 스미스에게 접근해 볼까?
아니, 여기는 공장이잖아?
쿵쾅
쿵쾅

애덤 스미스는 1723년 공장의 기계 소리가 들리는 스코틀랜드의 항구 도시 커콜디에서 태어났어.
쿵쾅
쿵쾅
시끄러워서 도저히 못참겠다.
빨리 나가야지.
스미스의 아버지는 세관원이었고
그가 태어나기 직전에 세상을 떠났어.
아빠 없는 하늘 아래….
슬퍼.
스미스의 어머니는 대지주의 딸로
스미스를 낳기 전에 과부가 된 거야.
여자 인생 새옹지마.
그래서 스미스는 아버지의 유산으로 살아가는 홀어머니 밑에서 자라게 되었어.
엄마, 버터 빵 먹고 싶어.
이 돈으로 너 공부시키려면 아끼고 또 아껴야 해.
스미스의 성품은 성실하고 학구적이었어.
내 가장 친한 친구는 책이야.
극단적인 것을 싫어했고
우리 팀이야, 쟤네 팀이야?
심판 보면 안 될까?
단정한 모범생 이미지의 학생이었지.

여성에 대해서는 매우 소심한 편이어서
스미스, 같이 차나 할래?
아…니.
혼자서 마시는 게 더 편한데 왜….

평생을 독신으로 지내면서 홀어머니와 같이 살았어.

어떤 점에서 그는 철학자 칸트와 비슷한 면이 있어.
이런 걸로 비슷하고 싶지 않아.
위대한 사상가로만 기억해줘.

칸트도 일생을 독신으로 보내면서 학문에 전념했거든.
쪼오옥

사람이 모든 걸 가질 수는 없나 봐!
아무리 그래도 밤은 외로워.

만약 칸트가 행복한 가정을 가지고 자식들을 양육하면서 살았다면

역사에 그렇게 큰 영향을 끼친 저술을 쓸 수 있었을까?
아빠, 놀이 공원 가요!
여보, 오늘은 연극 보러 가요.

스미스가 태어날 무렵 커콜디는 북해 무역의 중심지였기 때문에 탄광업, 소금 공장, 정비소 같은 것들이 매우 발달했어.
스코틀랜드
북해
커콜디

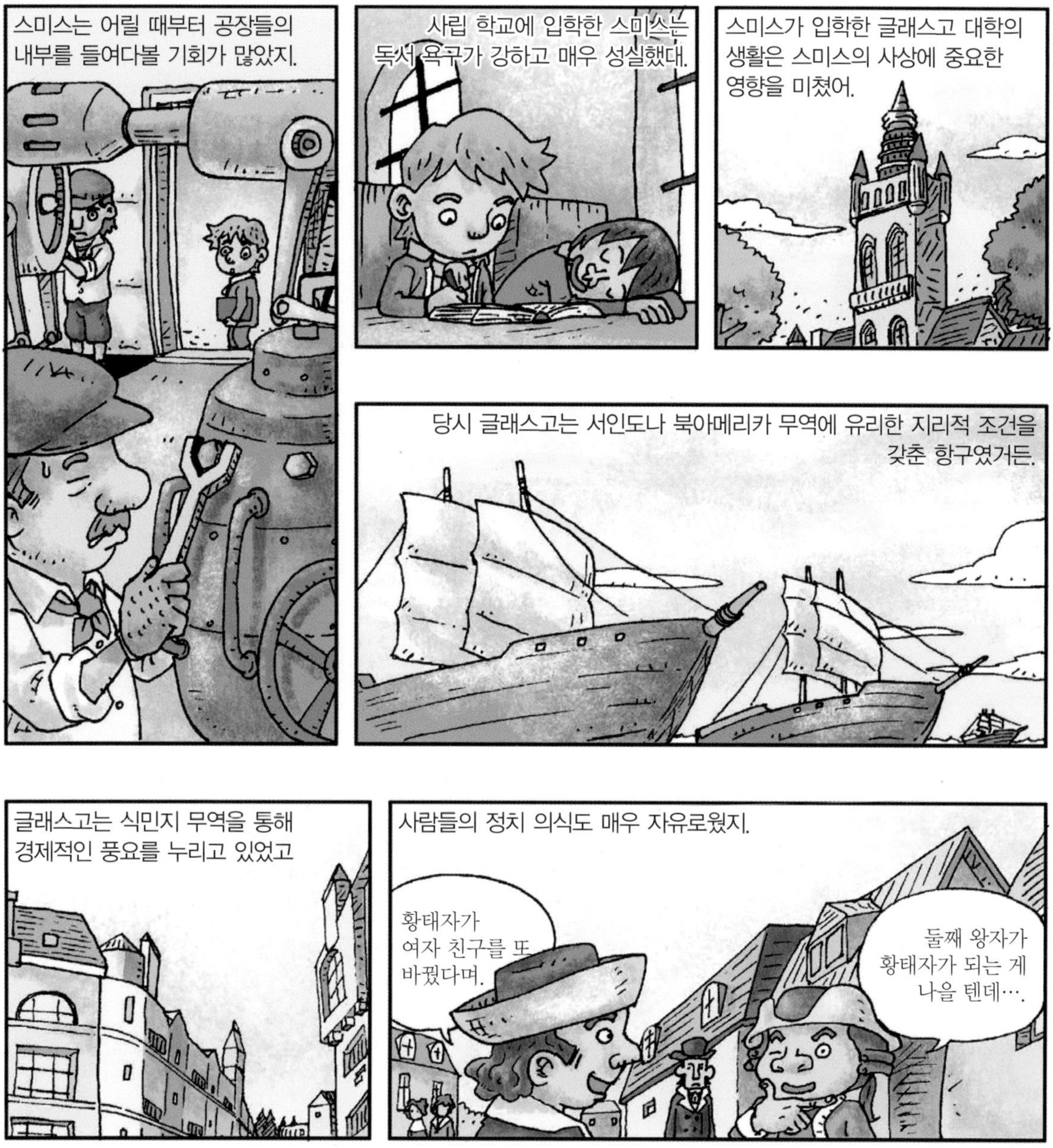
스미스는 어릴 때부터 공장들의 내부를 들여다볼 기회가 많았지.
사립 학교에 입학한 스미스는 독서 욕구가 강하고 매우 성실했대.
스미스가 입학한 글래스고 대학의 생활은 스미스의 사상에 중요한 영향을 미쳤어.
당시 글래스고는 서인도나 북아메리카 무역에 유리한 지리적 조건을 갖춘 항구였거든.
글래스고는 식민지 무역을 통해 경제적인 풍요를 누리고 있었고
사람들의 정치 의식도 매우 자유로웠지.
황태자가 여자 친구를 또 바꿨다며.
둘째 왕자가 황태자가 되는 게 나을 텐데….
글래스고 대학은 다른 명문 대학들에 비해 학문 수준이 높았고 진보적인 곳이었어.
영국 대학 베스트
글래스고
옥스퍼드
케임브리지
잉글랜드의 옥스퍼드나 케임브리지는 당시의 정치적, 종교적 권위에 보호를 받던 배타적인 학교들이었던 반면에
종교적 권위
옥스퍼드
정치적 권위
종교는 무조건 가톨릭. 그 외엔 안 돼!

스코틀랜드의 대학은 종교적 편견으로부터 자유로운 곳이었던 거야.
스코틀랜드 대학
종교에 관계없이
배움의 기회는 균등하다.
특히 스코틀랜드는 프로테스탄트 종교 개혁이 일어났던 곳이기도 했어.
종교 개혁
스코틀랜드
가톨릭의 구질서에 대항하여 칼뱅주의 노선을 따르는
신교의 종교 개혁이 성공적으로 일어난 곳이었지.
종교개혁
칼뱅주의는
사제가 중재자로 하나님과 개인을 연결시키는 것을 거부하고
죄가 있다면 내게 얘기하거라.
왜?
하나님과 개인을 직접 연결시키고
내가 직접 말씀드리면 되지.
개인의 양심을 존중하는 새로운 기독교 정신이었어.
어제 지갑을 주웠는데… 지갑 주인을 알고 있습니다.
시험보다가 커닝을 했습니다.
스미스는 글래스고 대학을 졸업한 후에
장학생으로 옥스퍼드 대학에 입학했어.
내 운명은 공부구나….
장학금
옥스퍼드
하지만 앞서 말했듯 당시 옥스퍼드 대학은 학문적으로 침체되어 있었어.
옥스퍼드
글래스고

스미스는 이렇게 비난하곤 했지.
옥스퍼드 대학 교수의 대부분은 가르치려는 흉내조차 포기하고 있다.
그럼에도 옥스퍼드는 전통과 특권에 안주하고 있었기에 자존심은 하늘을 찔렀지.
옥스퍼드
이런 분위기 속에서 스미스는 무시를 당하고 따돌림 당했어.
촌닭~
스코틀랜드 촌놈.
그는 당시 불온 서적이었던 철학자 흄의 《인성론》을 읽다가 발각되어
인성론
책을 압수당하기도 했대.
흄은 스미스의 선배였지만
같은 스코틀랜드 출신이라 나중에 둘은 둘도 없는 친구가 됐지.
우리 고향은
스코틀랜드.
개천에서 용났지.
6년의 유학 기간 동안 스미스가 실질적으로 얻은 것은 그리스, 로마의 고전에 관한 교양이었어.
그리스, 로마

결국 학사 자격만 따고 23세 때 고국으로 돌아오게 되었어.
빛나는 졸업장을…
스코틀랜드
고국에서 스미스는 몇년간 공개 강의를 해.
이 강의로 명성을 얻게 되고
스미스 강사 강의 들어봤어?
그럼, 내가 제일 좋아하는 강의인데….
곧 모교인 글래스고 대학의 교수로 부임하게 되지.
스미스 교수님이다.
같은 시기 제임스 와트가 글래스고 대학의 기술자로 초빙되어 대학 내 자신의 실험실을 가지게 되었어.
이 대학엔 유명한 스미스 교수가 있다는데….
증기 기관이 발명됐을 때 스미스는 그 대학의 교수직을 그만둔 후였지만
호오. 와트의 증기 기관을 직접 못 본 게 아쉽군.
근대 사회를 여는 데 가장 큰 업적을 세운 두 사람이 같은 대학에서 생활했다니, 재미있는 우연이지?
국부론
1751년 스미스가 논리학 교수로 부임할 때, 존경하던 흄을 만났어.
당신이 쓴 《인성론》에 감명 받았습니다.
하하. 별말씀을….
흄이 나이가 많음에도 불구하고 두 사람의 우정은 오래 지속됐어.
우정이여,
챙~
영원하라!
스미스에게 흄은 정신적 지주와 같았거든.
흄은 내 친구이자 정신적 스승이다.

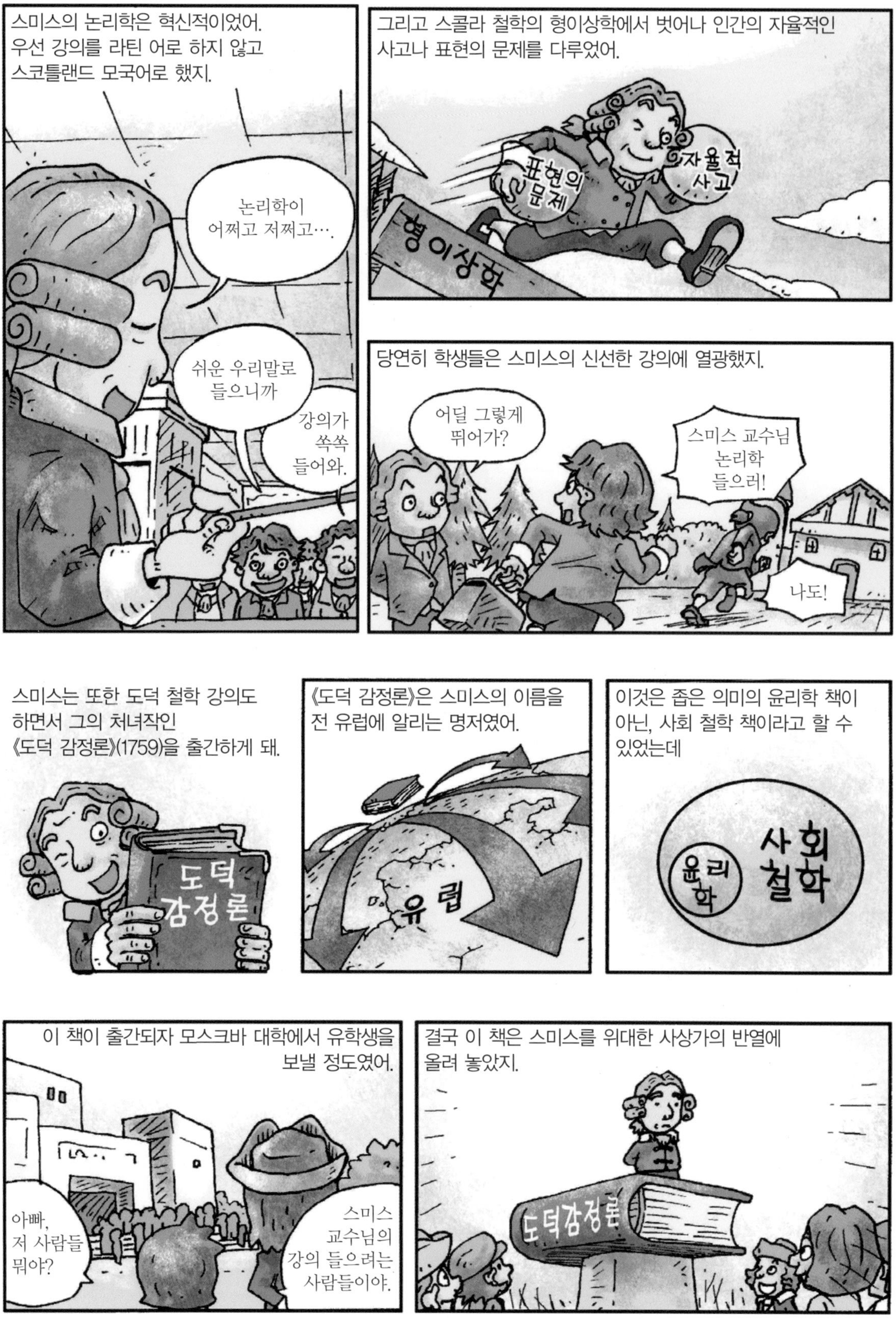
스미스의 논리학은 혁신적이었어. 우선 강의를 라틴 어로 하지 않고 스코틀랜드 모국어로 했지.
논리학이 어쩌고 저쩌고….
쉬운 우리말로 들으니까
강의가 쏙쏙 들어와.
그리고 스콜라 철학의 형이상학에서 벗어나 인간의 자율적인 사고나 표현의 문제를 다루었어.
표현의 문제
자율적 사고
형이상학
당연히 학생들은 스미스의 신선한 강의에 열광했지.
어딜 그렇게 뛰어가?
스미스 교수님 논리학 들으러!
나도!
스미스는 또한 도덕 철학 강의도 하면서 그의 처녀작인 《도덕 감정론》(1759)을 출간하게 돼.
도덕 감정론
《도덕 감정론》은 스미스의 이름을 전 유럽에 알리는 명저였어.
유럽
이것은 좁은 의미의 윤리학 책이 아닌, 사회 철학 책이라고 할 수 있었는데
윤리학
사회 철학
이 책이 출간되자 모스크바 대학에서 유학생을 보낼 정도였어.
아빠, 저 사람들 뭐야?
스미스 교수님의 강의 들으려는 사람들이야.
결국 이 책은 스미스를 위대한 사상가의 반열에 올려 놓았지.
도덕감정론

이후 스미스의 관심은 점차 법학이나 경제학 쪽으로 기울면서
사회 과학자로서 발전하기 시작했어.
경제학
법학
사회과학자
그러다 견문을 넓힐 수 있는 기회가
찾아오게 되었지. 특히 섬나라인 영국은
유럽 대륙의 학자를 만나려면
학문 교류를 위해 초청합니다. 로마?
배를 타고 며칠을 가야 했던 시대였거든.
우웩!
웩!
다른 학자보다 의사를 먼저 만나야겠다.
당시는 요즘처럼 학문적인 교류가
쉬운 시대가 아니었어.
오늘 만나서 스터디나 할까?
스미스는 바클루 공작의 대륙 여행
수행 교사로 따라 나서게 됐지.
당시 유럽 사회는 귀족들이 수행 교사를 데리고
유럽을 여행하며 견문을 쌓는 게 유행이었거든.
저건 무엇인가? 꼭 바람개비 같구먼.
'풍차' 라는 것입니다.
난생 처음 유럽 여행을 하게 된 스미스는 미련 없이
교수직을 버리고 대륙 여행을 선택했어.
여행비 무료에 숙식 제공.
평생에 이런 기회가 다시 오겠어?

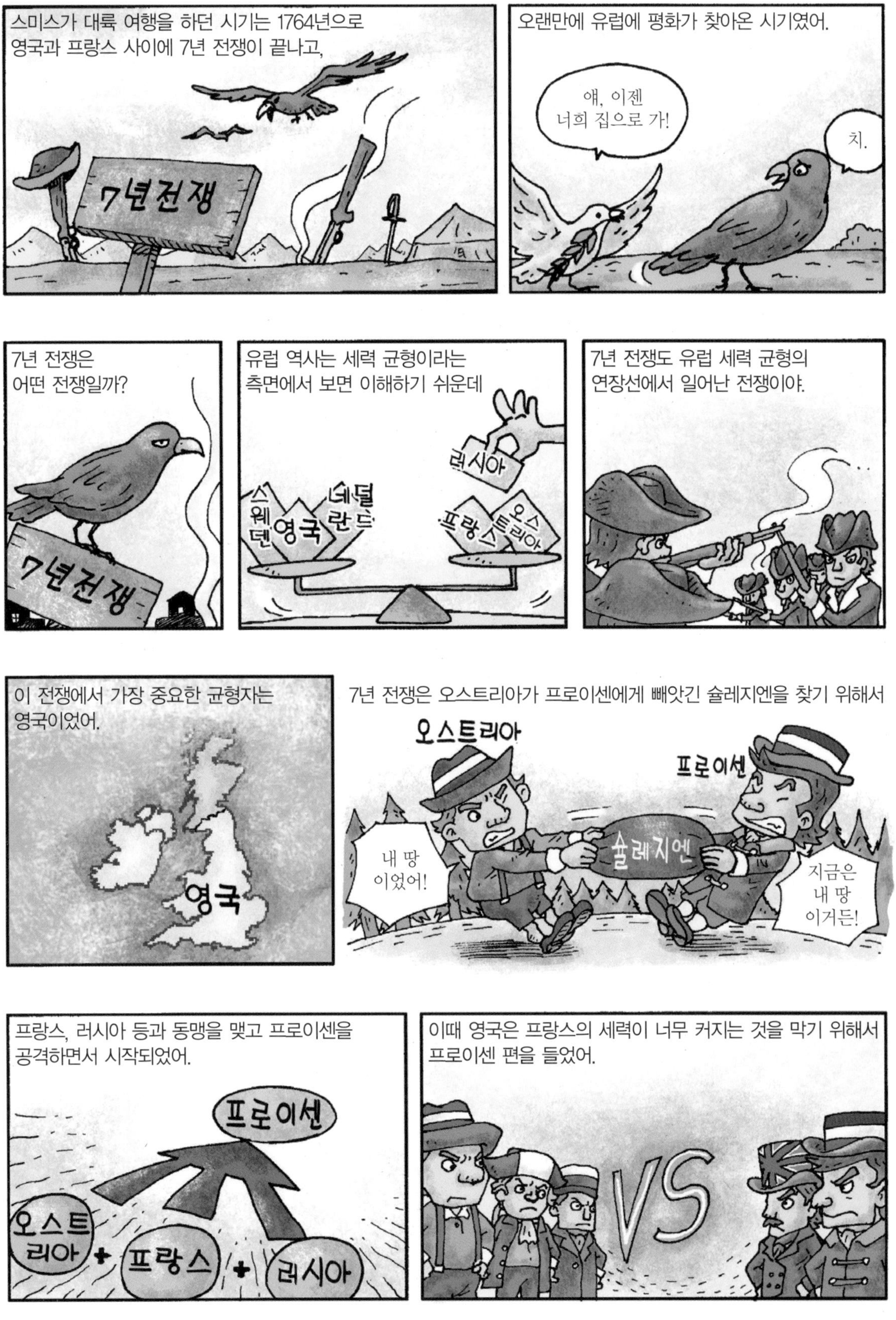

스미스가 대륙 여행을 하던 시기는 1764년으로
영국과 프랑스 사이에 7년 전쟁이 끝나고,
7년전쟁
오랜만에 유럽에 평화가 찾아온 시기였어.
얘, 이젠 너희 집으로 가!
치.
7년 전쟁은 어떤 전쟁일까?
7년전쟁
유럽 역사는 세력 균형이라는 측면에서 보면 이해하기 쉬운데
러시아
스웨덴
영국
네덜란드
프랑스
오스트리아
7년 전쟁도 유럽 세력 균형의 연장선에서 일어난 전쟁이야.
이 전쟁에서 가장 중요한 균형자는 영국이었어.
영국
7년 전쟁은 오스트리아가 프로이센에게 빼앗긴 슐레지엔을 찾기 위해서
오스트리아
프로이센
슐레지엔
내 땅 이었어!
지금은 내 땅 이거든!
프랑스, 러시아 등과 동맹을 맺고 프로이센을 공격하면서 시작되었어.
프로이센
오스트리아
프랑스
러시아
이때 영국은 프랑스의 세력이 너무 커지는 것을 막기 위해서 프로이센 편을 들었어.
VS

왜 세력 균형이 필요할까? 그 이유는 간단해. 만약 유럽 대륙을 프랑스나 어느 한 나라가 지배하게 된다면
유럽
섬나라 영국은 대륙 세력에 지배받을 수밖에 없잖아.
조세 바칠래?
침략 당할래?
결국 영국은 대륙이 어느 한 나라의 손에 들어가지 않도록 하기 위해
훠어이~
세력 균형을 유지하는 정책을 쓸 수밖에 없었던 거야.
네 편을 들어줄게.
고…고마워.
결국 나 자신을 위해서지.
이제 유럽에서 전쟁이 자주 일어난 까닭을 알겠지?
7년 전쟁 동안 영국과 프랑스는 식민지 쟁탈전을 전개했어.
자네, 식민지가 꽤 많은 거 같아. 하나 넘기지.
힘 있으면 어디 가져가 봐.
이 전쟁에서 프랑스는 패배했고
결국 슐레지엔은 프로이센의 소유로 굳어지고
프로이센
슐레지엔
프랑스는 아메리카와 인도 등지의 식민지를 영국에게 빼앗기면서
유럽은 다시 평화를 얻었어.

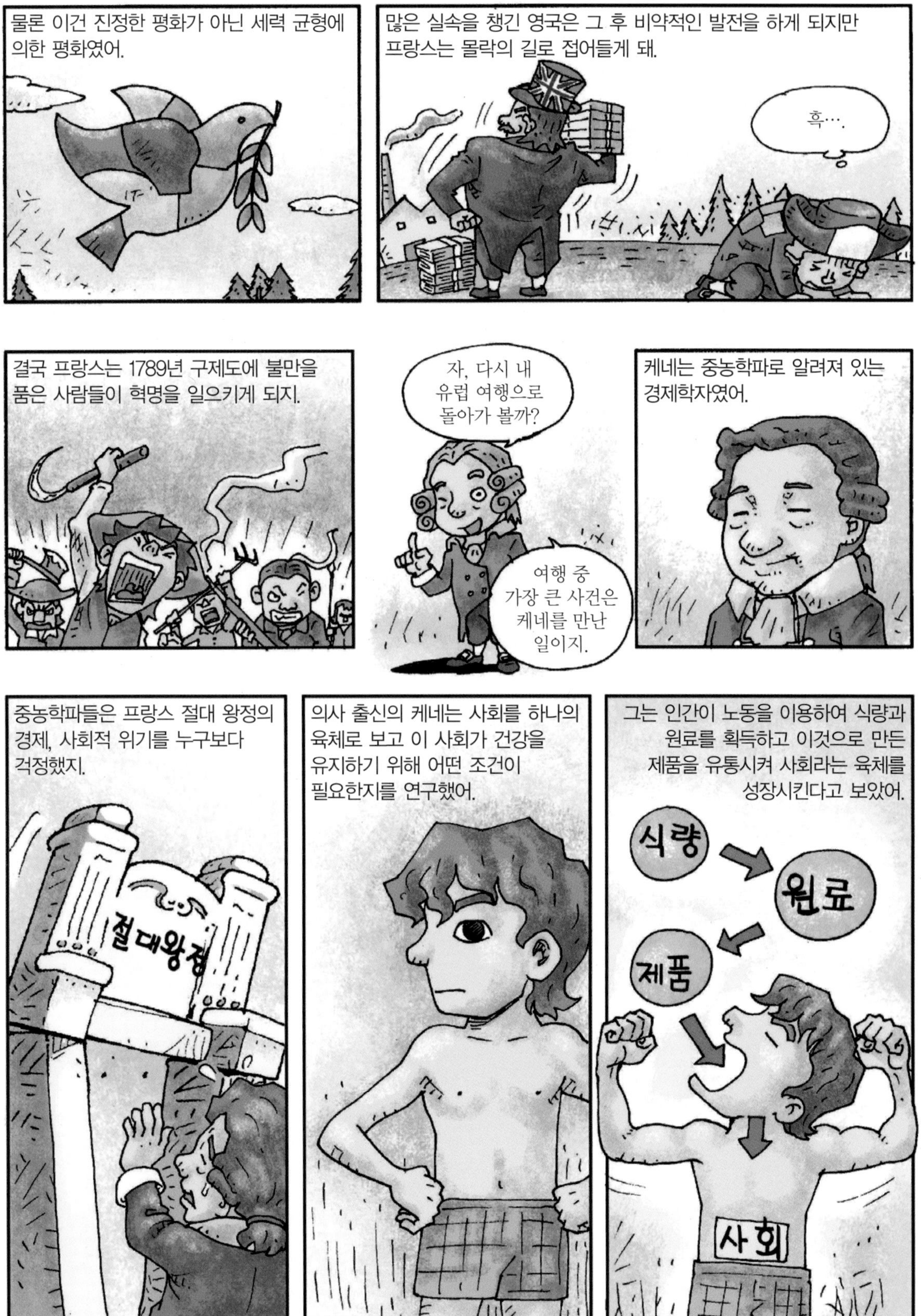
물론 이건 진정한 평화가 아닌 세력 균형에 의한 평화였어.
많은 실속을 챙긴 영국은 그 후 비약적인 발전을 하게 되지만 프랑스는 몰락의 길로 접어들게 돼.
흑….
결국 프랑스는 1789년 구제도에 불만을 품은 사람들이 혁명을 일으키게 되지.
자, 다시 내 유럽 여행으로 돌아가 볼까?
여행 중 가장 큰 사건은 케네를 만난 일이지.
케네는 중농학파로 알려져 있는 경제학자였어.
중농학파들은 프랑스 절대 왕정의 경제, 사회적 위기를 누구보다 걱정했지.
절대왕정
의사 출신의 케네는 사회를 하나의 육체로 보고 이 사회가 건강을 유지하기 위해 어떤 조건이 필요한지를 연구했어.
그는 인간이 노동을 이용하여 식량과 원료를 획득하고 이것으로 만든 제품을 유통시켜 사회라는 육체를 성장시킨다고 보았어.
식량
원료
제품
사회

또한 사회는 3가지 계급으로 구성되어 있었고
사회의 3가지계급
화폐는 몸의 혈액처럼 이 3개 계급 사이를 순환하며
지대 입니다.
생산물을 공급한다고 여겼지.
쌀이 필요하다고?
쌀값!
이런 케네의 사상은 스미스에게 큰 영향을 미쳤어.
음… 좋은걸?
스미스는 프랑스의 살롱에서 화려한 인생을 보내기도 했어.
살롱은 당대의 지식인들이 몰려 있는 곳이었어.
따라서 스미스는 당대의 진보적 사상가 돌바크, 디드로, 달랑베르 같은 사람들과 교류할 수 있었지.

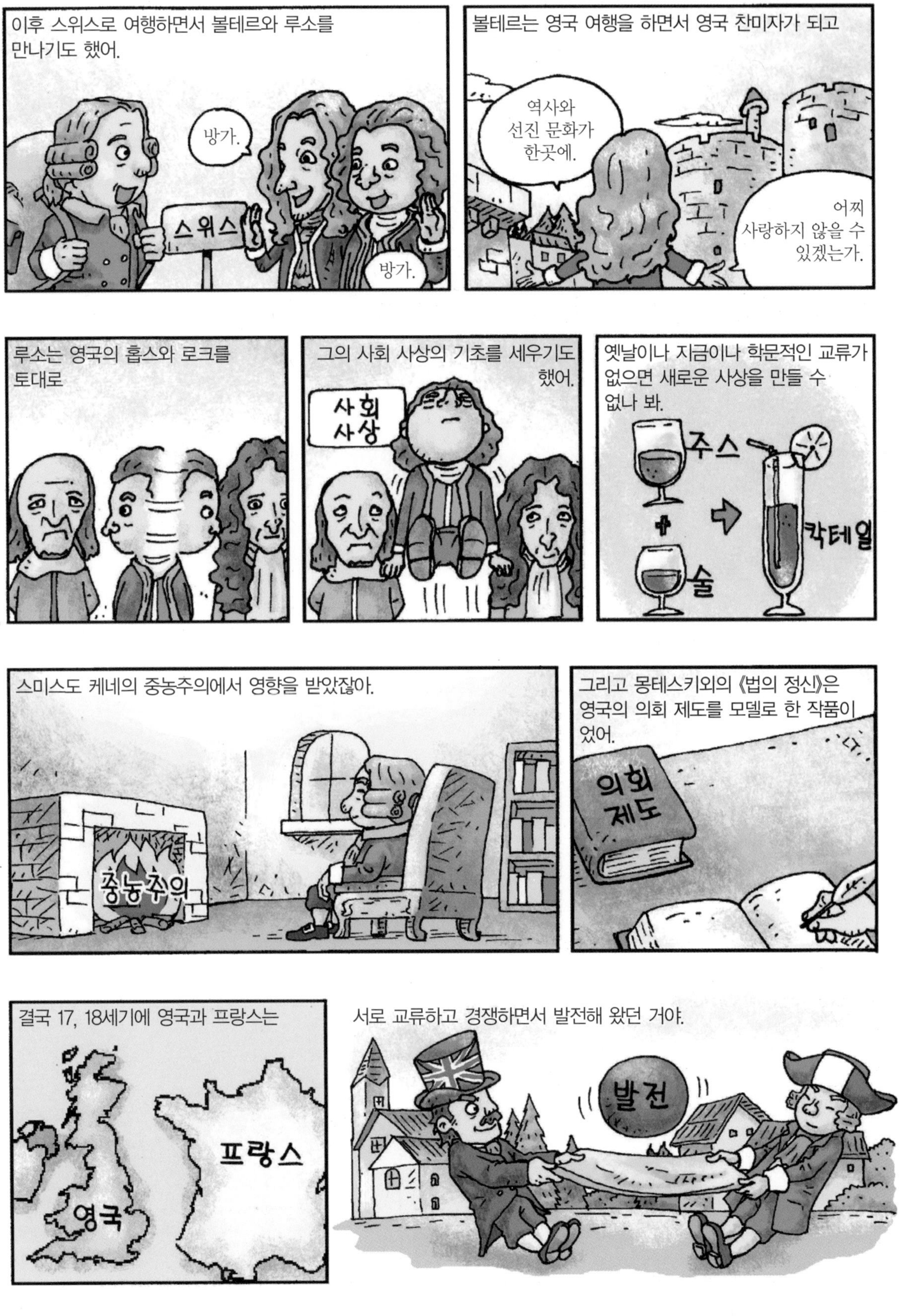
이후 스위스로 여행하면서 볼테르와 루소를 만나기도 했어.
방가.
스위스
방가.
볼테르는 영국 여행을 하면서 영국 찬미자가 되고
역사와 선진 문화가 한곳에.
어찌 사랑하지 않을 수 있겠는가.
루소는 영국의 홉스와 로크를 토대로
그의 사회 사상의 기초를 세우기도 했어.
사회 사상
옛날이나 지금이나 학문적인 교류가 없으면 새로운 사상을 만들 수 없나 봐.
주스
+
술
칵테일
스미스도 케네의 중농주의에서 영향을 받았잖아.
중농주의
그리고 몽테스키외의 《법의 정신》은 영국의 의회 제도를 모델로 한 작품이었어.
의회 제도
결국 17, 18세기에 영국과 프랑스는
프랑스
영국
서로 교류하고 경쟁하면서 발전해 왔던 거야.
발전

2년 9개월 동안의 프랑스 여행을 마치고 스미스는 1766년 고향인 커콜디로 돌아왔어.
어머니!
스미스!
그 후 고향에서 10년 동안 《국부론》을 집필했어.
평생을 독신으로 지낸 스미스는 고향에서 어머니와 함께 하며
연구에 몰두할 수 있었던 시간이 일생에서 가장 행복했다고 말했어.
1773년 봄, 건강이 극도로 나빠진 스미스는
친구 흄을 저작과 출판에 관한 유언 집행인으로 삼기도 했어.
그러나 흄은 《국부론》이 출간된 지 몇 달 후 세상을 떠났어.
1776년 3월 9일, 스미스의 《국부론》이 세상에 나오자 굉장한 반응을 일으켰어.
국부론
산업 혁명이 시작되었고, 미국이 독립 선언을 한 해이기도 했던 당시 사회에서 새로운 것을 추구하던 사람들의 마음을 사로잡았던 거야.
출간 이후 《국부론》은 여러 나라에서 번역되어 출간됐어.
1776년 미국 독립선언 (존 트럼벌)

스미스는 당대 최고 권위자로 존경의 대상이 됐지. 그 일화를 하나 소개할까?
우러러 봐야 할 분!
어느 날 영국 정치가들 모임에 스미스는 가장 늦게 도착했어.
죄송합니다.
스미스 교수가 왔소.
모두들 일어나자 스미스는 미안한 마음에 말했지.
여러분, 앉으시지요.
그러자 당시 영국의 수상인 피트가 존경의 뜻을 나타내고 스미스에게 공손히 인사했다고 해. 정말 대단하지?
아닙니다.
우리 모두는 당신의 학생입니다.
하지만 그 무렵 어머니가 돌아가시자
그도 더 이상 혼자 살 수 없었는지, 1790년 7월 17일 세상을 떠났어.
다시 어머니와 만날 걸 생각하니
너무 좋아.
사회 과학자들은 스미스를 바흐나 칸트에 비견하면서 그가 가진 영향력에 대해 말하고 있어.
근대적인 것을 이야기하려면 근대로의 개척자, 애덤 스미스를 꼭 거쳐가야 한다는 거지.
근
대
반가워요, 여러분.

# 제3장 분업은 왜 생기고 어떤 결과를 가져올까?

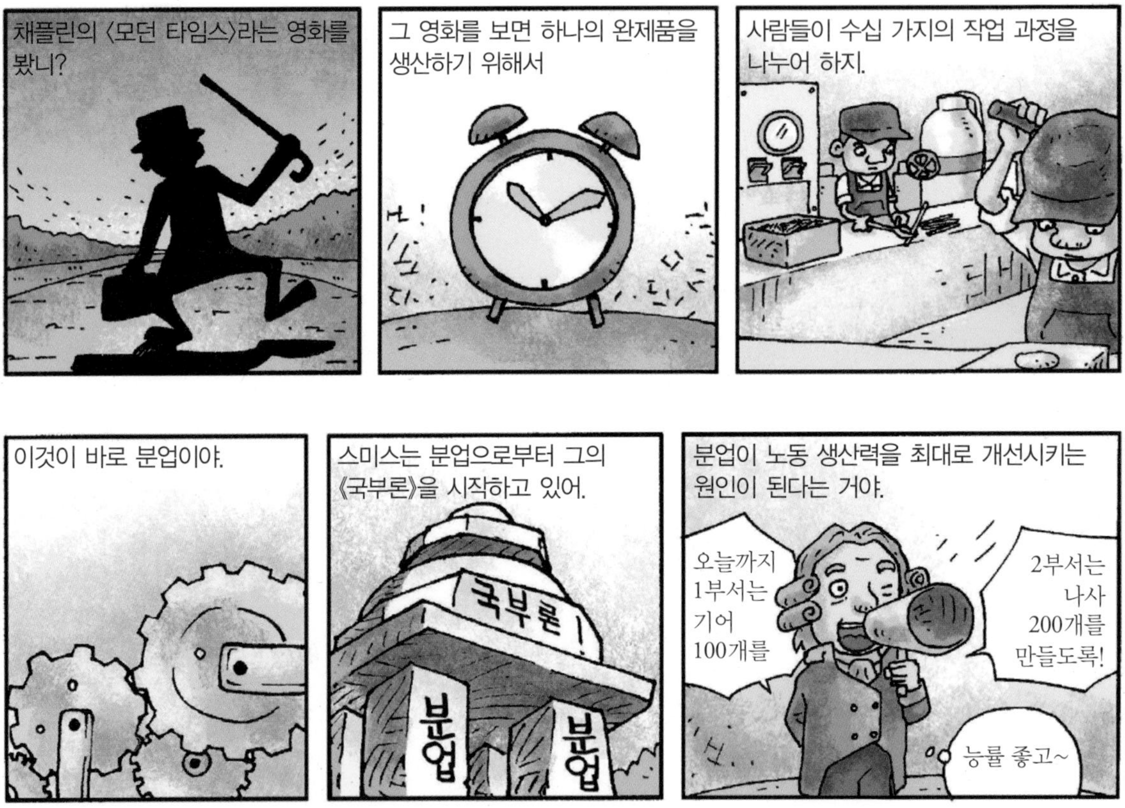

채플린의 〈모던 타임스〉라는 영화를 봤니?
그 영화를 보면 하나의 완제품을 생산하기 위해서
사람들이 수십 가지의 작업 과정을 나누어 하지.
이것이 바로 분업이야.
스미스는 분업으로부터 그의 《국부론》을 시작하고 있어.
국부론
분업
분업
분업이 노동 생산력을 최대로 개선시키는 원인이 된다는 거야.
오늘까지 1부서는 기어 100개를
2부서는 나사 200개를 만들도록!
능률 좋고~

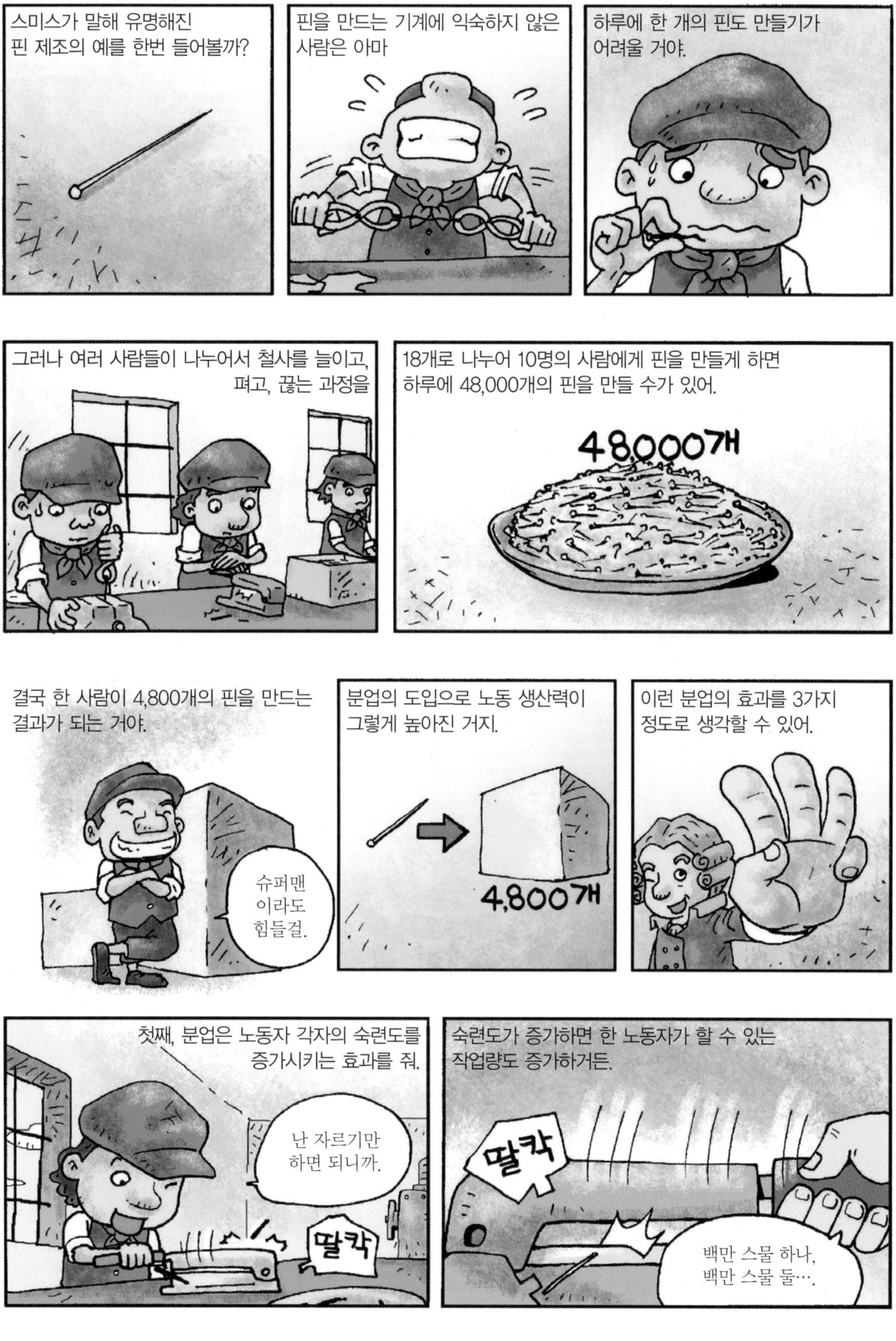

스미스가 말해 유명해진 핀 제조의 예를 한번 들어볼까?
핀을 만드는 기계에 익숙하지 않은 사람은 아마
하루에 한 개의 핀도 만들기가 어려울 거야.
그러나 여러 사람들이 나누어서 철사를 늘이고, 펴고, 끊는 과정을
18개로 나누어 10명의 사람에게 핀을 만들게 하면 하루에 48,000개의 핀을 만들 수가 있어.
48,000개
결국 한 사람이 4,800개의 핀을 만드는 결과가 되는 거야.
슈퍼맨 이라도 힘들걸.
분업의 도입으로 노동 생산력이 그렇게 높아진 거지.
4,800개
이런 분업의 효과를 3가지 정도로 생각할 수 있어.
첫째, 분업은 노동자 각자의 숙련도를 증가시키는 효과를 줘.
난 자르기만 하면 되니까.
딸칵
숙련도가 증가하면 한 노동자가 할 수 있는 작업량도 증가하거든.
딸칵
백만 스물 하나, 백만 스물 둘….

숙련된 대장장이라도 자신의 일이 못을 만드는 일이 아니라면 힘들어 할 거야.
하루 종일 800개의 못을 만들었다.
못800개
나 정도 되니까 이 정도지.
하지만 못 만드는 일밖에 해본 적 없는 청년은 거뜬할 거야.
오늘도 2,300개 다 만들었다.
못 2300개
이럴 수가!
평생 하나의 작업만을 해온 사람의 숙련도는 상상을 초월하지.
53,500×3,620 =?
암산
일억 구천 삼백 육십 칠만!
난 이제 누르는데….
둘째, 분업은 하나의 일에서 다른 일로 옮겨갈 때 시간을 절약하는 효과가 커.
전엔 집안일 혼자 다하느라 힘만 들고 시간만 허비했지.
작업과 도구를 매 30분마다 바꾸어야 하는 사람이나
하루에 20가지의 일을 동시에 해야 하는 사람의 시간 손실은 매우 클 수밖에 없거든.
만두소를 볶고
만두피를 만든 다음
밀가루를 반죽해서
만두소를 넣고, 찐 다음…
셋째, 분업은 노동을 수월하고 단순하게 하는 기계의 발명을 가져오기도 하지.
헉, 단번에 왕만두가!
덜컹
사람이 한 가지 일에 집중할 때
이걸 언제 만날 자르고 다져서 섞어?
목적을 달성하기 위한 간편한 방법을 발견하고
이것들을 갈아서 섞는 기계가 나온다면?
기계를 발명하게 되는 거야.
위이잉

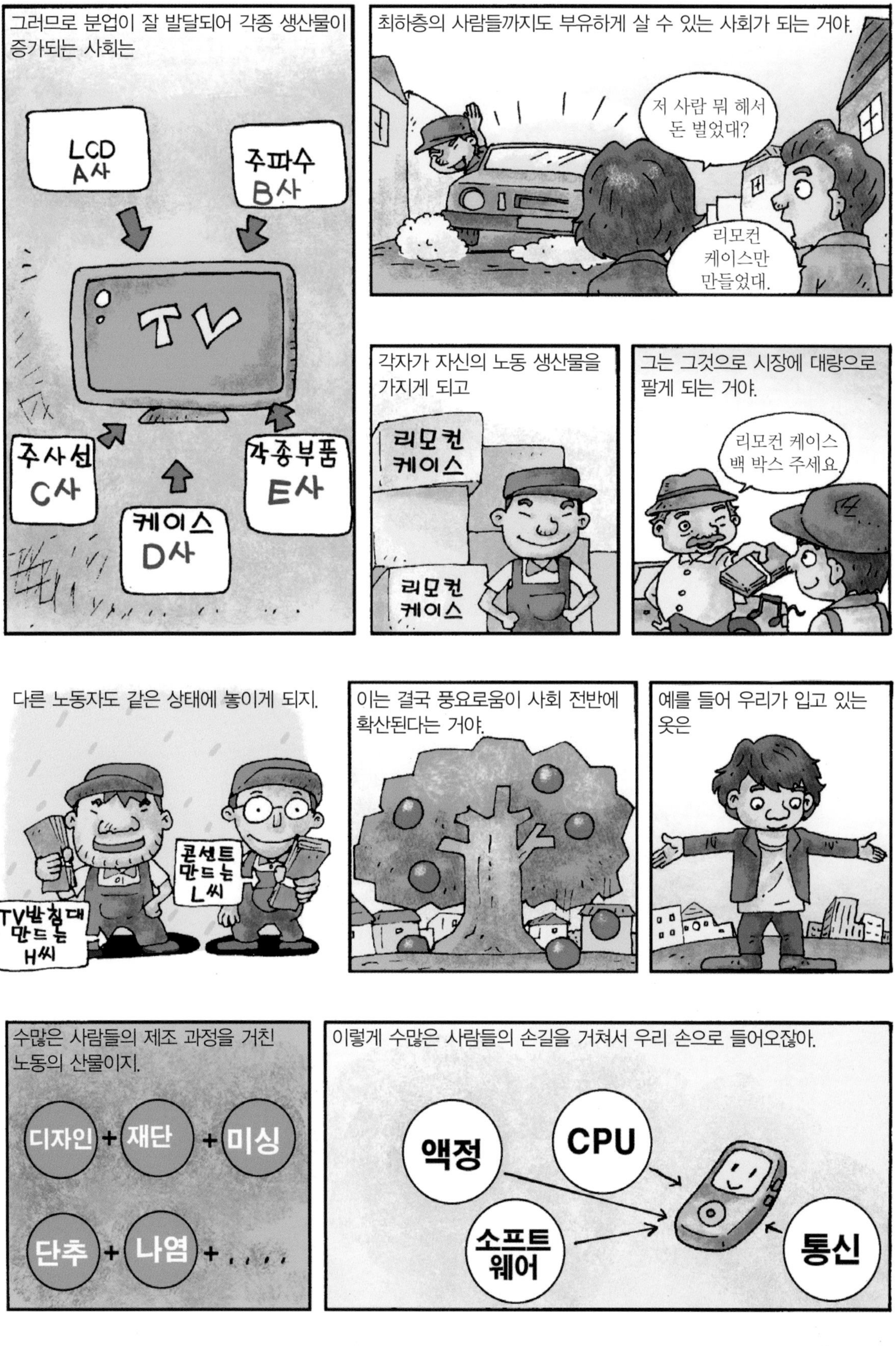
그러므로 분업이 잘 발달되어 각종 생산물이 증가되는 사회는
LCD A사
주파수 B사
TV
주사선 C사
케이스 D사
각종부품 E사
최하층의 사람들까지도 부유하게 살 수 있는 사회가 되는 거야.
저 사람 뭐 해서 돈 벌었대?
리모컨 케이스만 만들었대.
각자가 자신의 노동 생산물을 가지게 되고
리모컨 케이스
리모컨 케이스
그는 그것으로 시장에 대량으로 팔게 되는 거야.
리모컨 케이스 백 박스 주세요.
다른 노동자도 같은 상태에 놓이게 되지.
TV받침대 만드는 H씨
콘센트 만드는 L씨
이는 결국 풍요로움이 사회 전반에 확산된다는 거야.
예를 들어 우리가 입고 있는 옷은
수많은 사람들의 제조 과정을 거친 노동의 산물이지.
디자인 + 재단 + 미싱
단추 + 나염 + . . . . .
이렇게 수많은 사람들의 손길을 거쳐서 우리 손으로 들어오잖아.
액정
CPU
소프트웨어
통신

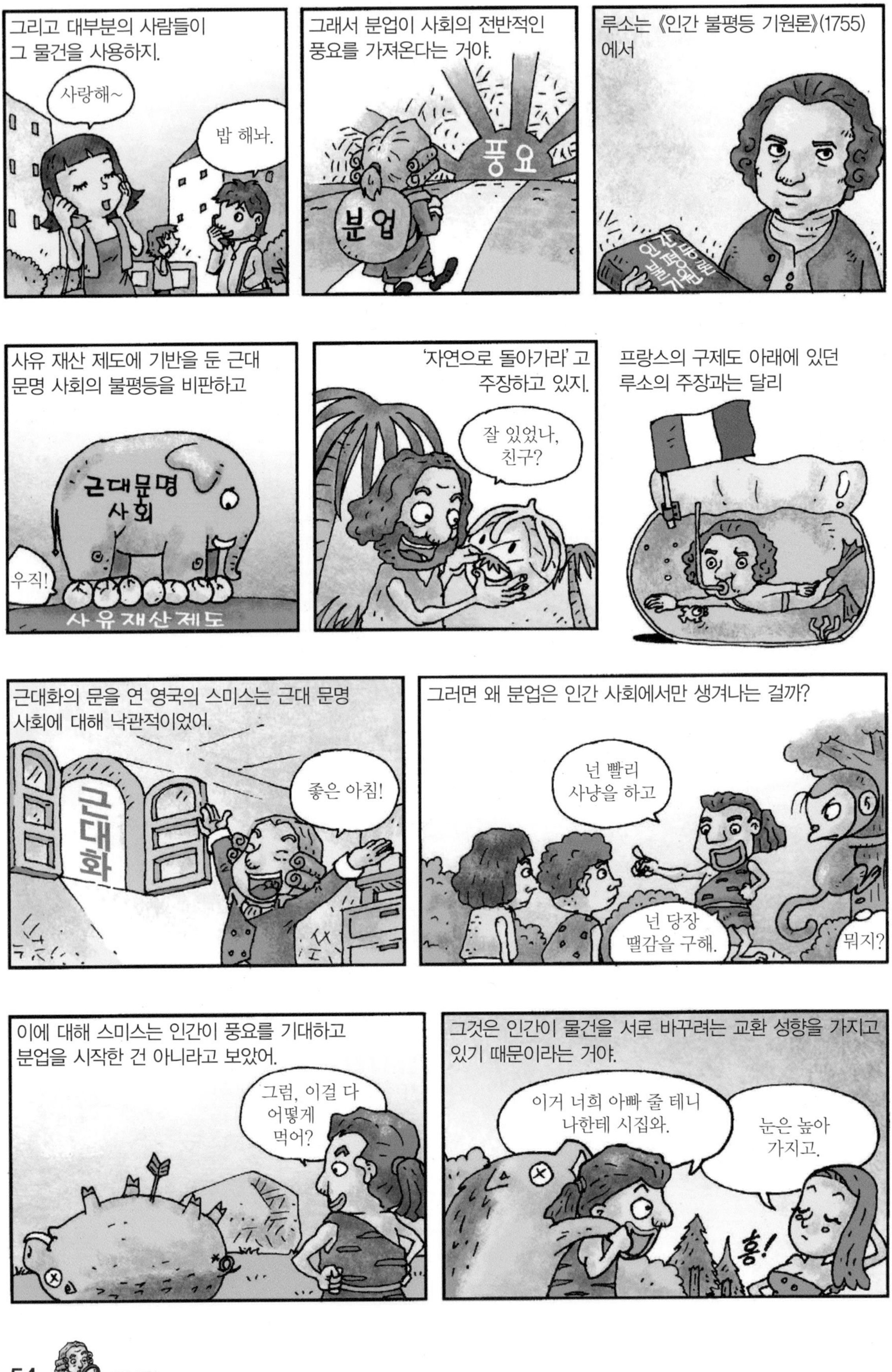
그리고 대부분의 사람들이 그 물건을 사용하지.
사랑해~
밥 해놔.
그래서 분업이 사회의 전반적인 풍요를 가져온다는 거야.
풍요
분업
루소는 《인간 불평등 기원론》(1755)에서
사유 재산 제도에 기반을 둔 근대 문명 사회의 불평등을 비판하고
근대문명 사회
우직!
사유재산제도
'자연으로 돌아가라' 고 주장하고 있지.
잘 있었나, 친구?
프랑스의 구제도 아래에 있던 루소의 주장과는 달리
근대화의 문을 연 영국의 스미스는 근대 문명 사회에 대해 낙관적이었어.
근대화
좋은 아침!
그러면 왜 분업은 인간 사회에서만 생겨나는 걸까?
넌 빨리 사냥을 하고
넌 당장 땔감을 구해.
뭐지?
이에 대해 스미스는 인간이 풍요를 기대하고 분업을 시작한 건 아니라고 보았어.
그럼, 이걸 다 어떻게 먹어?
그것은 인간이 물건을 서로 바꾸려는 교환 성향을 가지고 있기 때문이라는 거야.
이거 너희 아빠 줄 테니 나한테 시집와.
눈은 높아 가지고.
흥!

다른 사람과 교환을 하려는 사람의 제의는
그거 우리집 다 주면 난 시집가서 뭐 먹냐?
'내가 원하는 것을 내게 주면 난 당신이 원하는 것을 주겠소.' 하는 서로의 이기심에서 생긴다는 거지.
가져 가!
뻥
또한 분업은 각각의 사람들이 가진 천부적 재능의 차이를 크게 한다고 보았어.
난 그림에 천부적 재능이 있어.
난 운동.
예를 들어 철학자와 거리의 짐꾼 사이에
나 소크라테스 가라사대… 신발이 떨어졌다.
신발 사려.
잉?
물물 교환이나 상호 교환 성향이 없다면
신발이 필요하긴 한데….
저분의 철학책이 보고 싶긴 한데….
모든 사람들은 자신이 필요로 하는 물건을 스스로 만들어야 할 거야.
아흐~
무지 아프다.
한 10년만 철학을 공부해?
덜그럭
즉 모든 사람이 동일한 작업을 수행해야만 하는 거지.
이 마을에 의사 선생 있나요?
번쩍
이렇게 되면 철학자라는 직업도, 거리의 짐꾼도 생기지 않을 거야.
먹고 사는 것도 힘든데 무슨….
철학
에고. 무슨 수로 농사를 짓나.
모두들 자신이 필요로 하는 물건을 만드는 것만도 힘들 테니까.
얘들아, 어서 자라다오.
꼬르륵
정말 분업의 힘이 대단하지?
팡
분업

스미스는 교환 능력이 분업을 일으킨다면
분업
교환능력
분업의 정도는 시장의 크기에 제한을 받게 되어 있다고 말해.
시장의 규모가 작을 때는
못 사시오! 못을 사~
어느 누구도 한 가지 일에만 몰두할 수가 없을 거야.
집에도 많아.
하도 박아서 무너지겠어?
그 사람은 혼자서 채소, 생선, 가축들을 키워야 할 거야.
간신히 요 씨앗만 얻었네.
물고기도 잡아 키워야지.
그래서 대도시와 농촌을 비교할 경우
흐미~ 겁나 크네.
메에~
큰 시장의 조건을 만족시켜 주는 대도시에서 다양한 분업이 일어나는 거야.
분업
분업
분업
분업
그리고 시장의 조건은 교통의 편리함과 밀접한 관계가 있어.
B시장
어느 시장으로 갈까?
A시장
시간도 없는데 가까운 A시장으로 가요.
아무리 풍부한 생산물이 있어도
생산물
교통이 불편하면 교환이 이루어지지 않거든.
말자, 말어.
어우우~
시장

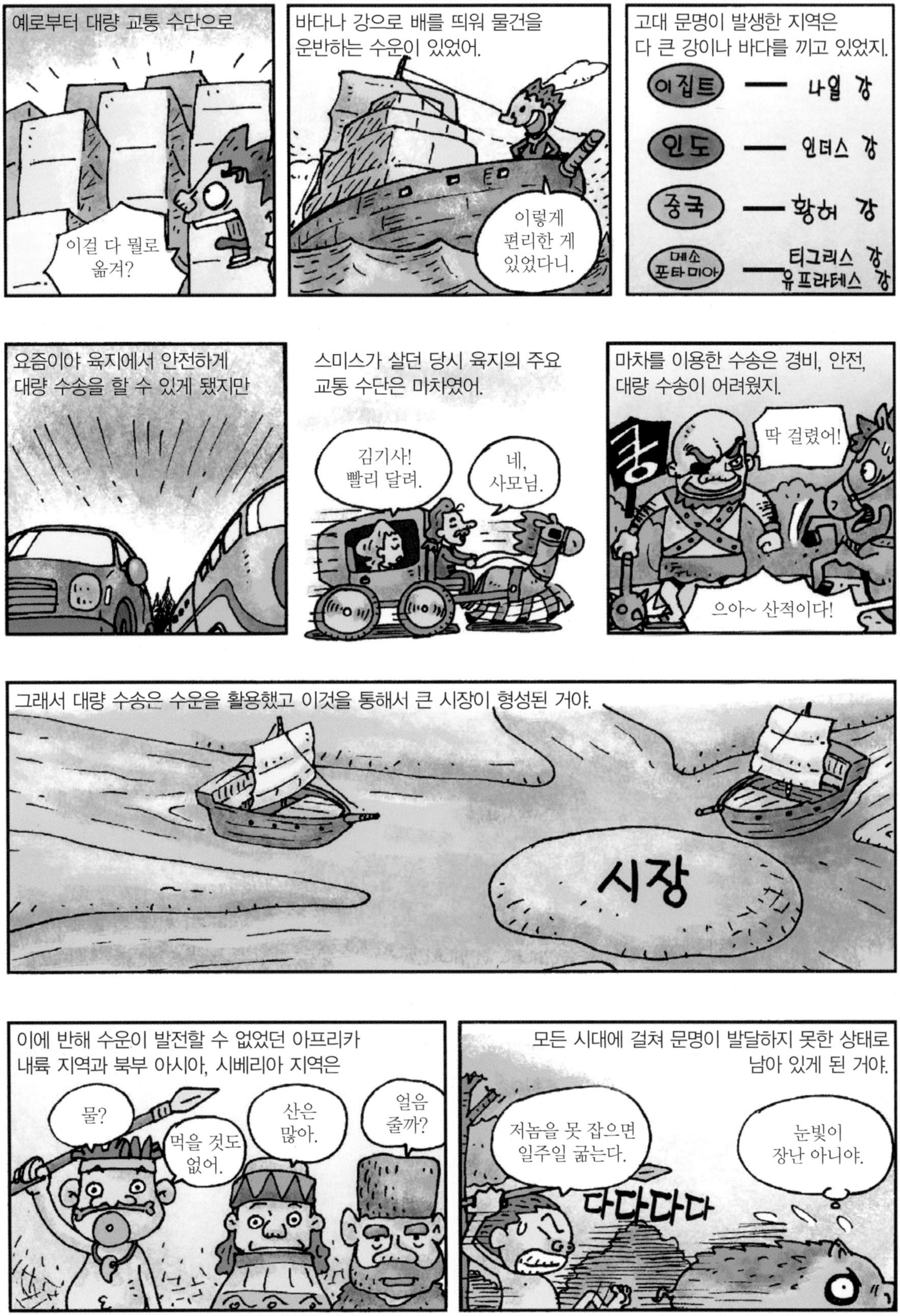
예로부터 대량 교통 수단으로
이걸 다 뭘로 옮겨?
바다나 강으로 배를 띄워 물건을 운반하는 수운이 있었어.
이렇게 편리한 게 있었다니.
고대 문명이 발생한 지역은 다 큰 강이나 바다를 끼고 있었지.
이집트 — 나일 강
인도 — 인더스 강
중국 — 황허 강
메소포타미아 — 티그리스 강 유프라테스 강
요즘이야 육지에서 안전하게 대량 수송을 할 수 있게 됐지만
스미스가 살던 당시 육지의 주요 교통 수단은 마차였어.
김기사! 빨리 달려.
네, 사모님.
마차를 이용한 수송은 경비, 안전, 대량 수송이 어려웠지.
쿵
딱 걸렸어!
으아~ 산적이다!
그래서 대량 수송은 수운을 활용했고 이것을 통해서 큰 시장이 형성된 거야.
시장
이에 반해 수운이 발전할 수 없었던 아프리카 내륙 지역과 북부 아시아, 시베리아 지역은
물?
먹을 것도 없어.
산은 많아.
얼음 줄까?
모든 시대에 걸쳐 문명이 발달하지 못한 상태로 남아 있게 된 거야.
저놈을 못 잡으면 일주일 굶는다.
다다다다
눈빛이 장난 아니야.

# 제4장 상품의 가치는 어떻게 결정될까?

화폐의
기원과 종류

분업이 확립되면 자신이 생산한 물건의 일부 외에는
감자
요건 내가 먹고….

다른 사람의 물건과 교환함으로써 자신이 필요로 하는 필수품을 얻을 수 있어.
내 감자 한 박스당 자넨 쌀 반 가마, 자넨 고구마 한 박스씩 주게.
감자
좋아.
좋네.

결국 모두가 교환에 의존하기 때문에 어느 정도 상인의 성격을 띠게 되고
감자판매
쌀판매
고구마 팝니다.

사회 전체는 상업 사회로 가게 되는 거야.
싸요, 싸.
달고 싱싱해요.
둘이 먹다 하나가 죽어도 몰라요.

그러나 어떤 사람이 자신이 생산한 물건을 교환하려 할 때
이 신을 모자와 바꿔야지.
알맞은 상대가 없으면 교환이 일어나지 않을 거야.
모자는 없어.
신발
바지는 있는데.
가령, 빵가게 주인이 자기의 빵을 고기와 교환하고 싶은데
고기
고깃집 주인은 이미 빵을 다른 곳에서 구한 상태라면 교환이 일어나지 않을 거야.
빵은 지금 많은데….
윽!
이럴 경우에 각 상품의 생산자들은 다른 사람과 교환을 하려 할 때
밀가루는 필요하지?
아니, 우린 쌀만 먹어.
다른 사람이 거절하지 않으려는 어떤 상품을 항상 지니고 있으려 하겠지.
대체 뭘 가지고 있어야 하는 거야?
이게 바로 화폐가 생기게 된 기원이야.
돈은 항상 OK!
화폐가 발달하기 이전, 사람들은 가축을 사용했어.

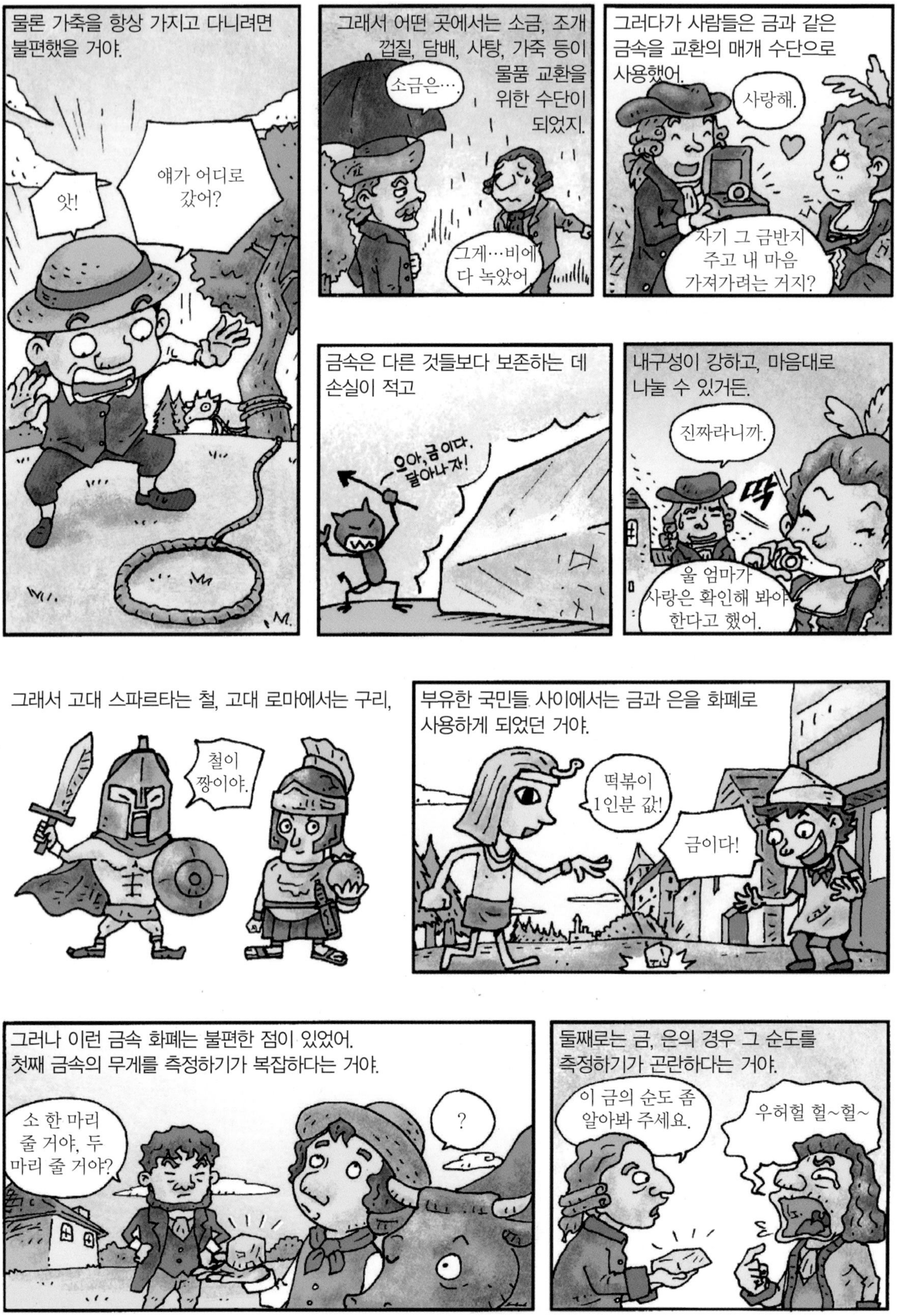
물론 가축을 항상 가지고 다니려면 불편했을 거야.
앗!
얘가 어디로 갔어?
그래서 어떤 곳에서는 소금, 조개 껍질, 담배, 사탕, 가죽 등이 물품 교환을 위한 수단이 되었지.
소금은…
그게…비에 다 녹았어.
그러다가 사람들은 금과 같은 금속을 교환의 매개 수단으로 사용했어.
사랑해.
자기 그 금반지 주고 내 마음 가져가려는 거지?
금속은 다른 것들보다 보존하는 데 손실이 적고
으아, 금이다. 달아나자!
내구성이 강하고, 마음대로 나눌 수 있거든.
진짜라니까.
딱
울 엄마가 사랑은 확인해 봐야 한다고 했어.
그래서 고대 스파르타는 철, 고대 로마에서는 구리,
철이 짱이야.
부유한 국민들 사이에서는 금과 은을 화폐로 사용하게 되었던 거야.
떡볶이 1인분 값!
금이다!
그러나 이런 금속 화폐는 불편한 점이 있었어.
첫째 금속의 무게를 측정하기가 복잡하다는 거야.
소 한 마리 줄 거야, 두 마리 줄 거야?
?
둘째로는 금, 은의 경우 그 순도를 측정하기가 곤란하다는 거야.
이 금의 순도 좀 알아봐 주세요.
우허헐 헐~헐~

금속의 순도 측정은 금속의 일부를 녹여서 감정해 보지 않는 한 어려운 것이야.
다 됐어?
아직.
하지만 이런 과정을 밟지 않으면 사람들은 사기를 당하기 쉬웠어.
!
순금이 아니라 도금이잖아?
결국 문명이 발달한 나라들은 금속의 일정량에 공인된 도장을 새길 수밖에 없었고
쿵
다음!
이것이 동전, 즉 주화의 기원이 된 거야.
이 금속은 100% 진짜임
오늘날 이런 주화를 찍는 곳을 조폐국이라고 불러.
100억 원 어치 더 만들게.
네!
우리나라에서 이런 주화를 찍는 곳은 어딜까? 바로 한국 은행이야.
그래서 모든 화폐는 한국 은행의 도장이 찍히는 거야.
2007
100
한국 은행
화폐의 명칭은 원래 금이나 은과 같은 주화들의 무게를 나타냈어.
30화폐 입니다.

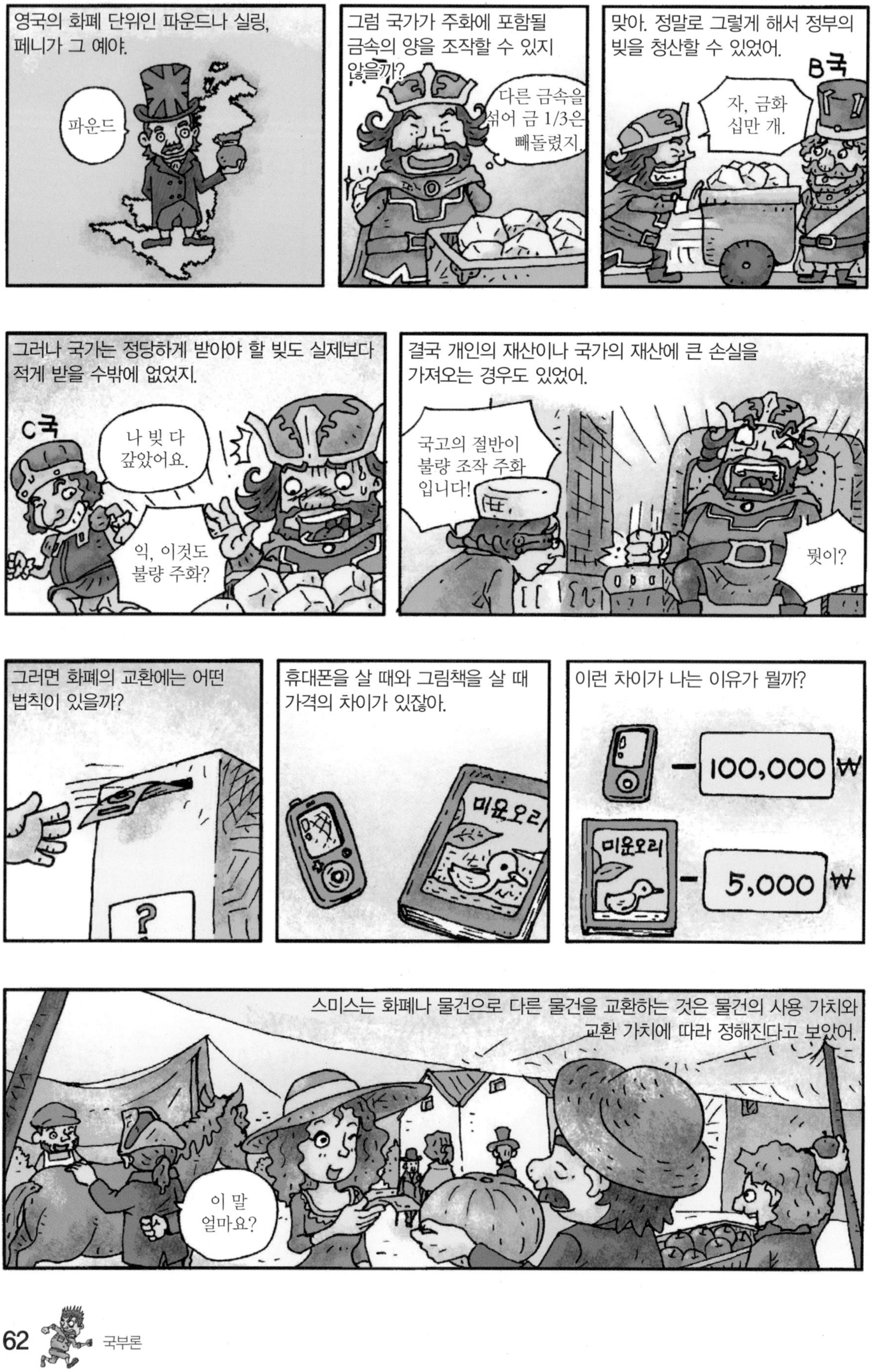

영국의 화폐 단위인 파운드나 실링,
페니가 그 예야.
파운드
그럼 국가가 주화에 포함될
금속의 양을 조작할 수 있지
않을까?
다른 금속을 섞어 금 1/3은 빼돌렸지.
맞아. 정말로 그렇게 해서 정부의
빚을 청산할 수 있었어.
B국
자, 금화 십만 개.
그러나 국가는 정당하게 받아야 할 빚도 실제보다
적게 받을 수밖에 없었지.
C국
나 빚 다 갚았어요.
익, 이것도 불량 주화?
결국 개인의 재산이나 국가의 재산에 큰 손실을
가져오는 경우도 있었어.
국고의 절반이 불량 조작 주화입니다!
뭣이?
그러면 화폐의 교환에는 어떤
법칙이 있을까?
휴대폰을 살 때와 그림책을 살 때
가격의 차이가 있잖아.
미운오리
이런 차이가 나는 이유가 뭘까?
100,000 ₩
미운오리
5,000 ₩
스미스는 화폐나 물건으로 다른 물건을 교환하는 것은 물건의 사용 가치와
교환 가치에 따라 정해진다고 보았어.
이 말 얼마요?

여기서 사용 가치란 어떤 물건의 효용을 표시하고
사용 가치가 높은 책!
난 책은 거의 보지 않아서….
교환 가치는 다른 물건을 구매할 수 있는 능력을 의미해.
자, 복권 10만 원어치.
고마…
야, 이거 다 꽝된 거잖아.
자, 그럼 예로 물과 다이아몬드를 비교해 보자고.
물은 모든 사람들이 사용하는 것이지만 물로 다른 걸 살 순 없지.
사막의 경우는 특별한 예외!
이때 물은 사용 가치는 아주 높지만 교환 가치는 없는 거야.
버거 짱
이거 줄 테니 그거 하나만.
지금 장난해?
반대로 다이아몬드는 사용 가치가 매우 낮아.
다이아몬드로 호두를 깨면 딱이겠는걸.
바보.
보석, 특수 레이저 부품 등으로만 사용이 가능해. 그러나 다이아몬드만 있으면 다른 물건을 얼마든지 살 수 있지.
이거면 옷 몇 벌 살 수 있어요?
앙드래패숀
당장 저희 가게 사장님이 되실 수 있습니다.
즉 다이아몬드는 사용 가치는 낮지만 교환 가치는 아주 높은 거야. 그리고 경제학에서 주로 다루는 가치는 교환 가치란다.
매일 아침 절 깨워주고 밥을 지어줄 여자분에게
이 다이아몬드를 선물하겠소.
꺄~
저런 아르바이트가 다 있네.
비켜! 내가 먼저야.

상품의
실제 가격과
명목 가격
그러면 교환 가치의 기준은 뭘까?
모든 상품의 교환 가치의 기준은 사람들의 노동력이야.
교환
가치
우리가 가지고 있는 필수품, 장난감 등은 사람의 노동으로 얻어지는 것들이야.
그러니까 어떤 사람이 부유한지 가난한지를 구분하는 기준은
나 부자.
나도 부자.
그 사람이 지배할 수 있는 노동의 양이 많은가, 적은가에 달린 거야.
집합!
결국 상품의 가치는 노동의 양과 같은 거지.
그러므로 어떤 물건의 실제 가격은
그것을 얻기 위해 사람들이 실제로 지불하는 수고와 노력을 의미하는 거야.
화폐는 우리의 수고를 면제해 주지.
내가 그대의 수고를 덜어 줄 테니
일한 당신 쉬어라!

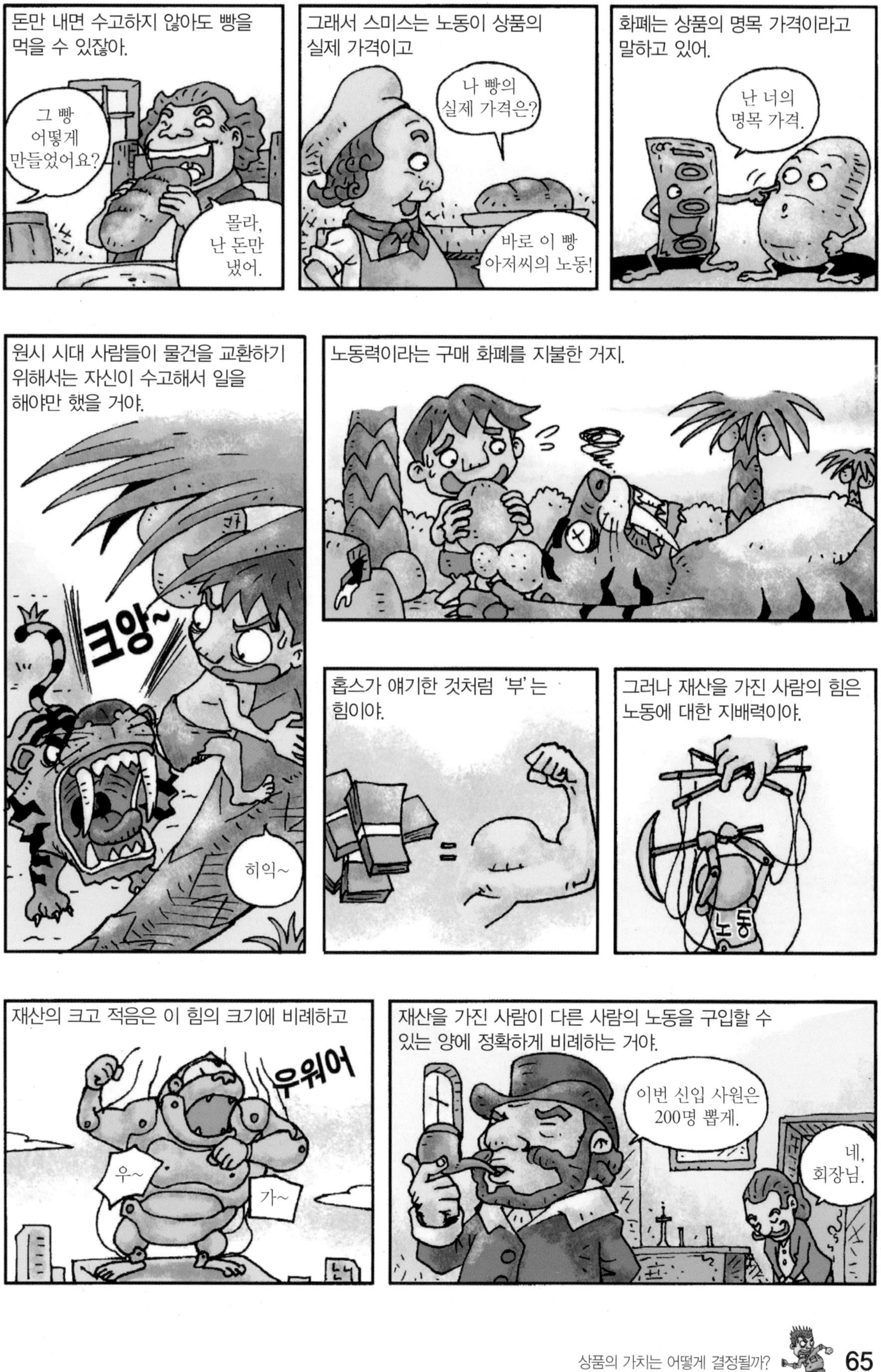
돈만 내면 수고하지 않아도 빵을 먹을 수 있잖아.
그 빵 어떻게 만들었어요?
몰라, 난 돈만 냈어.
그래서 스미스는 노동이 상품의 실제 가격이고
나 빵의 실제 가격은?
바로 이 빵 아저씨의 노동!
화폐는 상품의 명목 가격이라고 말하고 있어.
난 너의 명목 가격.
원시 시대 사람들이 물건을 교환하기 위해서는 자신이 수고해서 일을 해야만 했을 거야.
크앙~
히익~
노동력이라는 구매 화폐를 지불한 거지.
홉스가 얘기한 것처럼 '부'는 힘이야.
그러나 재산을 가진 사람의 힘은 노동에 대한 지배력이야.
노동
재산의 크고 적음은 이 힘의 크기에 비례하고
우워어
우~
가~
재산을 가진 사람이 다른 사람의 노동을 구입할 수 있는 양에 정확하게 비례하는 거야.
이번 신입 사원은 200명 뽑게.
네, 회장님.

그러나 상품의 가치가 노동의 양만으로 측량되지는 않아.
30시간 걸렸으니까, 시간당 오천 원씩 치면….
….
서로 다른 두 개의 작업을 하는 데 드는 노동 시간만으로 상품의 가치를 측량할 수는 없잖아?
1시간 인형 눈 붙이기
1시간 프로선수 경기하기
예로 반도체를 만드는 데 10시간 노동 시간이 투입되고
선풍기 한 대를 만드는 데 10시간의 노동 시간이 투입된다 하더라도
반도체의 가치와 선풍기의 가치가 같을 수는 없어.
그래서 시장에서 두 개의 상품이 교환될 때는 정확한 차이에 의해서라기보다는 시장에서의 흥정이나 조정에 의해 결정이 되는 거란다.
내 오리 다섯 마리를 자네 돼지와 바꾸세.
내가 좀 손해인 것 같긴 하지만
뭐, 좋네.
결국 가치를 측정하는 일을 시장에 맡기면
이 계란들이 얼마나 하려나?
시장
실제 교환되는 화폐의 양에 의해 상품의 교환 가치가 정해지는 거야.
이 돈이면 되겠죠?
아, 네.
내 계란이 이 정도 가치가 있구나.

그러나 화폐로 금이나 은을 사용하면 문제가 생기는데
꺽! 잘 먹었네. 자, 은화 한 닢.
네, 얼마 전까지 그랬는데….
금과 은의 가치는 불변이 아니라 변동하기 때문이야.
지금은 은값이 많이 떨어져서
세 닢으로 올랐습니다.
실제로 16세기 페루에서 은광이 발견됨으로써
오 예~
금과 은의 가치가 1/3이나 하락했거든.
금은방
아이고 내 돈…
이처럼 가치가 변동하는 명목 상품은 다른 상품 가치의 정확한 척도가 될 수는 없는 것이지.
반면에 동등한 양의 노동은
방직 공장 하루 8시간 근무
레스토랑 서빙 하루 8시간 근무
오늘 얼마 벌었지?
노동자에게는 동등한 가치가 있다고 말할 수 있지.
맞아. 5파운드였지?
보통의 건강, 체력 그리고 숙련도를 가진 노동자의 노동에 대한 대가는 항상 동일하다는 거지.
같은 월급
따라서 노동은 상품의 실제 가격이고, 화폐는 상품의 명목 가격이 되는 거야.
난 벼의 실제 가격.
난 벼의 명목 가격.

그러나 고용주에게는 노동의 가치가 다를 수 있어.
영차 영차
고용주에게는 노동의 양이 다른 상품의 가격처럼 변동하는 것으로 보이는 거야.
지난 달보다 다들 열심히 안 하는 것 같은데….
그러므로 노동 역시 실제 가격과 명목 가격이 있을 수가 있는 거야.
실제 가격
명목 가격
노동의 실제 가격은 노동을 얻기 위해 지불하는 생필품 등의 수량이고,
잠자리, 식사, 작업복 등은 항상 똑같이 지급하지.
노동의 명목 가격은 노동을 얻기 위해 주어지는 화폐의 수량이라고 할 수 있어.
하지만 명목 가격인 화폐는 변동이 있을 수 있거든.
앗, 저번 달보다 적잖아요?
염려 마. 열심히 하면 더 올려줄게.
상품 가격은 무엇으로 구성되어 있을까?
상품 가격은 어떻게 결정될까?
500
상품 가격
앞서 배웠듯 자본의 축적과 토지의 사유가 없던 원시 사회에서는
꺼억
배부르면 최고지.

여러 물건을 획득하는 데 들인 노동의 양이
물건을 교환하는 유일한 법칙이었지.
사슴을 잡는 데 든 노동이
토끼를 잡는 데 드는 노동 시간의 두 배가 된다면
사슴 한 마리의 가격은 토끼 두 마리와 같아야 하지.
그리고 원시 사회에는 생산물 전체가 노동자에게 속하므로
내가 잡았으면 다 내 거!
어떤 상품을 생산하는 데 사용된 노동의 양이
너 멧돼지? 나 시인이여, 원시인!
구매하거나 교환하는 노동의 양과 일치하지.
멧돼지를 잡으면 멧돼지를 먹고, 토끼를 잡으면…
딱 토끼 만큼만 먹지.
그러나 어떤 큰 돈을 가진 자본가가 투자를 하는 경우
투자
자본가는 이윤을 기대하고 투자를 할 거야.
이윤
어떤 자본가가 100명의 사람들을 고용하여 신발 공장을 지었다면
Naiki

그 사람은 많은 돈을 들여 공장을 짓고, 기계를 사들이고, 신발을 만드는 원료를 구입해야 하고, 100명의 직원에게 월급을 줘야 할 거야.

그 사람이 그 많은 돈을 투자하지 않고 저금한다면 그냥 은행이 주는 이자 수입으로 잘 살아갈 수도 있잖아.
이 돈 다 입금하게.
BANK
$
산타보다 더 귀한 분 오셨다.

그런데 그 사람은 사업이 망할지도 모르는 위험 부담을 안고
적자, 부도

모험적으로 많은 돈을 투자한 거야.
투자 올인!

이 경우 그 사업가는 이 투자로부터 어떤 이윤을 기대하고 투자하고 있는 거지.

그래서 이윤은 노동자들의 임금과는 별도로 결정이 되는 거야.
임금
이윤

노동자들이 생산한 제품의 상품 가격은 노동자들의 임금뿐 아니라 자본가의 이윤을 포함하게 되기 때문이야.
임금
이윤

마찬가지로 토지가 사유 재산이 되면서 지주들은 자기들의 땅에서 수익을 얻고 싶어서 지대를 요구하게 되지.
지주땅
지대.
공짜로 남의 땅을 이용할 수는 없잖아?
노동자는 생산한 것들의 일부를 지주에게 줄 수밖에 없는 거야.
지대
따라서 상품의 가격은 노동자들의 임금, 자본가의 이윤, 지주의 지대를 포함하게 되는 거야.
임금
이윤
지대
그러므로 이 세 가지는 모든 교환 가치의 최초의 원천이고, 나머지 수입은 전부 여기서 파생된 거라고 할 수 있지.
이윤
임금
지대
문명국에선 상품의 교환 가치가 오로지 노동으로만 발생하는 상품은 드물고
이 안에 분명 상품의 교환 가치가 있을 텐데.
대부분 지대와 이윤이 크게 부과되곤 해.
상품의 교환가치
따라서 한 나라에서 1년간 노동이 생산한 상품들은
일년치 상품
사용된 노동량보다 클 수밖에 없지.
(운반노동량)
노동이 생산한 상품

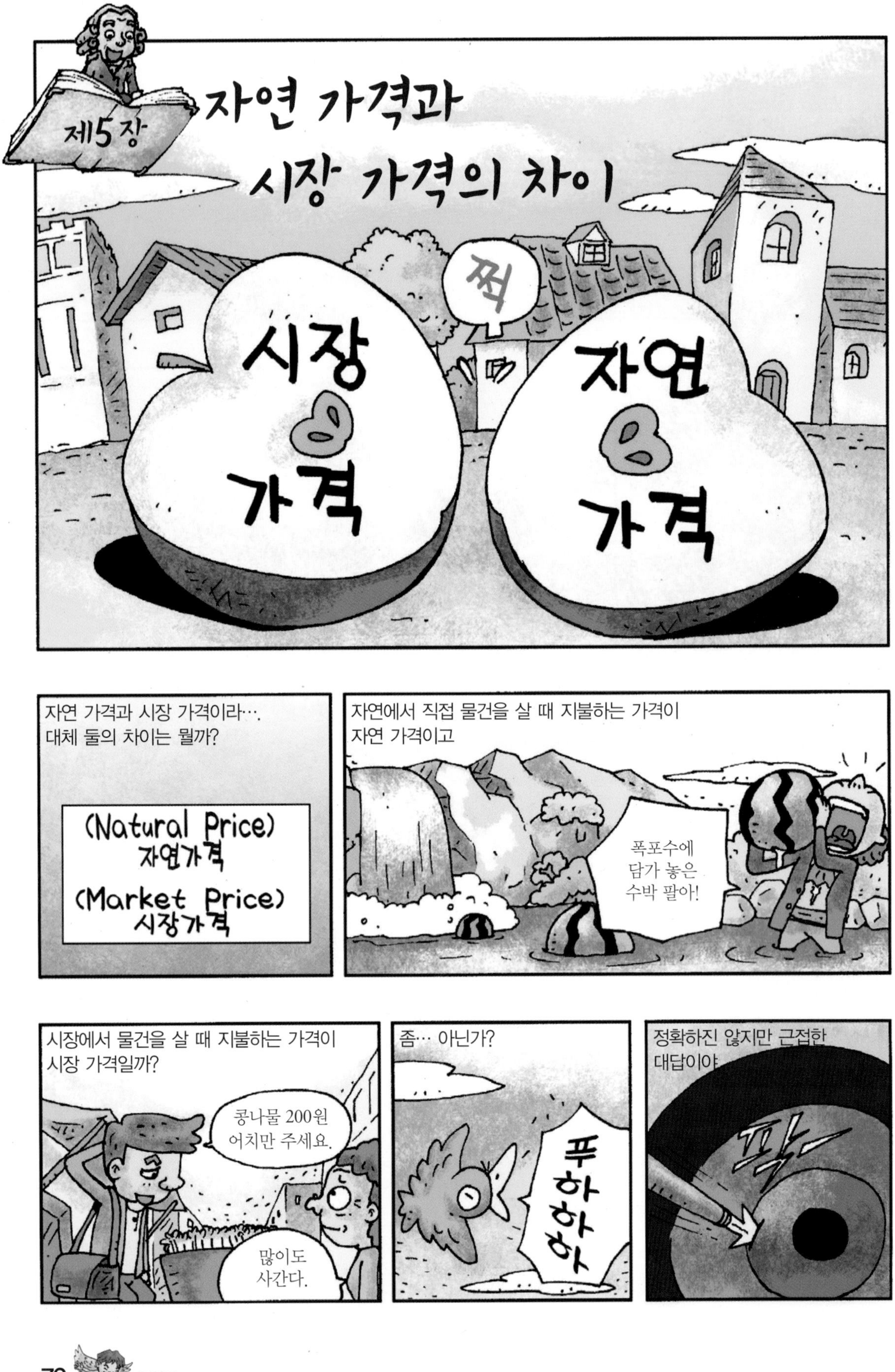
제5장
자연 가격과 시장 가격의 차이
쩍
시장 가격
자연 가격
자연 가격과 시장 가격이라….
대체 둘의 차이는 뭘까?
(Natural Price)
자연가격
(Market Price)
시장가격
자연에서 직접 물건을 살 때 지불하는 가격이 자연 가격이고
폭포수에 담가 놓은 수박 팔아!
시장에서 물건을 살 때 지불하는 가격이 시장 가격일까?
콩나물 200원 어치만 주세요.
많이도 사간다.
좀… 아닌가?
푸하하하
정확하진 않지만 근접한 대답이야
팍

자연 가격이 무엇인지 알기 전에 자연율이라는 것을 먼저 이해해야 해.
자연율
각 사회에는 임금, 이윤, 지대의 보통 수준 혹은 평균 수준이 존재해.
탁
탁
탁
임금
이윤
지대
가령, 한 시간 동안 햄버거 가게에서 일하면 5,000원을 받는다든지,
맥
은행에서 돈을 빌리면 일정 이자를 지불해야 한다든지,
남의 땅을 사용할 때는 일정 사용료를 지불해야 한다든지 말야.
사용료 구먼유~
이때 그 지역 사람들이 일반적으로 받아들일 수 있는
맥
5,000원 정도면 할 만하지.
야, 감자 타!
정도의 것을 자연율이라고 해. 따라서 평균적으로 통용되는 임금, 지대, 이윤을 자연율이라고 할 수 있어.
임금
이윤
지대
= 자연율
어떤 상품 가격이 그 상품이 나오기까지 사용된 임금, 이윤, 지대에 맞게 결정되면
800원
어때?
괜찮아, OK.
자연율에 맞는다고 할 수 있지.
쿵
800원
그리고 그 상품의 가격을 자연 가격이라고 할 수 있어.
800원
자연가격

물론 거기엔 파는 사람의 이윤을 포함하고 있지.
이윤
누구든 이윤이 자신의 수입이고 생활의 원천이잖아.
히~
이윤
한 상품이 보통 판매되는 실제 가격을 그 상품의 시장 가격이라고 해.
한 개 얼마예요?
번데기
시장 가격
그냥… 먹어.
어떤 상품의 시장 가격은 자연 가격보다 높거나 낮거나, 똑같을 수 있어.
자연 가격
결국 항상 똑같지 않다는 말이 되지?
자연 가격
시장 가격과 자연 가격의 차이는 유효 수요에 의해 조절되거든.
유효 수요
유효 수요란 시장에 출품되는 상품들을 살 의사가 있는 사람들의 총수요를 의미해.
자, 이 상품을 사실 분들….
저요!
저요!
예로 어떤 과수원 주인이
허수아비 같아….
사과 1,000상자를 서울 가락동 시장에 팔려고 내놓았는데
끼-
사과
가락 시장
그 동네 사람들이 기꺼이 1,000상자를 다 살 의사가 있을 때
우리가 이 1,000상자 다 살게요.

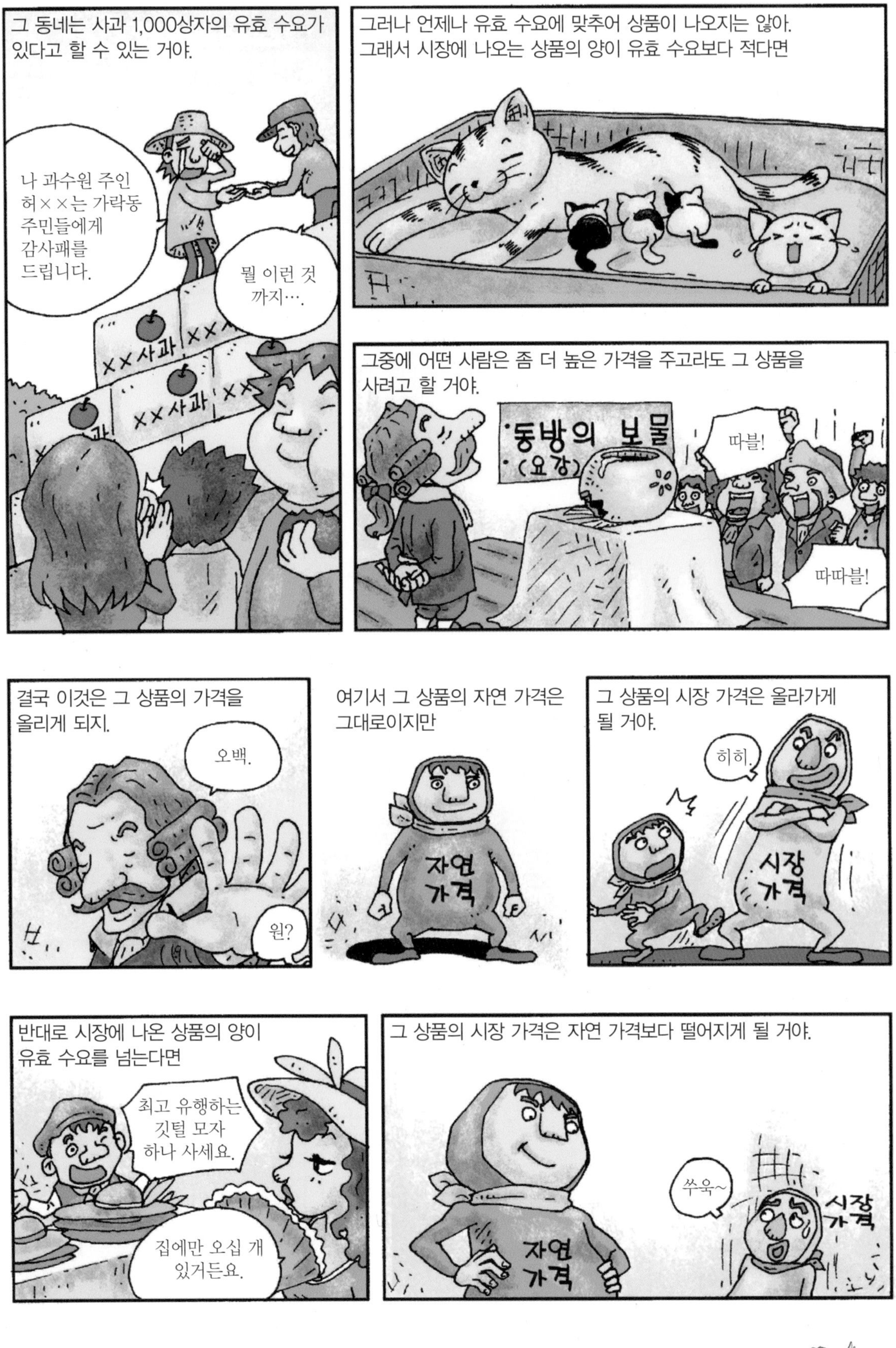
그 동네는 사과 1,000상자의 유효 수요가 있다고 할 수 있는 거야.
나 과수원 주인 허××는 가락동 주민들에게 감사패를 드립니다.
뭘 이런 것까지….
××사과
××사과
그러나 언제나 유효 수요에 맞추어 상품이 나오지는 않아. 그래서 시장에 나오는 상품의 양이 유효 수요보다 적다면
그중에 어떤 사람은 좀 더 높은 가격을 주고라도 그 상품을 사려고 할 거야.
동방의 보물 (요강)
따블!
따따블!
결국 이것은 그 상품의 가격을 올리게 되지.
오백.
뭔?
여기서 그 상품의 자연 가격은 그대로이지만
자연 가격
그 상품의 시장 가격은 올라가게 될 거야.
히히.
시장 가격
반대로 시장에 나온 상품의 양이 유효 수요를 넘는다면
최고 유행하는 깃털 모자 하나 사세요.
집에만 오십 개 있거든요.
그 상품의 시장 가격은 자연 가격보다 떨어지게 될 거야.
쑤욱~
자연 가격
시장 가격

이처럼 자연 가격과 시장 가격은 시장에 공급되는 상품의 양과 유효 수요의 관계에 의해
유효 수요
팡그르
상품량
끊임없이 조정된다고 할 수 있어.
폴짝
자연가격
자연가격
폴짝
시장가격
이러한 이유로 시장에 나오는 상품의 양은 스스로 유효 수요에 적응하지 않을 수가 없어.
잘해 보자고.
상품양
좋아.
유효 수요
시장
왜냐하면 어떤 시장에 나온 상품의 양이 유효 수요를 초과한다면
상품량
유효 수요
그 상품은 자연 가격보다 낮은 가격에 팔리게 될 거야.
쑥~
자연 가격
시장가격
그러면 그 상품의 생산에 토지를 제공한 사람은
토지여 철수 하라!
그 토지를 철수시킬 것이고 노동이나 자본을 투자한 노동자나 자본가는
노동
자본
자신들의 노동이나 자본을 철수시킬 거야.
노동
자본
얘들아, 우리도 철수다!

누가 손해를 보면서 계속 사업을 하려고 하겠니.
아무렴.
사업은 이윤을 바라고 하는 거거든.
결과적으로 상품의 양은 그 상품의 유효 수요에 맞추어 줄어들게 되겠지!
상품량
유효수요
반면 어떤 시장에 나온 상품의 양이 유효 수요보다 적다면
상품량
유효 수요
그 상품은 자연 가격보다 높은 가격에 팔리고
자연 가격
시장가격
이것은 토지, 노동, 자본의 투자를 늘리게 할 거야.
높은 가격에 팔린다는데
안 하고 배길쏘냐!
투자
그러니까 자연 가격은 모든 상품의 가격이 끊임없이 그것을 향해 수렴되는
자연 가격
중심 가격(central price)이 되는 거야.
모든 시장 가격은 끊임없이 자연 가격을 향해 움직이고 있는 거지.
힛!

그러나 항상 그런 것은 아니야. 어떤 특수한 경우에 시장 가격은 장기간 자연 가격보다 훨씬 높게 유지될 수도 있어.
언제 내릴 거야?
시장가격
자연 가격
전세 냈어.
어떤 경우인지 궁금하다고?
다음 세 가지 경우가 있을 거야.
첫째, 어떤 상품의 유효 수요가 증가하여 시장 가격이 자연 가격보다 높게 팔린다면
하하하.
시장 가격
흥, 유효 수요 덕에 오른 주제에.
그 상품 공급자는 이 사실을 비밀로 해서
그 상품 값이 왜 그리 올랐지?
글쎄… 궁금해.
….
다른 경쟁자들이 이것을 알아차리지 못하게 할 거야.
제품이 너무 좋아서겠지.. 지.. 지.
응?
특히 상품 공급자가 시장으로부터 멀리 떨어져 있다면 말이야.
상품 공급자
시장
그러나 이런 비밀은 오래갈 수 없고, 비밀이 폭로되면 그 사람의 특별 이윤은 사라지게 될 거야.
알고 보니 우리한테만 비싸게 판 거였어!
나쁜! 다른 상품을 사자고!
에고, 들켰다.

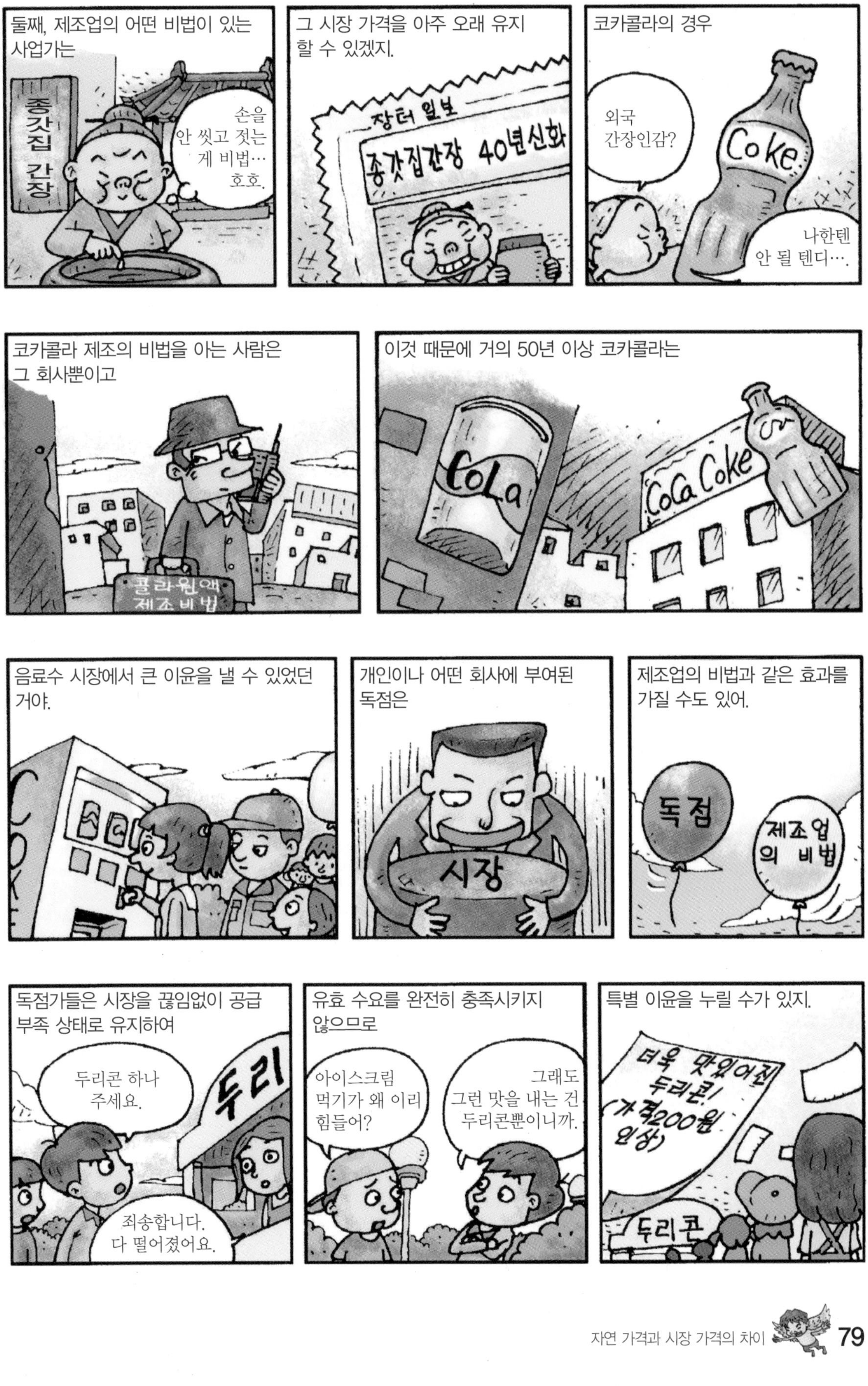
둘째, 제조업의 어떤 비법이 있는 사업가는
종갓집 간장
손을 안 씻고 젓는 게 비법… 호호.
그 시장 가격을 아주 오래 유지할 수 있겠지.
장터 일보
종갓집간장 40년신화
코카콜라의 경우
외국 간장인감?
Coke
나한텐 안 될 텐디….
코카콜라 제조의 비법을 아는 사람은 그 회사뿐이고
콜라원액 제조비법
이것 때문에 거의 50년 이상 코카콜라는
CoLa
CoCa Coke
음료수 시장에서 큰 이윤을 낼 수 있었던 거야.
개인이나 어떤 회사에 부여된 독점은
시장
제조업의 비법과 같은 효과를 가질 수도 있어.
독점
제조업의 비법
독점가들은 시장을 끊임없이 공급 부족 상태로 유지하여
두리
두리콘 하나 주세요.
죄송합니다. 다 떨어졌어요.
유효 수요를 완전히 충족시키지 않으므로
아이스크림 먹기가 왜 이리 힘들어?
그래도 그런 맛을 내는 건 두리콘뿐이니까.
특별 이윤을 누릴 수가 있지.
더욱 맛있어진 두리콘! (가격200원 인상)
두리콘

결국 독점 가격은 어떤 경우에나 누릴 수 있는 최고의 가격이야.
독점가격
만약 반도체를 삼성만 만들 수 있다고 가정해 봐.
80386DX-20
사람들은 비싸더라도 그것을 살 수밖에 없을 거야.
저희 기계에 삼성 반도체를 쓰고 싶습니다.
3성
저희 회사도요.
그렇다고 턱없이 높은 가격을 부른다면 아무도 안 사겠지.
아자!아자!
남는 이득보다 반도체에 드는 돈이 더 크니….
사장
독점 가격은 그 상품을 사려고 하는 사람들이 동의하는 범위에서 결정되는 최고의 가격인 거야.
저희 반도체 가격을 이렇게 정했습니다.
3000
저 정도면 쓸 만하지.
셋째, 독점의 또 다른 형태는 행정 규제에 의한 것이 있어.
우리의 이익을 위해
머리를 맞대고 의논해 보자고.
동업 조합, 즉 길드의 배타적 특권이 바로 그런 것이지.
앞으로 우리 조합에 가담하지 않은 사람은
우리 길목에서 맘대로 장사할 수 없다!
중세 이후 유럽에 있던 이 제도는 특정 직종의 경쟁자 수를 제한하는 제도였어.
신흥인기 회사
A사
B사
C사
재 요즘 너무 잘나가.
우리 길드 만들어서 재 따돌리자.
그래서 유효 수요가 증가해도 그 직종에 마음대로 들어가서 장사를 할 수가 없었지.
수요도 많은데 우리도 장사할 수 있게 해주시오.
A사
B사
안 돼. 그 직종은 우리 길드 회원만 낄 수 있어.
말 안 들으면 큰코다쳐!

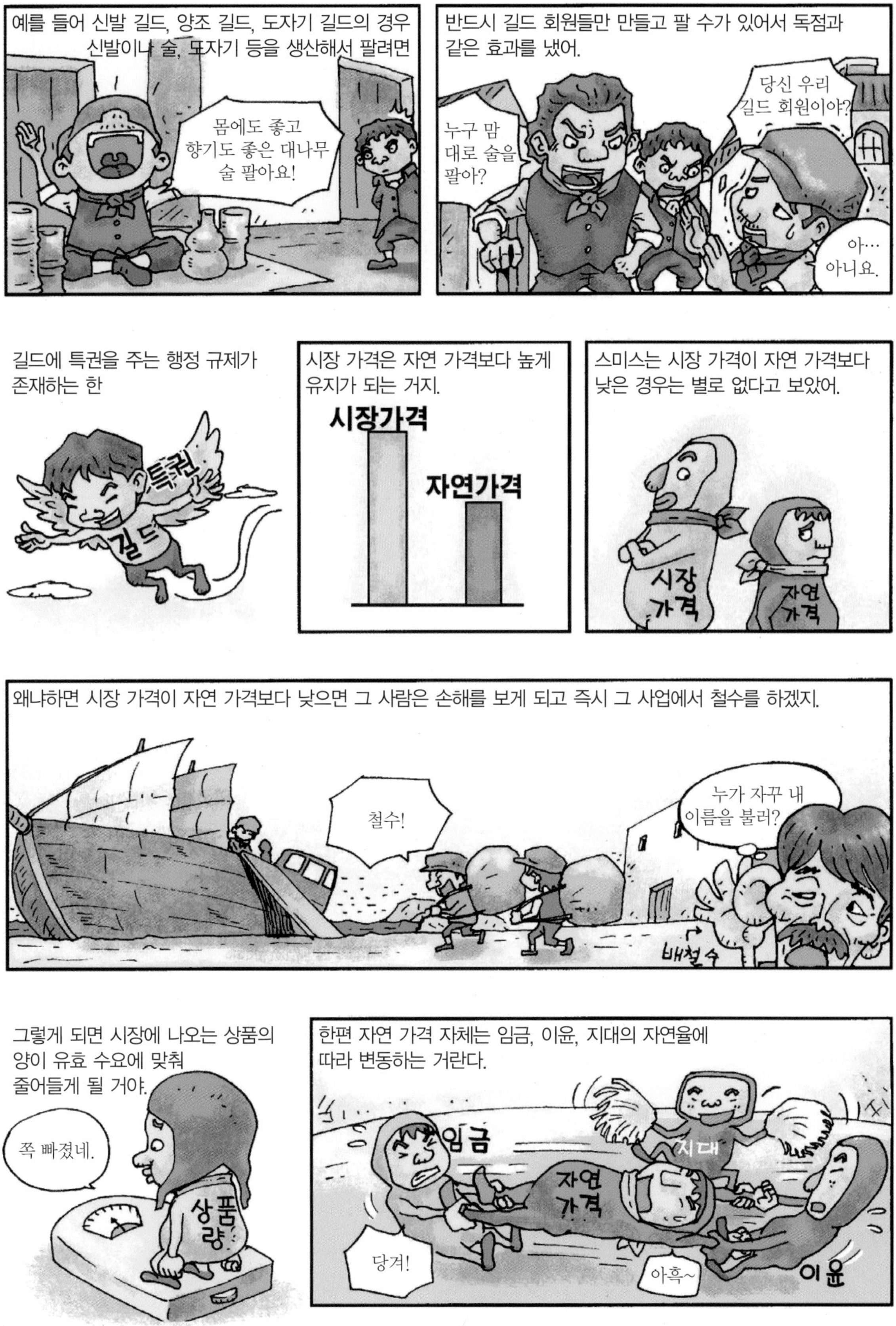
예를 들어 신발 길드, 양조 길드, 도자기 길드의 경우 신발이나 술, 도자기 등을 생산해서 팔려면
몸에도 좋고 향기도 좋은 대나무 술 팔아요!
반드시 길드 회원들만 만들고 팔 수가 있어서 독점과 같은 효과를 냈어.
누구 맘대로 술을 팔아?
당신 우리 길드 회원이야?
아… 아니요.
길드에 특권을 주는 행정 규제가 존재하는 한
특권
길드
시장 가격은 자연 가격보다 높게 유지가 되는 거지.
시장가격
자연가격
스미스는 시장 가격이 자연 가격보다 낮은 경우는 별로 없다고 보았어.
시장 가격
자연 가격
왜냐하면 시장 가격이 자연 가격보다 낮으면 그 사람은 손해를 보게 되고 즉시 그 사업에서 철수를 하겠지.
철수!
누가 자꾸 내 이름을 불러?
배철수
그렇게 되면 시장에 나오는 상품의 양이 유효 수요에 맞춰 줄어들게 될 거야.
쪽 빠졌네.
상품량
한편 자연 가격 자체는 임금, 이윤, 지대의 자연율에 따라 변동하는 거란다.
임금
지대
자연 가격
당겨!
아흑~
이윤

# 제6장 임금, 이윤, 지대의 가치는 어떻게 변할까?

지대
이윤
임금

노동의 임금에 대하여
노동으로 생산된 물건은 임금을 포함하고 있어.
내 안에 임금 있다.
끼릭
원시 시대에는 노동 생산물 전체가 노동자의 소유였어.
그러나 이런 원시 상태는 개인이 토지를 소유할 수 있게 되고
이떵 내떵 사냥금지! —주인백—
자본가가 자본을 축적할 수 있게 되면서부터 더 이상 지속될 수 없게 되었어.
저기, 일자리 좀 구할 수 있을까요?

토지 소유자는 노동자가 토지에서 생산한 생산물의 일부를 자기의 몫으로 요구하기 시작한 거지.
수확한 30가마 중 10가마는 내가 가져감세.
….
그리고 모든 수공업이나 공장의 노동자들도 물건을 생산하기까지는
야구공 공장
물건의 원료와 자신들의 월급을 주인이 미리 주게 되잖아.
열심히 해.
네.
대신 공장의 주인은 생산물 중에 일정 부분을
드르르..
자기의 이윤으로 요구하게 된 거야.
돈으로 줘야지! 이걸로 뭐 하라고!
결국 노동자들은 자기가 생산한 물건에 대해
히.
전적으로 소유권을 주장할 수 없게 되는 거야.
음.
보통 노동 임금은 노동자와 고용주 사이의 계약으로 체결이 되지.
이때 노동자들은 가능한 한 많이 받으려 하고
주인들은 가능한 한 적게 주려고 할 거야.

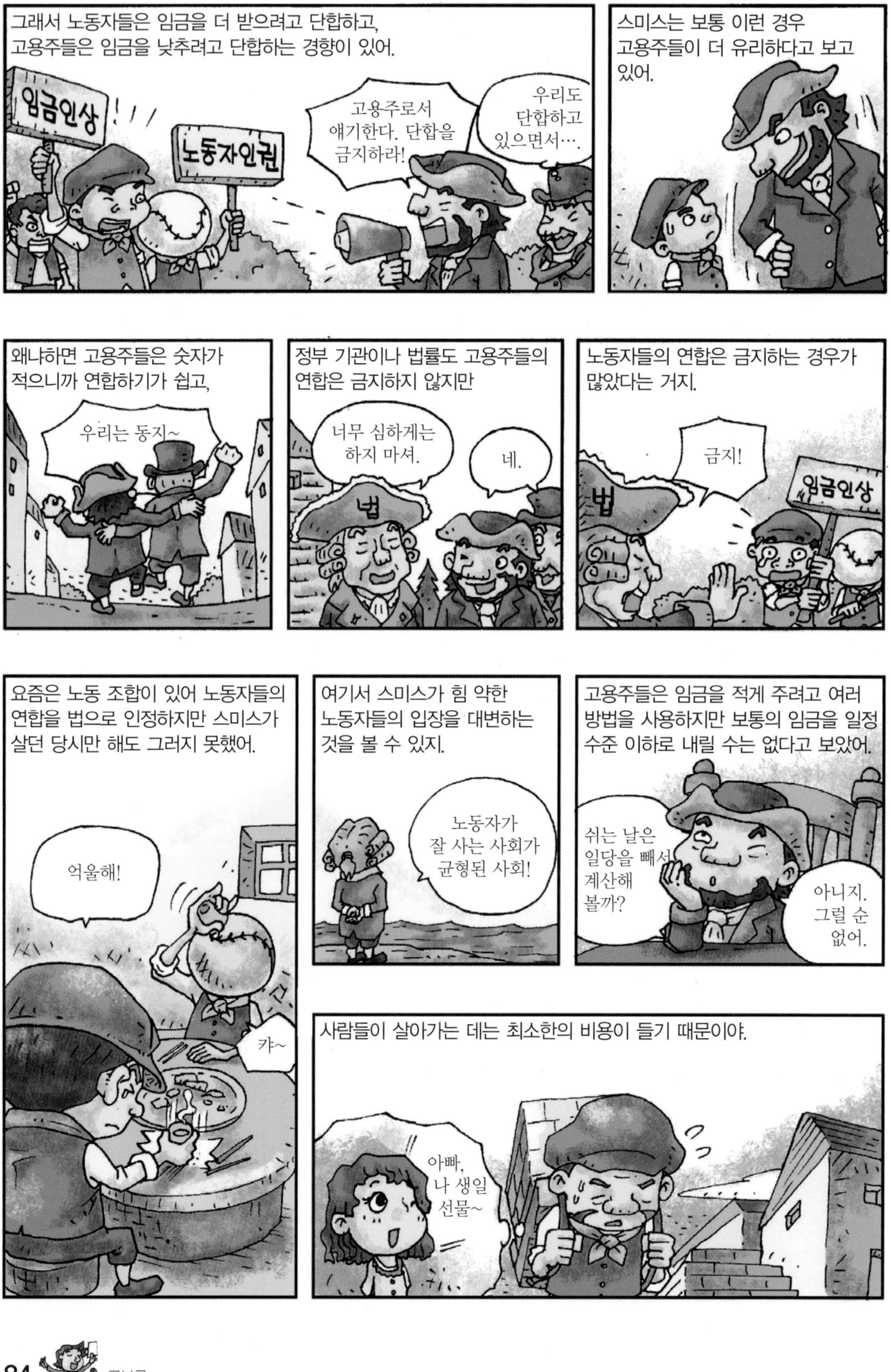
그래서 노동자들은 임금을 더 받으려고 단합하고,
고용주들은 임금을 낮추려고 단합하는 경향이 있어.
임금인상
노동자인권
고용주로서 얘기한다. 단합을 금지하라!
우리도 단합하고 있으면서….
스미스는 보통 이런 경우 고용주들이 더 유리하다고 보고 있어.
왜냐하면 고용주들은 숫자가 적으니까 연합하기가 쉽고,
우리는 동지~
정부 기관이나 법률도 고용주들의 연합은 금지하지 않지만
너무 심하게는 하지 마셔.
네.
법
노동자들의 연합은 금지하는 경우가 많았다는 거지.
금지!
법
임금인상
요즘은 노동 조합이 있어 노동자들의 연합을 법으로 인정하지만 스미스가 살던 당시만 해도 그러지 못했어.
억울해!
캬~
여기서 스미스가 힘 약한 노동자들의 입장을 대변하는 것을 볼 수 있지.
노동자가 잘 사는 사회가 균형된 사회!
고용주들은 임금을 적게 주려고 여러 방법을 사용하지만 보통의 임금을 일정 수준 이하로 내릴 수는 없다고 보았어.
쉬는 날은 일당을 빼서 계산해 볼까?
아니지. 그럴 순 없어.
사람들이 살아가는 데는 최소한의 비용이 들기 때문이야.
아빠, 나 생일 선물~

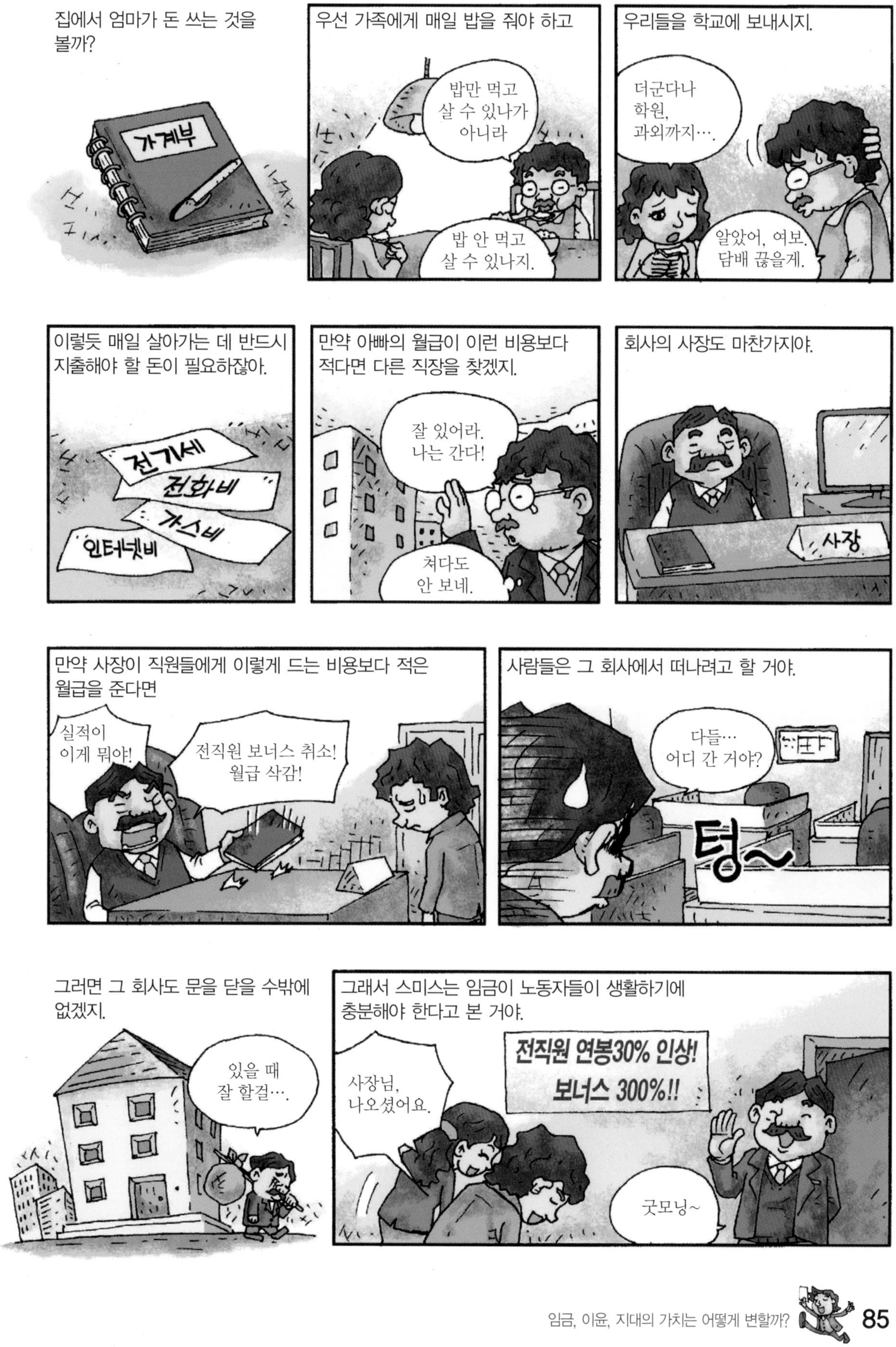
집에서 엄마가 돈 쓰는 것을 볼까?
가계부
우선 가족에게 매일 밥을 줘야 하고
밥만 먹고 살 수 있나가 아니라
밥 안 먹고 살 수 있나지.
우리들을 학교에 보내시지.
더군다나 학원, 과외까지….
알았어, 여보. 담배 끊을게.
이렇듯 매일 살아가는 데 반드시 지출해야 할 돈이 필요하잖아.
전기세
전화비
가스비
인터넷비
만약 아빠의 월급이 이런 비용보다 적다면 다른 직장을 찾겠지.
잘 있어라. 나는 간다!
쳐다도 안 보네.
회사의 사장도 마찬가지야.
사장
만약 사장이 직원들에게 이렇게 드는 비용보다 적은 월급을 준다면
실적이 이게 뭐야!
전직원 보너스 취소! 월급 삭감!
사람들은 그 회사에서 떠나려고 할 거야.
다들… 어디 간 거야?
텅~
그러면 그 회사도 문을 닫을 수밖에 없겠지.
있을 때 잘 할걸….
그래서 스미스는 임금이 노동자들이 생활하기에 충분해야 한다고 본 거야.
전직원 연봉30% 인상!
보너스 300%!!
사장님, 나오셨어요.
굿모닝~

또한 노동자들이 보통 임금보다 훨씬 높게 임금을 받는 경우가 있다고 보았는데,
자기 요새 월급 봉투가 왜 이리 두꺼워졌어?
흠~
나라의 경제가 좋아져서 노동자들이 더 필요해질 때 고용주들은 더 많은 노동자를 고용하려고 임금을 올릴 수밖에 없는 경우지.
노동자들을 더 부르도록!
사업을 확장시켜야 겠어.
예.
예로, 비행기나 배로 가기 어려운 어느 섬나라의 공장 사장에게
갑자기 10억이란 돈이 생겼다면
10억
그 사장은 사업을 더 확장해서 직원을 더 많이 고용하려 할 거야.
사원 200명 급구 -사장백
그런데 이런 사장이 그 섬에 10명이 더 생겼다고 생각해 봐.
아마 사장들은 그 나라의 젊은이들을 고용하기 위해 더 많은 월급을 주지 않을 수 없을 거야.
사원들이 여러 회사에 지원해서 경쟁이 치열합니다.
우리가 월급을 가장 많이 주면 되잖아!
쾅

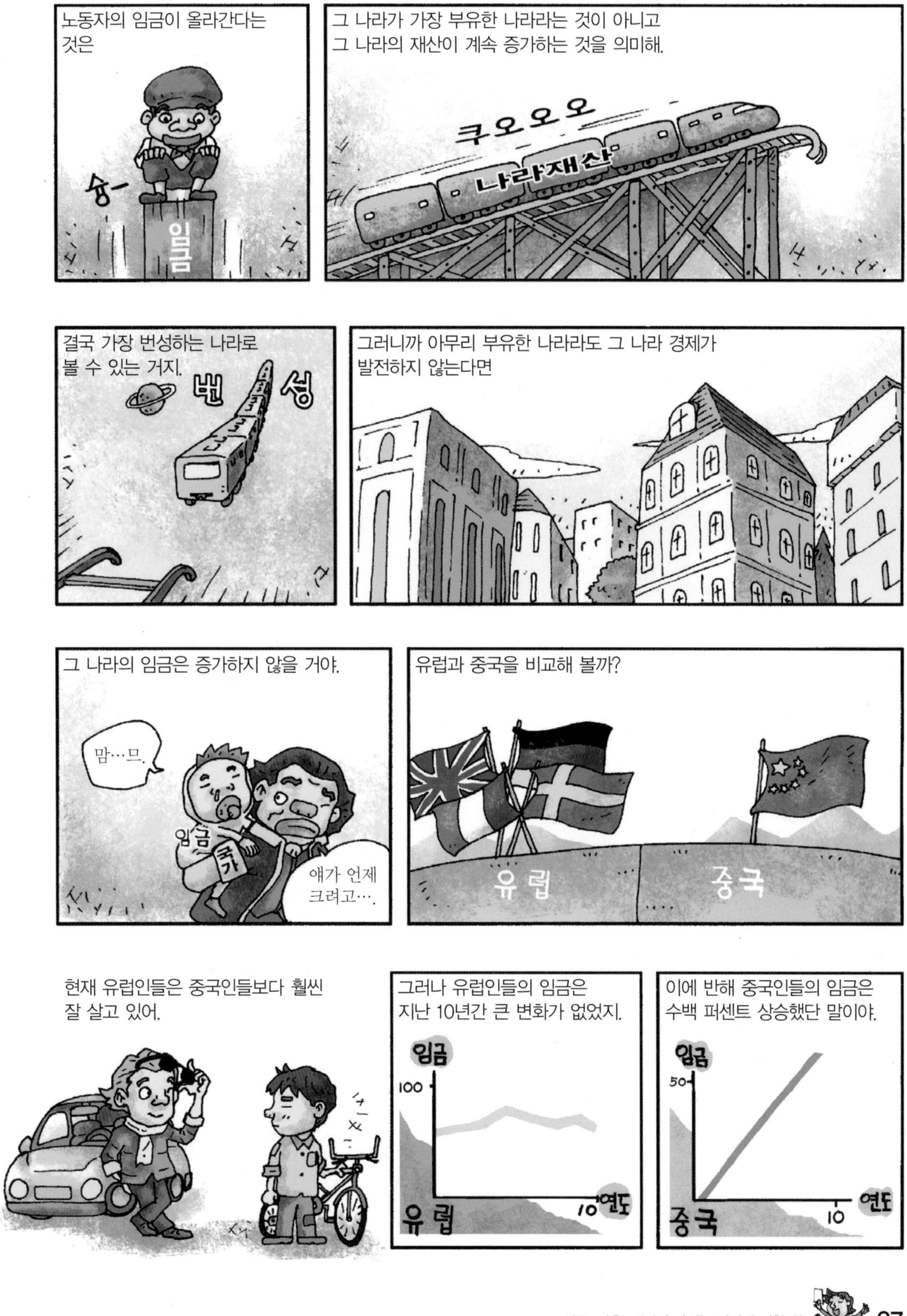
노동자의 임금이 올라간다는 것은
슝-
임금
그 나라가 가장 부유한 나라라는 것이 아니고 그 나라의 재산이 계속 증가하는 것을 의미해.
쿠오오오
나라재산
결국 가장 번성하는 나라로 볼 수 있는 거지.
번성
그러니까 아무리 부유한 나라라도 그 나라 경제가 발전하지 않는다면
그 나라의 임금은 증가하지 않을 거야.
맘…므.
임금
국가
얘가 언제 크려고….
유럽과 중국을 비교해 볼까?
유럽
중국
현재 유럽인들은 중국인들보다 훨씬 잘 살고 있어.
그러나 유럽인들의 임금은 지난 10년간 큰 변화가 없었지.
임금
100
10
연도
유럽
이에 반해 중국인들의 임금은 수백 퍼센트 상승했단 말이야.
임금
50
10
연도
중국

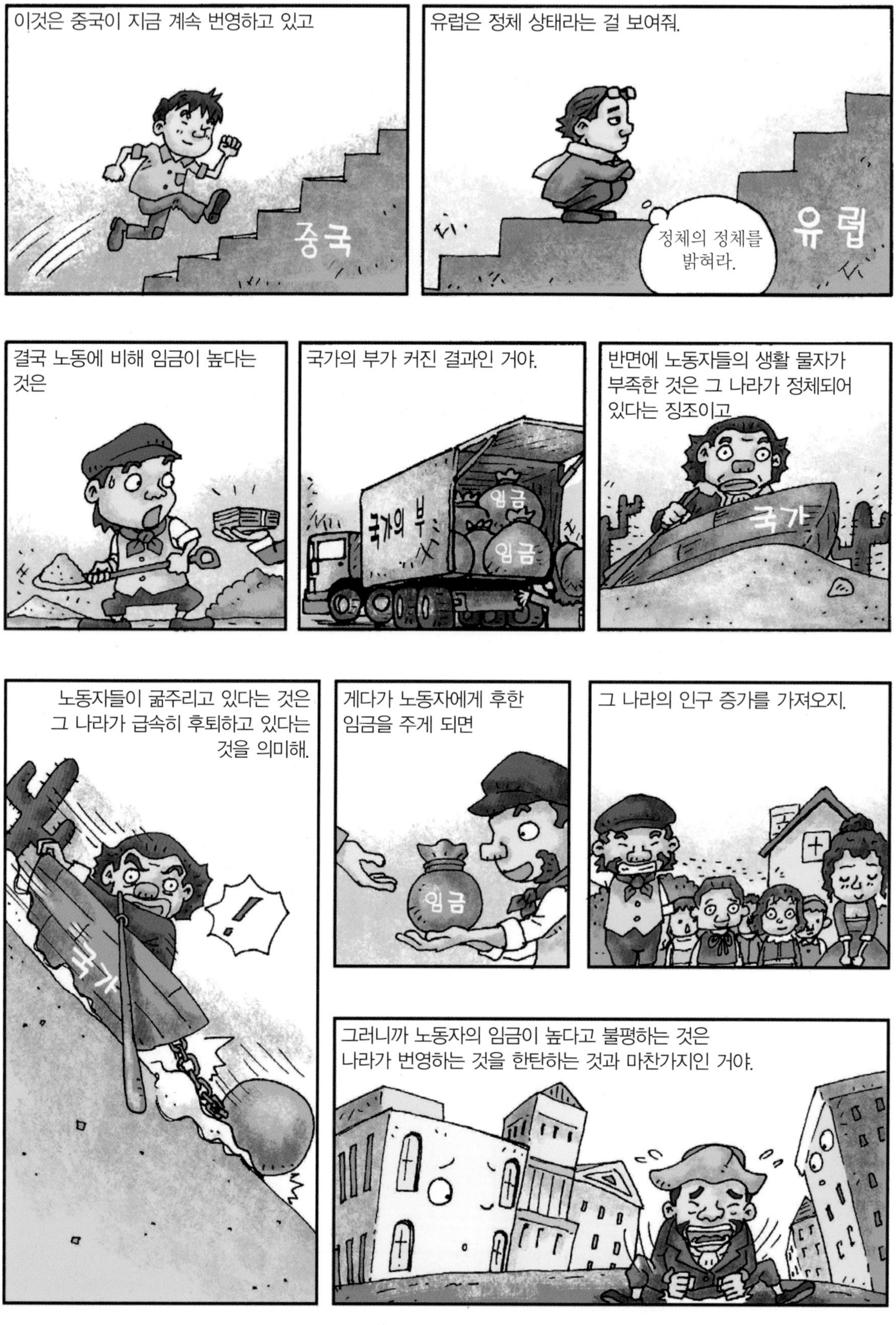
이것은 중국이 지금 계속 번영하고 있고
중국
유럽은 정체 상태라는 걸 보여줘.
정체의 정체를 밝혀라.
유럽
결국 노동에 비해 임금이 높다는 것은
국가의 부가 커진 결과인 거야.
국가의 부
임금
임금
반면에 노동자들의 생활 물자가 부족한 것은 그 나라가 정체되어 있다는 징조이고
국가
노동자들이 굶주리고 있다는 것은 그 나라가 급속히 후퇴하고 있다는 것을 의미해.
국가
!
게다가 노동자에게 후한 임금을 주게 되면
임금
그 나라의 인구 증가를 가져오지.
그러니까 노동자의 임금이 높다고 불평하는 것은 나라가 번영하는 것을 한탄하는 것과 마찬가지인 거야.

그리고 높은 임금은
보통 사람들을 더 부지런하게 만들기도 해.
높은 임금은 노동자들 자신의 미래에 대해서
희망을 가지게 하고
이런 희망은 자신의 능력을 최대한 발휘하도록
사람들을 자극하지.
항상
칼퇴근이더니.
그러니까 임금이 높은 나라의 노동자들은 임금이 낮은 노동자들보다
더 적극적이고 부지런하게 움직이는 거야.
스미스의 이런 높은 임금에 대한 생각은 스미스가 살던 시대의
중상주의자들과는 큰 대조를 이루고 있어.
고임금
중상주의
중상주의자들은 낮은 임금으로 노동자들이
나태해지는 것을 막을 수 있고
낮은
임금

노동자들의 공급도 증가시킬 수 있다고 보았으며,
같은 돈으로 많은 노동자를 쓸 수 있으니….
그런 정책을 통하여 국가의 부, 즉 재산을 증가시킬 수 있다고 보았어.
재산
하지만 스미스는 국가의 부가 증가하면 이에 비례하여 임금도 늘어나
국가의 부
임금
더 많은 노동자를 필요로 하기 때문에
정부가 여기에 개입하는 것이 무의미하다는 입장이지.
자본의 이윤에 대하여
자본이 무슨 뜻인지 알아? 자본은 사람들이 장사나 사업을 할 때 필요한 돈을 의미해.
밑천 없이 장사하는 사람 봤어?
나!
대동강
그럼 자본과 이윤의 관계는 어떻게 될까?
자본
이윤
자본의 증가는 임금을 인상시킨다고 앞에서 배웠지?
임금 인상
자본의 증가
그러나 자본의 증가로 이윤은 감소할 수도 있어. 예를 들어 볼까?
자본
이윤

여러 명의 사업가들이 동일한 사업에 돈을 투자한다면
투자
사업
그 사람들은 서로 경쟁하지 않을 수 없고
빠!
묵!
내가 먹을 거야!
웃겨!
이것으로 자연히 이윤은 떨어지는 경향이 있어.
허걱!
이윤
그러면 투자한 자본에 대한 이윤율은 평균적으로 얼마나 될까?
이윤을 결정하는 요소는 너무 많아서 일반적으로 평균 이윤을 말하기는 곤란해.
시대상황
사회적이슈
달러, 엔화 고저
세계증시
예를 들면, 이윤은 우선 상품의 가격을 얼마로 정하는지에 달려 있겠지.
한 장.
이거 얼마예요?
?
그리고 경쟁자가 어떤 전략을 가지고
요새 콧물 인형이 인기라 이거지?
상품을 만들고 가격을 정하는지도 중요하겠지.
8000원
그 물건을 사는 사람들,
이 인형 너무 불쌍해 보인다.
즉 소비자들이 어떤 취향을 가지는지도
추잡해.
이윤 결정에 영향을 줄 거야.

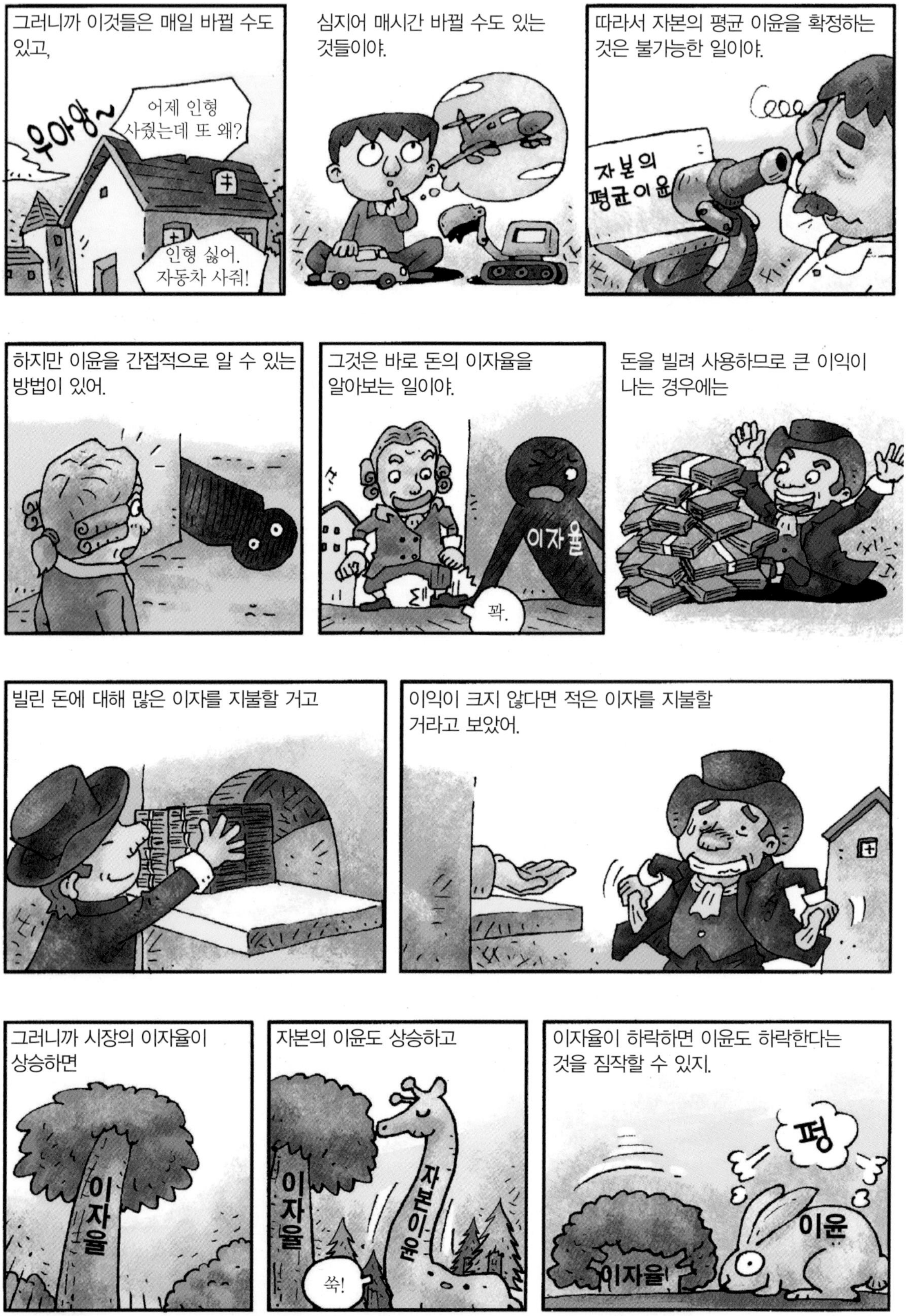
그러니까 이것들은 매일 바뀔 수도 있고,
우아앙~
어제 인형 사줬는데 또 왜?
인형 싫어. 자동차 사줘!
심지어 매시간 바뀔 수도 있는 것들이야.
따라서 자본의 평균 이윤을 확정하는 것은 불가능한 일이야.
자본의 평균이윤
하지만 이윤을 간접적으로 알 수 있는 방법이 있어.
그것은 바로 돈의 이자율을 알아보는 일이야.
이자율
꽉.
돈을 빌려 사용하므로 큰 이익이 나는 경우에는
빌린 돈에 대해 많은 이자를 지불할 거고
이익이 크지 않다면 적은 이자를 지불할 거라고 보았어.
그러니까 시장의 이자율이 상승하면
이자율
자본의 이윤도 상승하고
이자율
자본이윤
쑥!
이자율이 하락하면 이윤도 하락한다는 것을 짐작할 수 있지.
펑
이윤
이자율

그러면 도시와 시골 중 어느 자본의 이윤이 더 높을까? 그 문제의 대답은 먼저 두 곳 중 어디가 더 자본이 많은가를 알면 돼.
도시 자본
시골 자본
일반적으로 대도시는 시골보다 더 많은 자본을 필요로 해.
도시에서는 각 사업 분야에 수많은 경쟁자들이 있기 때문이야. 그래서 시골보다 이윤이 떨어지게 되지.
치즈가 싸요, 싸.
무조건 저쪽 보다 더 싸요.
또한 도시의 노동 임금은 시골보다 높을 수밖에 없을 거야.
도시 노동임금
시골 노동임금
왜냐하면 도시에서는 큰 자본을 가진 사람들이 서로 경쟁하게 되고
어이구, 브라운 사장!
제임스 사장, 우리 내기 골프 한 번 할까요?
이번 건설건은 우리가 따야 해.
절대 양보 못해.
이것이 임금을 올리는 결과를 가져오지.
직원들 임금 올리세요!
우리 회사 유능 인재를 다른 회사에 뺏기면 안 되지.
쿵
그러므로 임금이 올라가는 도시에서 자본 이윤은 낮아지게 될 거야.
남는 게 없네.
반대로 모든 사람을 고용할 자본이 충분하지 않은 시골에서는
월급도 적은데 많이 올까요?
여긴 회사가 많지 않으니까 올 거야.
직원모집

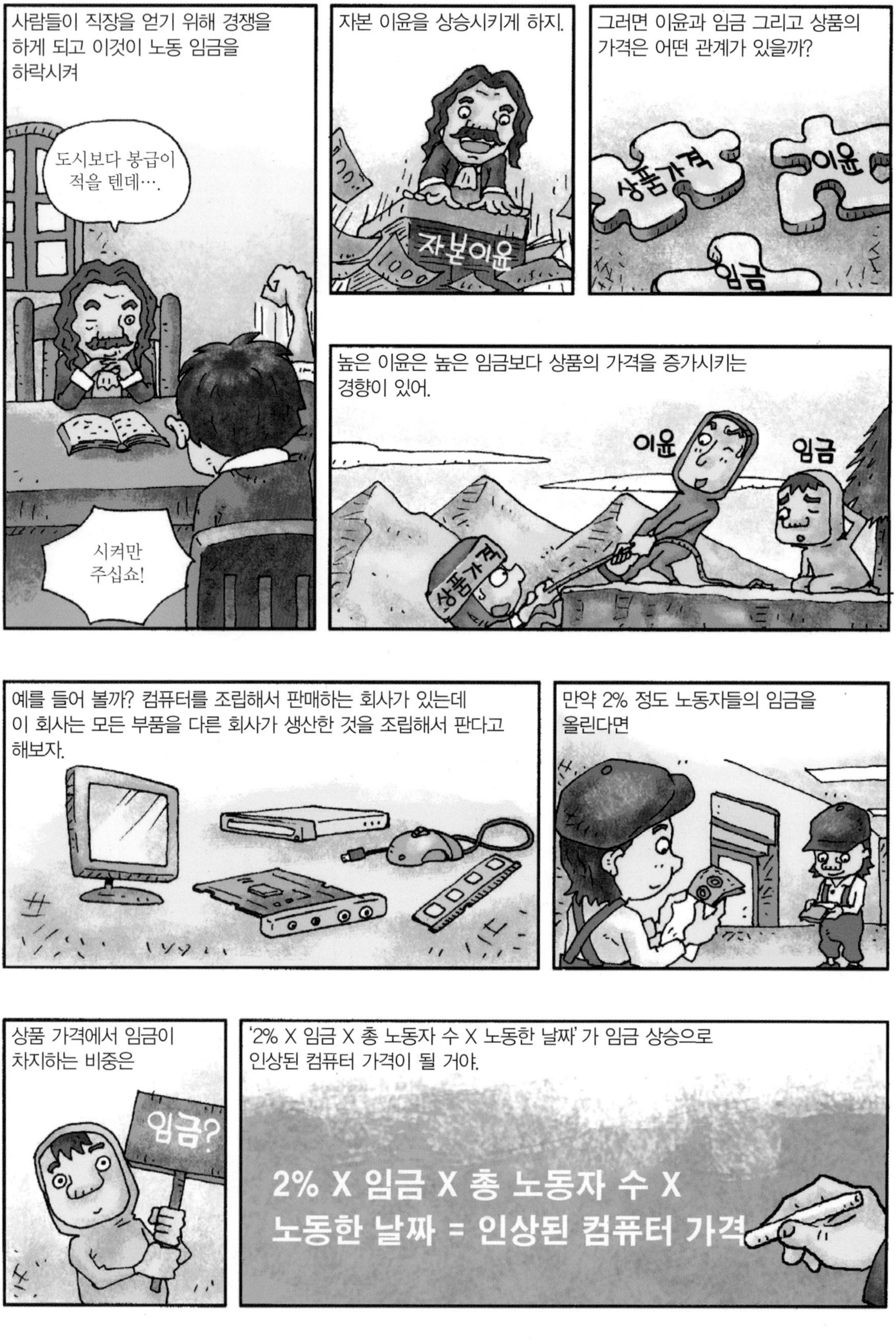
사람들이 직장을 얻기 위해 경쟁을 하게 되고 이것이 노동 임금을 하락시켜
도시보다 봉급이 적을 텐데….
시켜만 주십쇼!
자본 이윤을 상승시키게 하지.
자본이윤
그러면 이윤과 임금 그리고 상품의 가격은 어떤 관계가 있을까?
상품가격
이윤
임금
높은 이윤은 높은 임금보다 상품의 가격을 증가시키는 경향이 있어.
이윤
임금
상품가격
예를 들어 볼까? 컴퓨터를 조립해서 판매하는 회사가 있는데 이 회사는 모든 부품을 다른 회사가 생산한 것을 조립해서 판다고 해보자.
만약 2% 정도 노동자들의 임금을 올린다면
상품 가격에서 임금이 차지하는 비중은
임금?
'2% X 임금 X 총 노동자 수 X 노동한 날짜' 가 임금 상승으로 인상된 컴퓨터 가격이 될 거야.
2% X 임금 X 총 노동자 수 X
노동한 날짜 = 인상된 컴퓨터 가격

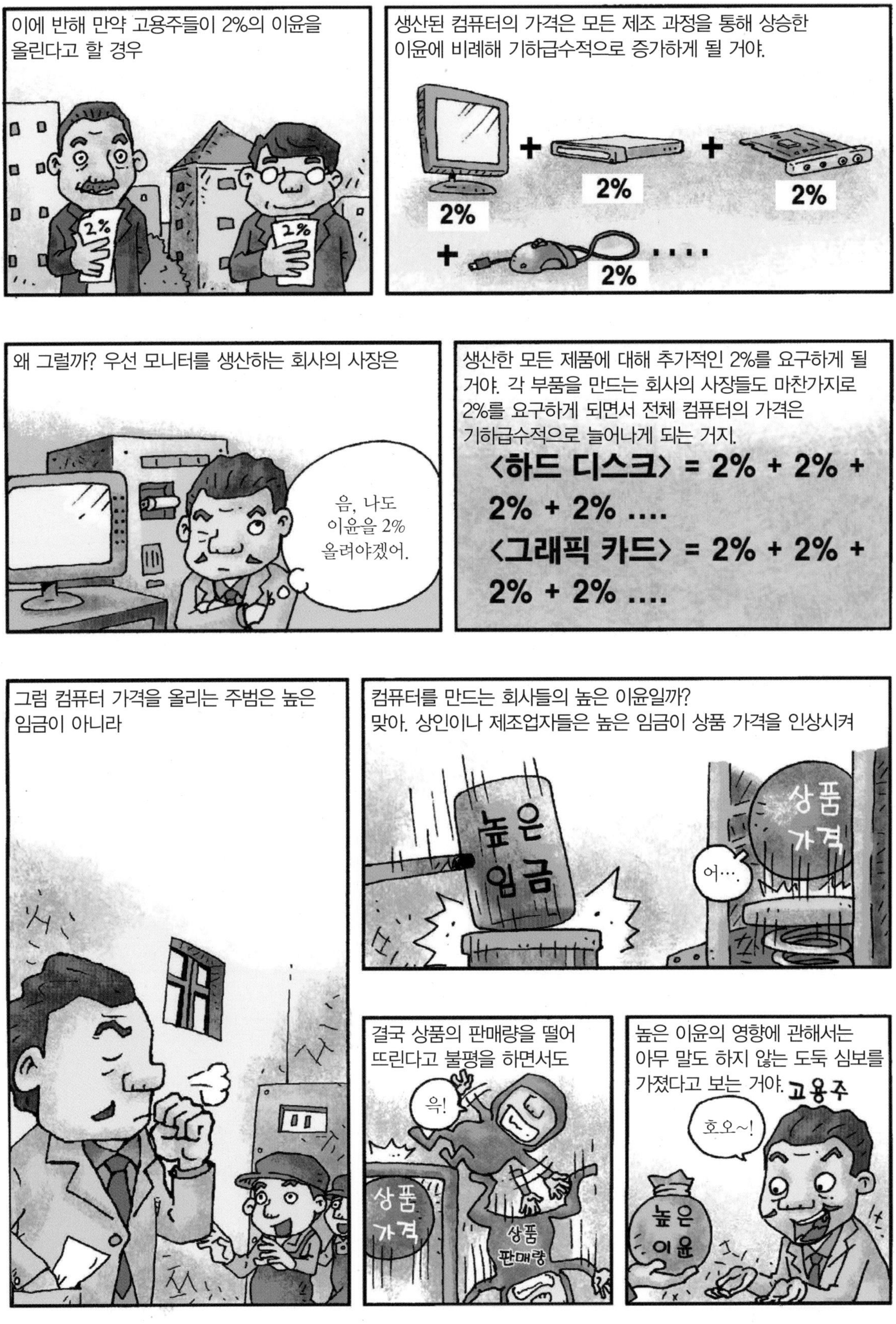
이에 반해 만약 고용주들이 2%의 이윤을
올린다고 할 경우
2%
2%
생산된 컴퓨터의 가격은 모든 제조 과정을 통해 상승한
이윤에 비례해 기하급수적으로 증가하게 될 거야.
2%
2%
2%
2%
....
왜 그럴까? 우선 모니터를 생산하는 회사의 사장은
음, 나도
이윤을 2%
올려야겠어.
생산한 모든 제품에 대해 추가적인 2%를 요구하게 될
거야. 각 부품을 만드는 회사의 사장들도 마찬가지로
2%를 요구하게 되면서 전체 컴퓨터의 가격은
기하급수적으로 늘어나게 되는 거지.
<하드 디스크> = 2% + 2% +
2% + 2% ....
<그래픽 카드> = 2% + 2% +
2% + 2% ....
그럼 컴퓨터 가격을 올리는 주범은 높은
임금이 아니라
컴퓨터를 만드는 회사들의 높은 이윤일까?
맞아. 상인이나 제조업자들은 높은 임금이 상품 가격을 인상시켜
높은
임금
상품
가격
어….
결국 상품의 판매량을 떨어
뜨린다고 불평을 하면서도
윽!
상품
가격
상품
판매량
높은 이윤의 영향에 관해서는
아무 말도 하지 않는 도둑 심보를
가졌다고 보는 거야.
고용주
호오~!
높은
이윤

노동과 자본의 불균등을 가져오는 요인은 뭘까?
그러면 노동과 자본, 둘 중 어느 것이 더 많은 수익을 가져다 줄까?
노동
자본
모든 사람들이 자유롭게 이동하여 자기 직업을 선택할 수 있는 사회에서는
난 대전에서 서울로 출퇴근 할 거야.
노동과 자본의 용도는 동등해지는 경향이 있어.
노동의 용도
자본의 용도
조그마한 섬마을에서 배를 이용해 고기를 잡는 것과
밭농사를 하는 사람들 간에 수익이 차이가 난다면
사람들은 더 수익이 나는 쪽으로 끊임없이 이동을 하게 되고
바다여? 육지여?
그냥 뛰어.
이것이 결국 두 사업의 균등을 가져오게 될 거야.
고기잡이
밭농사
그러나 노동의 임금과 자본의 이윤은 동등해지지 않고 여러 사정으로 인해 불균등해지는 경우가 많아.
우선 직업의 성질에 의해 불균등해지는 경우를 알아 볼까.
직업의 성질
불균등

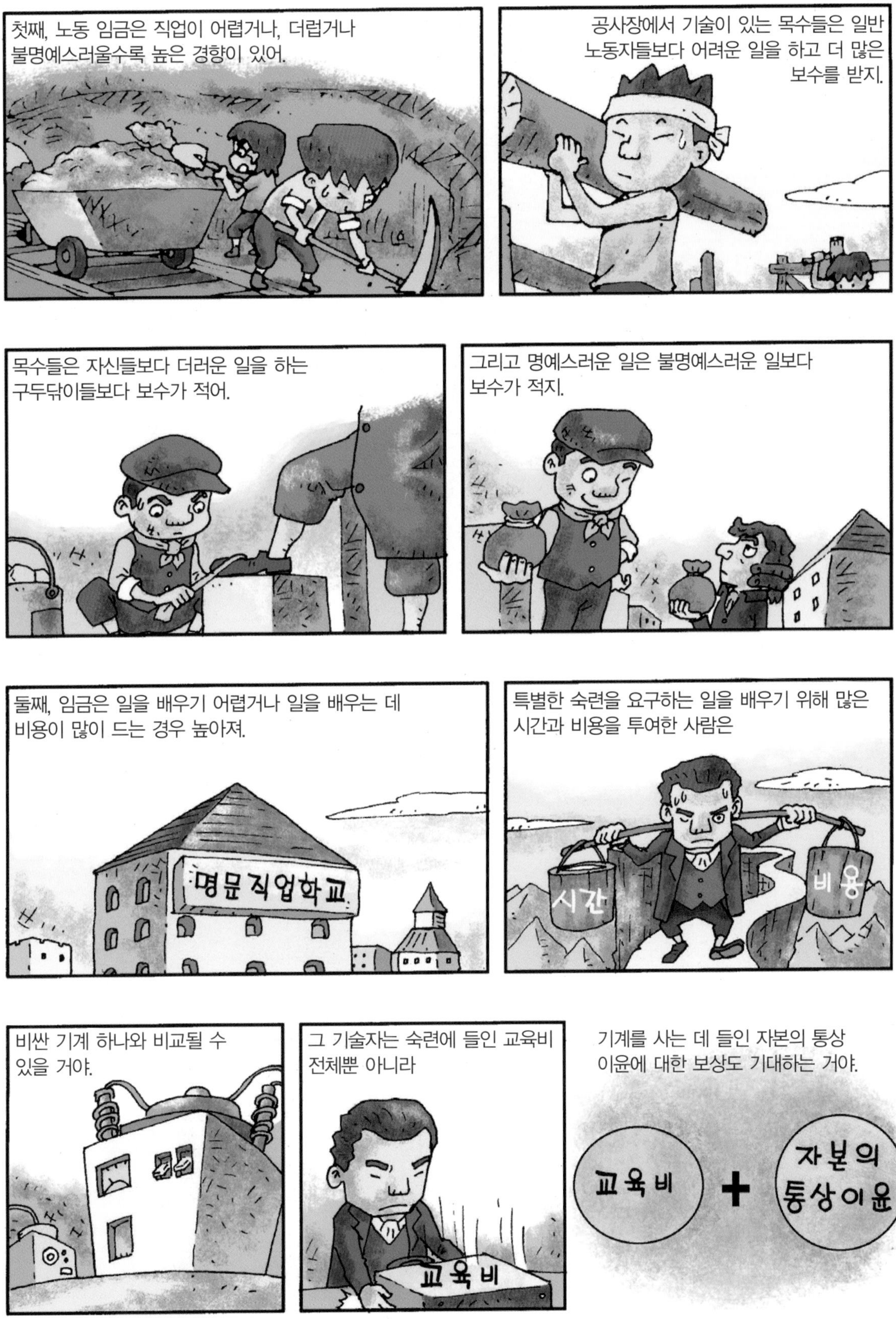

첫째, 노동 임금은 직업이 어렵거나, 더럽거나 불명예스러울수록 높은 경향이 있어.
공사장에서 기술이 있는 목수들은 일반 노동자들보다 어려운 일을 하고 더 많은 보수를 받지.
목수들은 자신들보다 더러운 일을 하는 구두닦이들보다 보수가 적어.
그리고 명예스러운 일은 불명예스러운 일보다 보수가 적지.
둘째, 임금은 일을 배우기 어렵거나 일을 배우는 데 비용이 많이 드는 경우 높아져.
명문직업학교
특별한 숙련을 요구하는 일을 배우기 위해 많은 시간과 비용을 투여한 사람은
시간
비용
비싼 기계 하나와 비교될 수 있을 거야.
그 기술자는 숙련에 들인 교육비 전체뿐 아니라
교육비
기계를 사는 데 들인 자본의 통상 이윤에 대한 보상도 기대하는 거야.
교육비
자본의 통상이윤

셋째, 직업이 불안정적인 사람들의 노동 임금은 안정적인 사람들보다 높은 임금을 받는 경향이 있어.
많이 못 드려 죄송합니다.
좀… 짜네요.
공사장에서 벽돌공의 임금은 보통 노동자들보다 많을 거야.
왜냐하면 날씨가 춥거나 비가 오는 경우에 벽돌공은 일을 할 수가 없기 때문에
그들이 일할 수 없을 때 생활을 유지하기 위해 더 많은 보수를 받아야 하거든.
넷째, 사회적으로 받는 신뢰가 높을수록 임금이 높아지는 경향이 있어.
사회적 신뢰
사람들이 의사에게 건강을 맡기고, 변호사에게 생명과 명예를 맡기잖아.
건강
생명, 명예
그들은 사회 신임에 상응하는 보수를 받는 거지.
다섯째, 임금은 그 직업의 성공 가능성과 그 직업의 업적에 대한 명예욕 때문에 불균등하게 돼.
이건 복권에 당첨된 사람이 당첨되지 않은 사람들의 돈을 모두 얻는 것과 같은 원리야.

변호사가 된 사람들은 변호사가 되는 데
실패한 사람들의 몫까지 보수로 얻게
된다고 볼 수 있지.
노동 임금은 여러 직업의 성질 차이 때문에
불균등하지만
←임금→
이윤은 큰 차이를 보이지
않아.
이윤
자본의 투자에 대한 이윤은 평준화
되어 있다고 볼 수 있어.
지금까지 우리는 노동, 자본이 다양한 직업의 성질 때문에
불균등이 일어나는 경우를 보았는데
다양한
직업의성질
콰쾅
노동, 자본
스미스는 이보다 유럽 국가들의 정책이
노동이나 자본을 자유롭게 두지 않음으로써
자본
노동
더 심각한 불균등을 일으킨다고
보았어.
불균등
지금부터는
이런 경우에
대해 알아
보자고.

첫째, 유럽의 정책이 경쟁을 제한하여 필요한 수보다 적은 수를 사업에 참여하도록 허용하는 경우가 있어.
헉!
유럽의 정책
동업 조합이 대표적인 경우지.
동업 조합
유럽에서 동업 조합은 장인과 직공의 상하 관계로 이루어져 있어.
신발을 예로 들면, 어느 도시에서 신발을 만들어 팔기 위해서는 신발 동업 조합에 가입한 사람들만 신발을 만들어 팔 수가 있었어.
신발 사….
조합에서 나왔소. 증 있습니까?
이 경우 장인과 직공들만 조합에 가입할 수 있었지.
직공들은 장인 밑에 들어가서
싸부, 절 제자로 받아주시옵소서.
설거지는 좀 해?
신발 만드는 법에 대해 오랜 시간 훈련을 받아야만 했어.
이게 신발이라는 거 걸랑.
알아.
이 기간이 보통 7년 정도가 되는데
1년 전 신발이란 말만 하곤 가르쳐준 게 없어.
신발이란 발에 신는 거걸랑.
이 기간 동안 직공은 적절한 보수도 못 받고 장인에게 봉사해야 할 의무가 있었어.
좋아, 안마는 일급 승급 이다.

그리고 장인은 자기가 부릴 수 있는 도제의 수를 정할 수가 있었지.
신참 왔다. 서로 인사해.
선배님.
아싸, 설거지 탈출이다.
이렇게 함으로써 경쟁을 소수의 사람들로 제한할 수 있었던 거야.
스승님은 어찌하여 제자를 더 받지 않습니까?
쭉정이는 필요없으니….
밥은 땅에서 솟냐?
이런 도제 기간은 전혀 불필요하고 청년을 근면하게 만들지도 않았어.
설거지 완료!
그럼, 가르쳐준 안마 실습이다.
보통의 수공업보다 뛰어난 기술을 요하는 시계 공업의 경우도 도제 교육이 필요하지 않아.
물론 처음 시계를 발명한 사람의 창의성은 높이 인정되어야 해.
보이지 않는 걸 보이게 했도다.
그러나 모든 것이 충분히 이해되는 상태에서 시계를 제조하는 방법은 2~3주 정도면 충분히 배울 수 있어.
또 만드니? 집 안이 온통 시계 투성인데….
째각
째각
그리고 도제는 직접적 이득이 생기지 않으므로
선배, 스승님 심부름 늦어서 어쩌죠?
일한다고 생기는 것도 없는데… 괜찮아.
게으르기가 쉽지.
만화 《국부론》 좀 봐.
애덤 스미스 아저씨잖아!
노동의 재미는 노동의 보수를 얻을 수 있을 때 생기는 거잖아.
루루루…
오늘은 월급날.

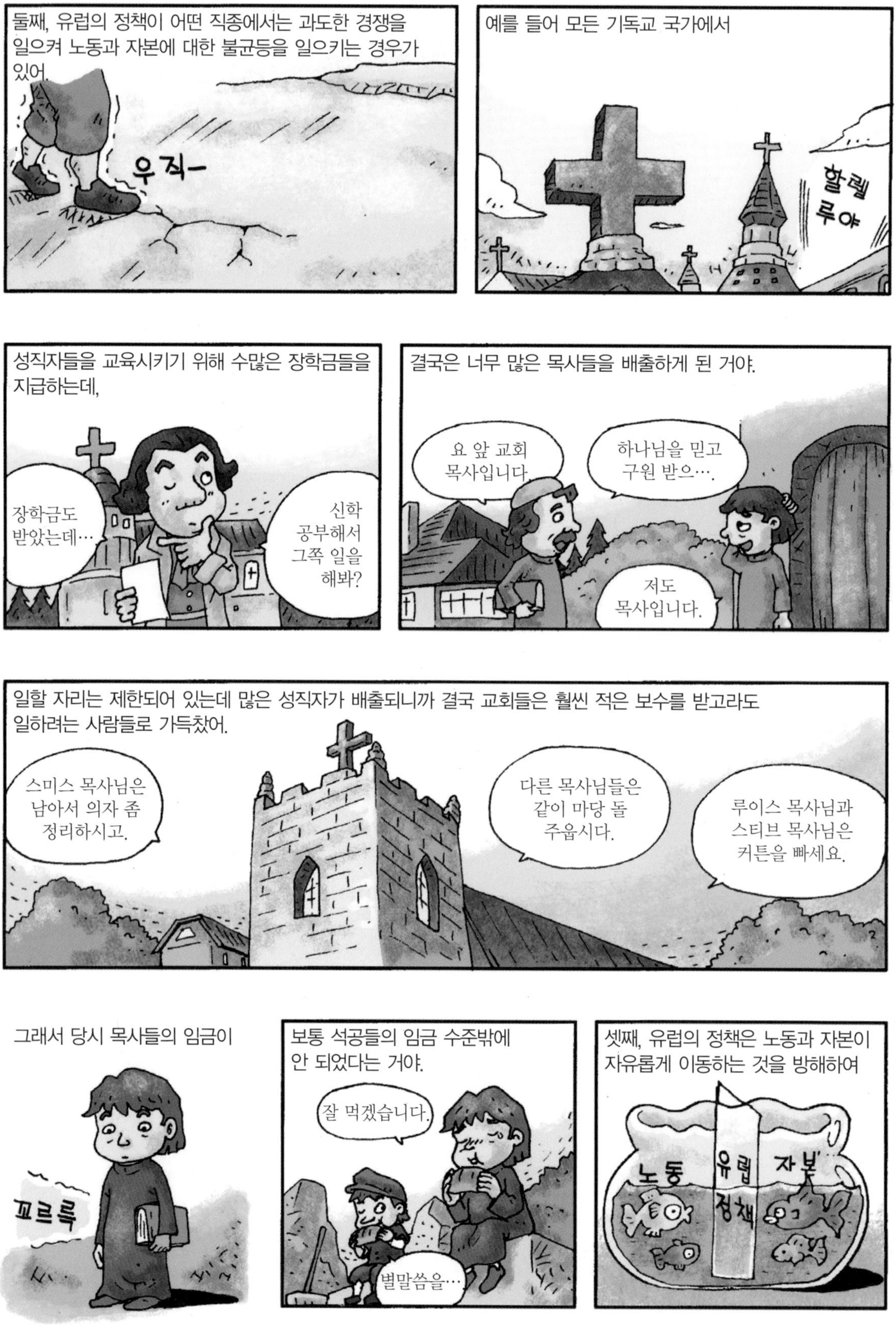

둘째, 유럽의 정책이 어떤 직종에서는 과도한 경쟁을 일으켜 노동과 자본에 대한 불균등을 일으키는 경우가 있어.
우직-
예를 들어 모든 기독교 국가에서
할렐루야
성직자들을 교육시키기 위해 수많은 장학금들을 지급하는데,
장학금도 받았는데…
신학 공부해서 그쪽 일을 해봐?
결국은 너무 많은 목사들을 배출하게 된 거야.
요 앞 교회 목사입니다.
하나님을 믿고 구원 받으….
저도 목사입니다.
일할 자리는 제한되어 있는데 많은 성직자가 배출되니까 결국 교회들은 훨씬 적은 보수를 받고라도 일하려는 사람들로 가득찼어.
스미스 목사님은 남아서 의자 좀 정리하시고.
다른 목사님들은 같이 마당 돌 주웁시다.
루이스 목사님과 스티브 목사님은 커튼을 빠세요.
그래서 당시 목사들의 임금이
꼬르륵
보통 석공들의 임금 수준밖에 안 되었다는 거야.
잘 먹겠습니다.
별말씀을…
셋째, 유럽의 정책은 노동과 자본이 자유롭게 이동하는 것을 방해하여
노동
유럽 정책
자본

자본과 노동의 불균등을 일으키고 있어.
나 바위.
나 계란.
동업 조합법에 따르면 동일한 장소에서도
먹자 시장
노동이 한 업종에서 다른 업종으로 이동하는 것을 금지하고 있어.
생선 대신 과일 팔려고 하는데….
동업 조합법 위반입니다.
이럴 경우 노동, 자본 간의 심한 불균형이 발생할 수가 있어.
힘의 균형차로다.
예를 들어 어떤 도시에 모직물 산업이 번창하고 있고 반대로 면직물 산업은 쇠퇴하는 경우에
모직물 산업
어이, 그쪽 공기는 좋아?
면직물 산업
모직물 산업 노동자의 임금은 상승하고 면직물 산업 노동자의 임금은 하락할 거야.
이때 양 산업의 동업 조합이 노동자의 이동을 막고 있으면
동업조합
쇠퇴하는 면직물의 노동자는 번성하는 모직물 산업으로 이동할 수 없을 거야.
모직물산업
그렇게 되면 양 산업의 임금 격차는 더 커질 수밖에 없겠지.
모직물 노동자 임금
둥둥
면직물 노동자 임금

스미스는 이처럼 노동과 자본의 불균등, 즉 임금 수준과 이윤 사이의 차이는 쉽게 변경되지 않을 거라고 보았어.
임금간 격차
이윤간의 차이
우리 정말 계속 이 상태로 있는 거야?
응.
아무리 사회가 변한다 해도 말이지.
토지의 지대에 대하여
지대는 토지 사용에 대한 가격으로
하늘은 값이 없지만, 난 값이 있지.
토지를 빌려서 사용하는 것에 대해 값을 지불하는 거야.
이 땅을 빌려 쓰고 싶은데요.
그럼 지대를 제대로 내놔.
임금과 이윤이 결정되는 방법과 달리 지대는 토지에서 생산된 물건이 시장에서 얼마에 팔리느냐에 따라 결정이 돼.
얼마예요?
보통 임금과 이윤은 어떤 물건을 생산하기 위해 투입된 노동과 자본의 양에 따라 결정이 된다고 알고 있지.
자본
쿵덕
쿵덕
이윤
임금

지대는 반대로 어떤 토지에서 난 물건이 시장에서 얼마에 팔리느냐에 따라 결정돼.
내 몸값이 바로 지대를 결정한다는 말씀!
가격
보통 시장 가격에는 노동에 대해 지불되는 임금, 자본에 대해 지불되는 이윤이 있지.
기준!
시장 가격
임금
이윤
그리고 이런 임금과 이윤을 지불하고 남는 부분을 지대라고 할 수 있는 거야.
시장 가격
임금
이윤
지대
그러니까 임금과 이윤은 가격의 원인이지만 지대는 가격의 결과라고 할 수 있어.
임금
이윤
가격
결국 지대는 토지에서 생산된 물건에 대한 시장의 수요가 공급보다 클 경우에 발생하게 되는 것이지.
토지생산물
시장의 수요
토지 생산물 중에는 항상 지대를 발생시키는 것과
또 낳았다!
토지 생산물
지대
때에 따라서 지대를 발생시키지 않는 것이 있어.
오늘은 소식이 없네.
안 나오려나?
토지 생산물

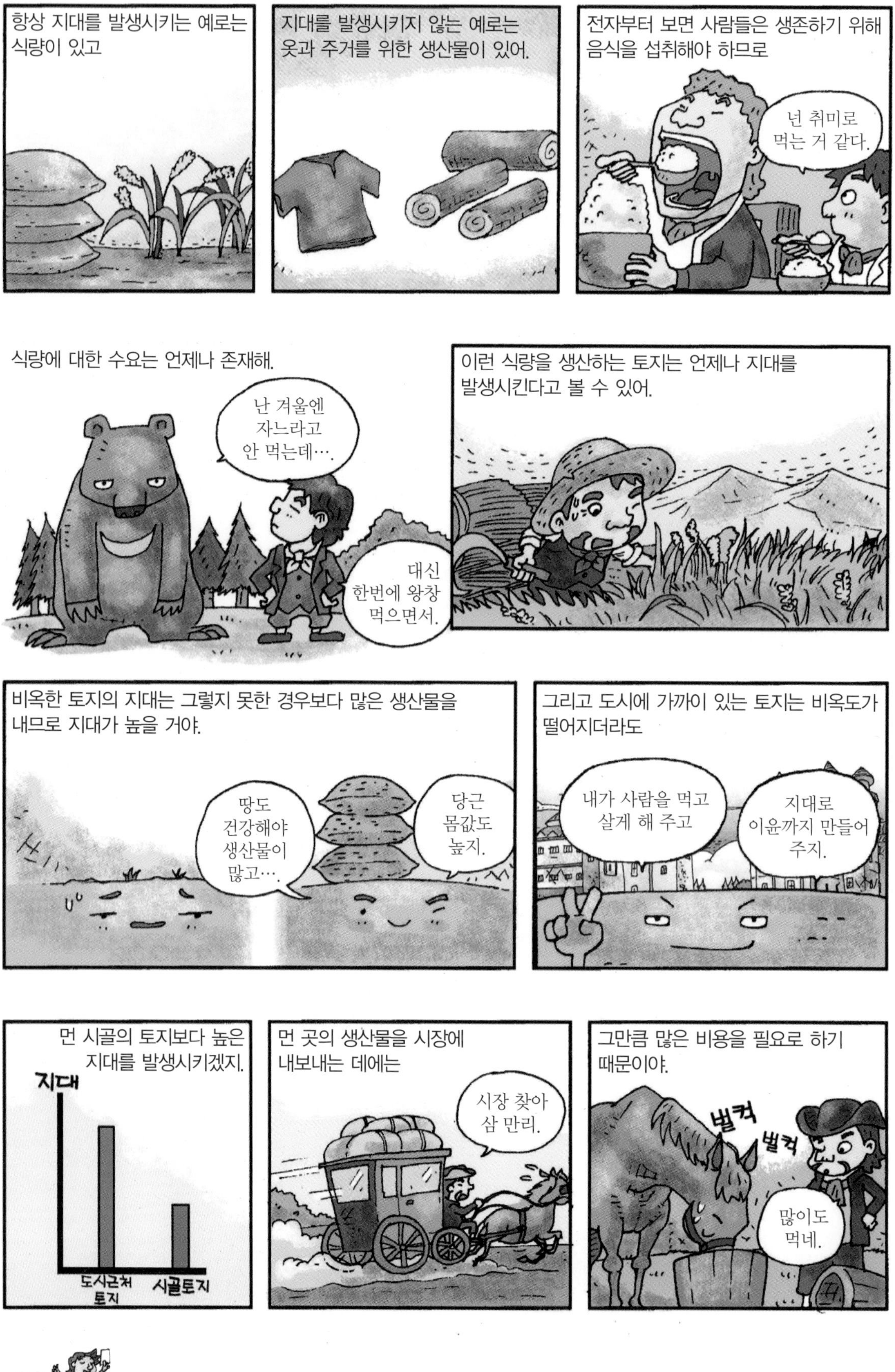
항상 지대를 발생시키는 예로는 식량이 있고
지대를 발생시키지 않는 예로는 옷과 주거를 위한 생산물이 있어.
전자부터 보면 사람들은 생존하기 위해 음식을 섭취해야 하므로
넌 취미로 먹는 거 같다.
식량에 대한 수요는 언제나 존재해.
난 겨울엔 자느라고 안 먹는데….
대신 한번에 왕창 먹으면서.
이런 식량을 생산하는 토지는 언제나 지대를 발생시킨다고 볼 수 있어.
비옥한 토지의 지대는 그렇지 못한 경우보다 많은 생산물을 내므로 지대가 높을 거야.
땅도 건강해야 생산물이 많고….
당근 몸값도 높지.
그리고 도시에 가까이 있는 토지는 비옥도가 떨어지더라도
내가 사람을 먹고 살게 해 주고
지대로 이윤까지 만들어 주지.
먼 시골의 토지보다 높은 지대를 발생시키겠지.
지대
도시근처 토지
시골토지
먼 곳의 생산물을 시장에 내보내는 데에는
시장 찾아 삼 만리.
그만큼 많은 비용을 필요로 하기 때문이야.
벌컥
벌컥
많이도 먹네.

유럽에서는 주요 식량이 밀이므로 밀밭의 지대가 다른 모든 경작지의 지대를 정한다고 볼 수 있어.
한편 옷과 주택의 재료 같은 것들은 언제나 지대를 제공하지는 않아.
하나만….
옷 많다니깐!
이것들은 언제나 공급 과잉 상태에 있기 때문에 지주들에게 지대를 제공하지 못했던 거야.
또 빈손이야?
요즘은 정반대일 수도 있겠지만
40만 원짜리 누에비똥 셔츠에
20만 원짜리 가스 청바지!
18세기 유럽에서는 아직 식량이 부족한 상태였고
집 한 채를 짓는 데는 한 사람의 하루 노동이면 가능했던 시대였으니까 말이야.
비바람만 피하면 됐지. 뭘 더 바랄까!
그러나 토지의 생산성이 높아짐에 따라 사회 전체에 식량 공급이 충분하게 되면
사람들은 자신의 다른 욕망을 충족시키는 일에 종사하게 될 거야.
꿈에 그리던 그림을 그릴 수 있을까?
효도르

부자라고 가난한 사람보다 10배의 밥을 먹을 수는 없잖아.
밥 먹어주는 하인을 고용해야 할까?
그래서 식량에 대한 욕구가 채워진 부자들은
일으켜 줘.
옷, 주택, 마차 등에 대한 욕망이 늘게 될 거야.
차 새로 바꿨어.
그런데 힘은 1마력밖에 안 돼.
따라서 가난한 사람들은 식량을 확실히 얻기 위해 부자들의 이러한 욕구를 만족시키려고 하고
마차 한번 보고 가시죠?
풀옵션하시면 금장, 금테 두릅니다.
이런 상품들을 생산하는 토지에서도 지대가 나오게 되는 거야.
지대
이렇게 사회가 발전하면 직간접적으로 토지의 지대를 인상해 지주들의 부가 늘어나는 경향이 있어.
박태환이 안 부러워~
그래서 지주들은 물건에 대한 자신의 구매력을 증가시키려 하지.
이번 파티 땐 아라비아 의상을 사봐?
그리고 토지를 개량하여 경작을 확대하면 지대가 증가하여
땅이 비옥해지니까 경작물 품질이 좋아지고
그만큼 경작물을 많이 거두니까 땅값도 오르지.
토지개량
경작확대
토지의 생산량이 증가하면 지주의 몫도 커지겠지.
지주의 몫

그리고 노동의 생산력이 증가하면 제조품의 가격이
내려가는 경향이 있어.
노동
생산력
제조품
가격
예를 들어 어제까지 각각의 회사가
10개의 볼펜을 생산했다가
오늘 모든 회사가 100개를 생산하는 기술을
가지게 되면 시장에 공급되는
볼펜의 양이 크게 늘어
X100
X100
볼펜 가격은 크게 하락하게 되겠지.
잘 안 나오네.
싸니까 새로
사지 뭐.
휴지통
이럴 경우 지주는 자기 토지 생산물의
가격이 동일하더라도 더 많은 볼펜을
구입할 수 있게 되잖아.
= X100
= X1000
따라서 사회 진보에 의한 제조품의 가격 하락은 지주의 지대를
증대시키는 효과가 있다고 볼 수 있어.
제조품
가격
지대
또한 사회의 부의 증가로
노동 인구가 증가하면,
더 많은 사람이 토지 경작에
투입되어 토지 생산물이 증가할
거야.
팍
팍

앞에서 보았듯이 한 나라의 연간 생산물의 총 가격은
연간 생산물 총가격
세 부분, 즉 토지의 지대, 노동의 임금, 자본의 이윤으로 나누어진단다.
임금
이윤
지대
그리고 이것은 세 개의 계급, 즉 지주, 노동자, 자본가의 수입을 구성하게 되는 거야.
지대
임금
이윤
스미스는 이 세 계급 중 지주의 이익은 사회의 일반적인 이익과 밀접한 관계를 가진다고 보았어.
지주의 이익
사회의 이익
지주 계급의 이익을 증진시키거나 저해하면
지주의 이익
사회의 이익도 증진되거나 저해될 수가 있어.
사회의 이익
그러나 지주들은 자신들의 계획과는 무관하게 수입을 얻을 수 있는 유일한 계급이야.
지난달 지대 걷어 왔습니다.
지난달엔 여행 다녀온 게 전부인데….

그래서 편안하고 안전하기 때문에
나태해지기 쉬워서
다음 달에도 지대는 또 나오니까….
책 쓸 일 있어?
다음 달에도 지대는 또 나온다고.

국가 정책을 이해할 능력이 없는 계급이기도 해.
흠….
이집 스테이크 맛있겠네.

스미스는 노동자들의 이익도 사회의 이익과 밀접한 관계를
가지고 있다고 보았어.
사회의 이익
월급이 올랐다고!

사회의 부가 증가하여 고용이 증가하면
와!
탈래? 새로 뽑았거든.

노동자들의 임금도 증가하고,
사회가 정체되거나 쇠퇴하면 노동자들의 임금도
하락하게 되어 있어.
월급이 올라서 새 자전거 사고 싶다.

그럼에도 그들은 자신들의 이익과 사회의 이익의
관계를 파악할 수 있는 능력이 없다는 거지.
이것들이 다 무슨 말들이래?
몰라. 우린 맡은 일만 잘하면 돼.

따라서 정부 정책을 논하는 데 노동자들의
목소리는
아녀. 우리도 우리 생각을 정부에 말해야 혀.

고용주들에 대한 불평 정도로만 간주되는 경향이 있는 거야.
정부
뭐라는 거야?
고용주한테 불만 있어서 왔겠지.
이에 반해 이윤으로 살아가는 계급인 자본가들의 이윤율은
이윤율
사회의 진보와 쇠퇴에 따라 움직이는 것은 아니라고 보았어.
사회
나와는 상관없어.
이윤율
이윤율은 부유한 나라에서는 낮고 가난한 나라에서는 높으며
이윤율
부유국
이윤율
빈민국
가장 빨리 망해가는 나라에서 가장 높은 경향이 있지.
더~워
전쟁
부도
이윤으로 살아가는 대표적인 사람들이 상인과 공장주, 두 계급인데
이들은 여러 가지 일에 몰두하면서 예리한 판단력을 가진 계급이야.
부도 위기의 회사 물품을 싸게 왕창 사서
사람들이 그 사실을 알기 전에 재빨리 팔아치우는 거야.
이들은 지주들보다 자신들의 이익을 더 잘 챙길 줄 아는 사람들이야.
잠깐, 왜 이 친구한테 돈이 많이…?
참, 가불한 거였지.

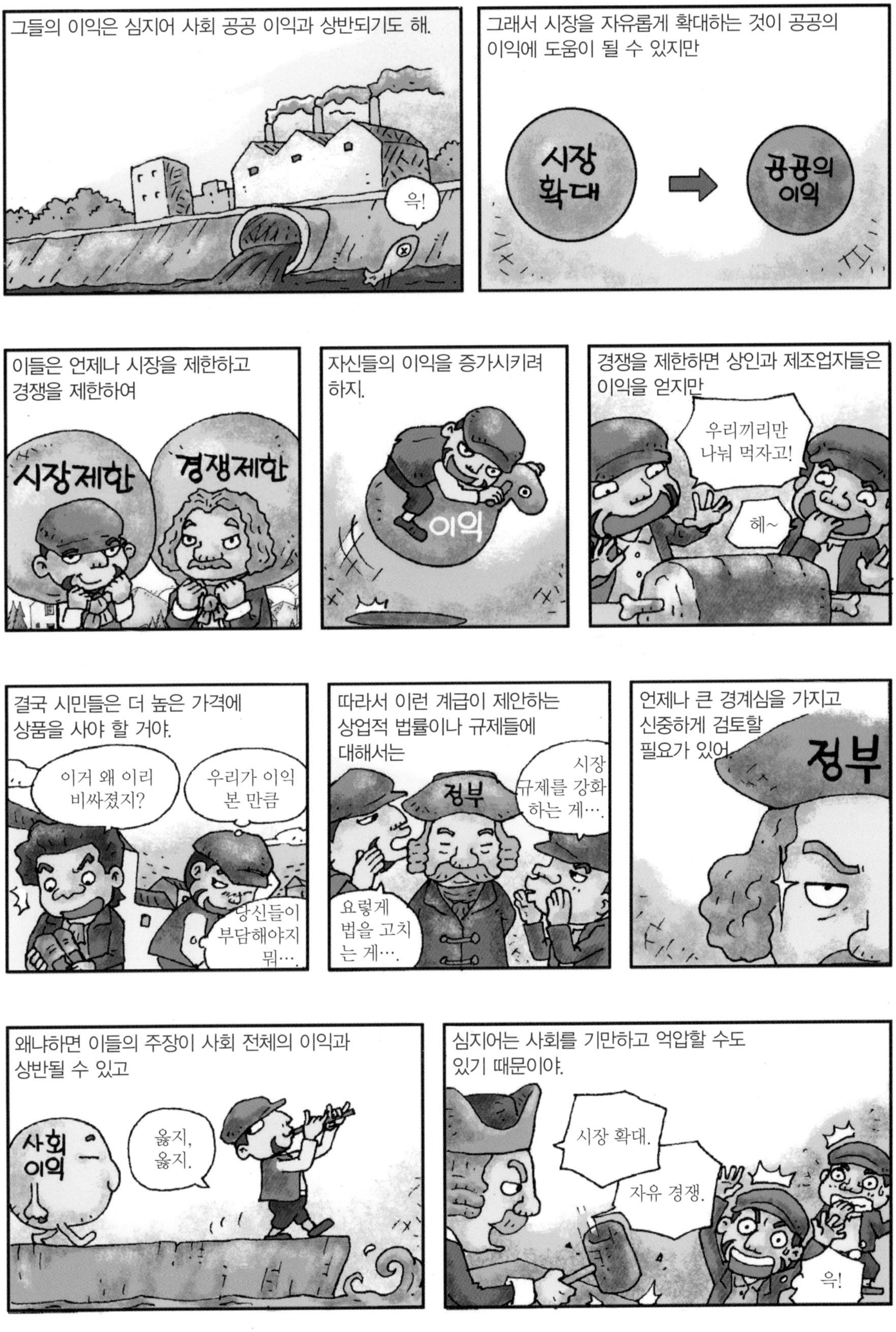
그들의 이익은 심지어 사회 공공 이익과 상반되기도 해.
윽!
그래서 시장을 자유롭게 확대하는 것이 공공의 이익에 도움이 될 수 있지만
시장 확대
공공의 이익
이들은 언제나 시장을 제한하고 경쟁을 제한하여
시장제한
경쟁제한
자신들의 이익을 증가시키려 하지.
이익
경쟁을 제한하면 상인과 제조업자들은 이익을 얻지만
우리끼리만 나눠 먹자고!
헤~
결국 시민들은 더 높은 가격에 상품을 사야 할 거야.
이거 왜 이리 비싸졌지?
우리가 이익 본 만큼
당신들이 부담해야지 뭐….
따라서 이런 계급이 제안하는 상업적 법률이나 규제들에 대해서는
정부
시장 규제를 강화하는 게….
요렇게 법을 고치는 게….
언제나 큰 경계심을 가지고 신중하게 검토할 필요가 있어.
정부
왜냐하면 이들의 주장이 사회 전체의 이익과 상반될 수 있고
사회 이익
옳지, 옳지.
심지어는 사회를 기만하고 억압할 수도 있기 때문이야.
시장 확대.
자유 경쟁.
윽!

제7장
국부가 증가하는 과정에 대하여
국가
재산

부의 자연적인 진행 과정에 대하여

이제는 개별 문명 국가들의 재산이 늘어나는 과정에 대해서 한번 알아볼까?
우선 도시와 농촌의 관계에 대해서 한번 알아보자.

농촌은 도시에 식량이나 제조품의 원료를 공급하고 반대로 도시는 농촌에 제조품을 공급하고 있지.
제조품원료
식량
제조품

그래서 도시와 농촌의 관계는 상호 이득이 되는 관계라고 볼 수 있어.
농촌
도시

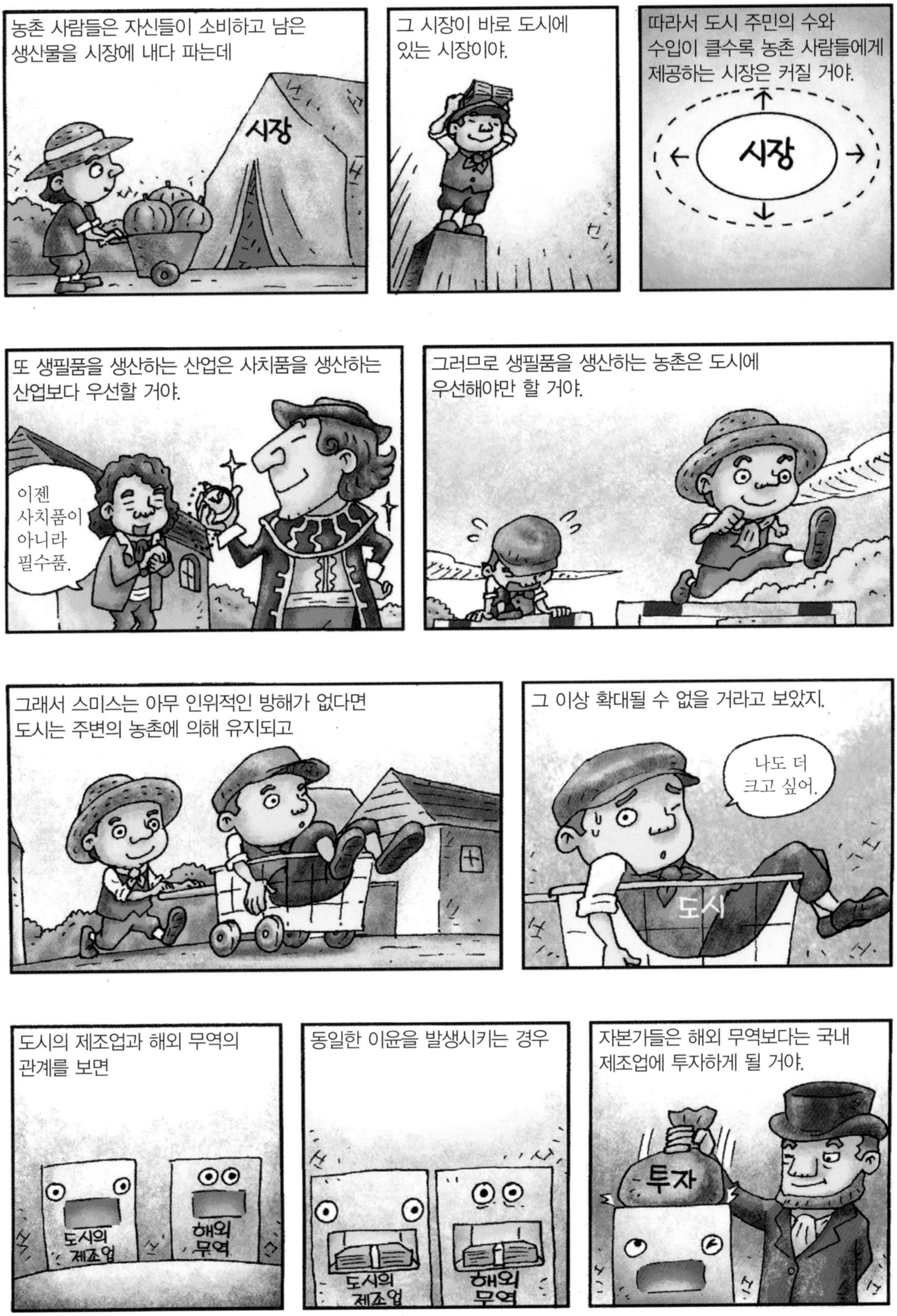
농촌 사람들은 자신들이 소비하고 남은 생산물을 시장에 내다 파는데
시장
그 시장이 바로 도시에 있는 시장이야.
따라서 도시 주민의 수와 수입이 클수록 농촌 사람들에게 제공하는 시장은 커질 거야.
시장
또 생필품을 생산하는 산업은 사치품을 생산하는 산업보다 우선할 거야.
이젠 사치품이 아니라 필수품.
그러므로 생필품을 생산하는 농촌은 도시에 우선해야만 할 거야.
그래서 스미스는 아무 인위적인 방해가 없다면 도시는 주변의 농촌에 의해 유지되고
그 이상 확대될 수 없을 거라고 보았지.
나도 더 크고 싶어.
도시
도시의 제조업과 해외 무역의 관계를 보면
도시의 제조업
해외 무역
동일한 이윤을 발생시키는 경우
도시의 제조업
해외 무역
자본가들은 해외 무역보다는 국내 제조업에 투자하게 될 거야.
투자

옛날이나 지금이나 해외 무역은
위험 요소들이 많아.
해외 시장을 개척하기 위해서는 어려움을
감수해야만 해.
펑
펑
까울.
쾅
그러나 국내에서 소비하고 남은 상품이
있다면 해외에 수출하려 하겠지.
그러므로 산업의 자연적인
발전 순서는 농업이 가장
우선이고
나를
따르라!
다음이 제조업, 그 다음이 해외 무역이야.
농업
제조업
해외무역
그러나 유럽의 많은 나라들에서는 이런 자연적 순서가
뒤바뀌는 현상이 나타났어.
꾹!
어어….
우선 해외 무역을 하는 도시에서
제조업이 크게 발달하자,
해외
무역
아싸. 일!
제조업
이!
이것이 도리어 농업에서의 큰
변화를 가져온 거야.
삼!
꼴찌네.
그럼 어떻게 농촌이 쇠퇴하고
도시가 번영하였는지 살펴보자고.
도시
농촌

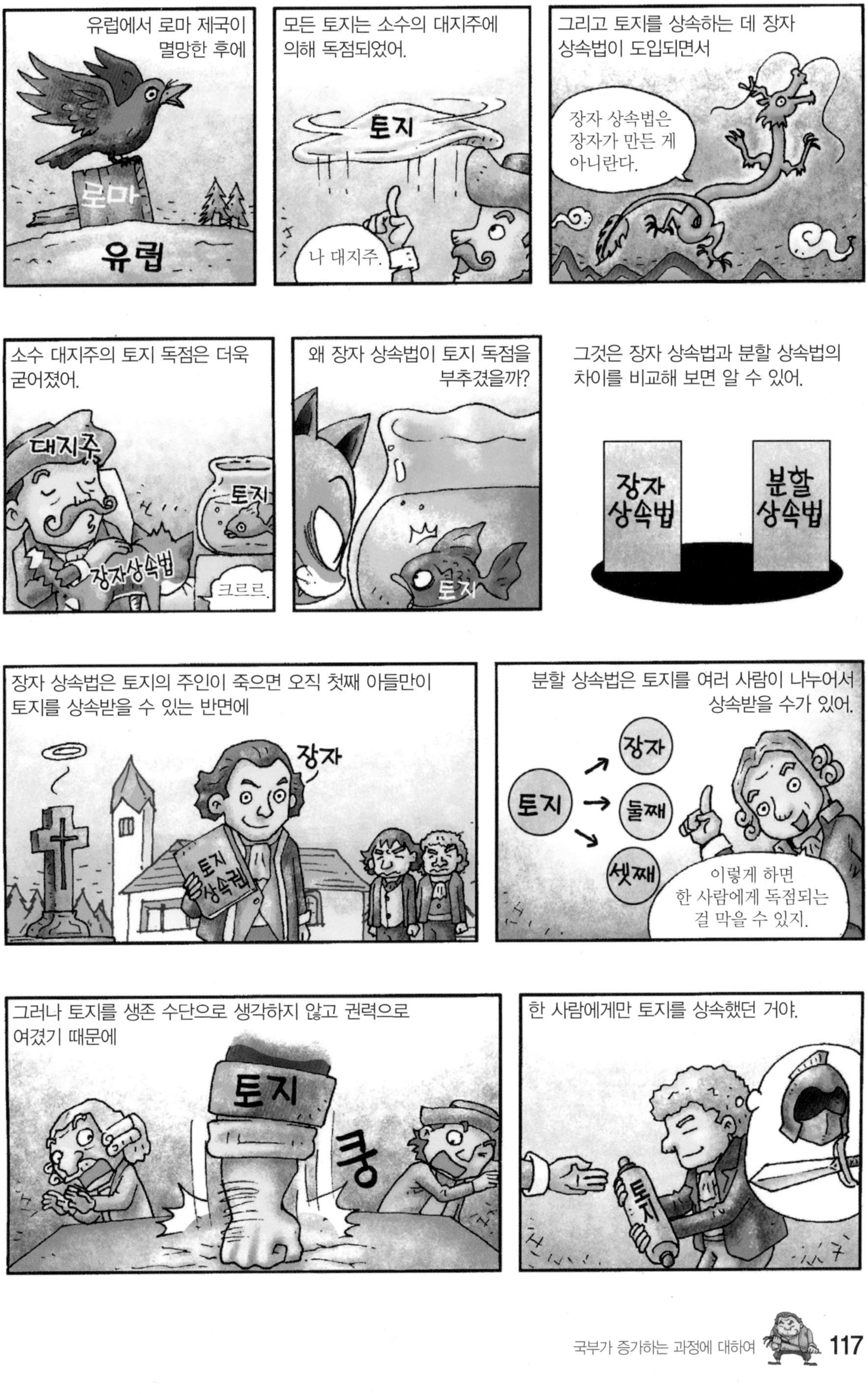

유럽에서 로마 제국이
멸망한 후에
로마
유럽
모든 토지는 소수의 대지주에
의해 독점되었어.
토지
나 대지주.
그리고 토지를 상속하는 데 장자
상속법이 도입되면서
장자 상속법은
장자가 만든 게
아니란다.
소수 대지주의 토지 독점은 더욱
굳어졌어.
대지주
토지
장자상속법
크르르.
왜 장자 상속법이 토지 독점을
부추겼을까?
토지
그것은 장자 상속법과 분할 상속법의
차이를 비교해 보면 알 수 있어.
장자
상속법
분할
상속법
장자 상속법은 토지의 주인이 죽으면 오직 첫째 아들만이
토지를 상속받을 수 있는 반면에
장자
토지
상속권
분할 상속법은 토지를 여러 사람이 나누어서
상속받을 수가 있어.
토지
장자
둘째
셋째
이렇게 하면
한 사람에게 독점되는
걸 막을 수 있지.
그러나 토지를 생존 수단으로 생각하지 않고 권력으로
여겼기 때문에
토지
쿵
한 사람에게만 토지를 상속했던 거야.
토지

그래서 대토지의 소유자는 왕같이 권력을 행사할 수가 있었어.
토지
스미스는 이 제도를 가장 부조리한 제도라고 비난하면서
장자 상속법
마치 한 아이를 부유하게 하려고
비단 망토가 잘 어울리는 구나.
나머지 아이들을 가난 속에 빠뜨리는 것과 같다고 보았어.
이런 제도 하에선 대지주가 토지를 개량해 토지 생산량을 늘리는 것은 기대하기가 어려울 거야.
대지주
토지 개량? 그딴 거 뭣하러 해.
내 권력만 유지하면 되는데….
그리고 토지를 경작하는 사람들에게 토지의 생산을 증가시키기 위한 토지 개량을 기대하기는 더 어려울 거야.
토지 개량? 자네 알아?
그런 귀한 건 도시에 나가야 팔 텐데….
그들은 토지에 속하는 노예와 같았거든.
토지
물론 노예처럼 주인에게 속한 것은 아니었지만 토지와 함께 매매될 수는 있었어.
100 나왔습니다. 그 다음은요?
350!
토지
매매
400!

이런 농부들은 매일매일 생활할 수 있는 급료는 받을 수 있겠지만
자, 보람찬 하루 일을 끝냈으니 급료를 나눠줘야지.
헤~
그것을 초과하는 수확은 모두 주인에게 돌아갔지.
노예 노동 다음으로 분익농 제도가 나타났어.
분익농 제도
분익농은 우선 지주가 경작에 필요한 씨앗, 가축, 농사 장비 등을 제공하여 농부가 농사 짓게 해.
고맙습니다.
농사장비
씨앗
가축
그리고 지주는 자신이 투자한 자본에 대한 이득을 가져가지.
게다가 남은 수확량을 지주와 농부가 반반씩 나누는 제도였어.
잇차!
이 경우도 농부가 자신이 저축한 자본을 경작에 투자하는 것은 이익이 되지 않았어.
경작.
경작
왜냐고? 남은 수확량을 지주와 농부가 같이 나누기 때문에
또 나눠야지.
농부는 지주의 자본을 이용하는 게 더 이익이 되었던 거야.
투자 안 해!
경작
쓱
그리고 농부들은 농사 외에도 지주를 위해 여러 가지 서비스와 노동을 제공해야 했어.
오늘 파티 좀 해야 하니 가서 소 좀 잡아 와.
참, 각 부위별로 다듬어서.
네.

이런 상태에서 농업의 개량이 일어나는 것은 기대하기가 어려울 거야.
농업 개량
그래서 유럽 농부들은 대상인이나 공장주보다 열등한 사람들로 간주되었어.
대상인
공장주
농부
게다가 유럽의 정책은 토지의 생산량을 방해하고 있었지.
토지의 생산량
유럽 정책
첫째, 유럽은 곡물 수출을 금지하고 있었어.
곡물
유럽
그러니 국내에서 소비되는 것 이상의 생산을 할 필요가 없었지.
수출도 못하니 많이 해서 뭐해.
둘째, 유럽 국가들은 곡물을 포함한 모든 농업 생산물들의 국내 상업을 제한하고 있었어.
시장
농업생산물 판매금지!
국내에서조차 못 팔게 하다니.
이런 상태에서 농업이 발전하는 것을 기대하기는 어려웠을 거야.
농업
도시는 어떻게 발전해 왔을까?
로마 제국 몰락 후
도시의 상인들이나 수공업자들은 농촌의 농부들같이 거의 노예 상태에 있었어.
상인
수공업자

그들은 한 시장에서 다른 시장으로 떠도는 매우 가난하고 비천한 상태에 있었던 사람들이야.
그들은 다른 대지주의 농장을 통과할 때마다 각종 세금을 내야 했어.
XX농장 (세금준비)
그러나 도시의 시민들은 빨리 자유와 독립의 상태에 도달할 수 있었어.
자유 독립
왜일까? 이것은 왕의 세금 수입과 관계가 있어.
세금
돌돌..
왕은 특정 도시들로부터 세금을 받아들일 때
세금!
여기….
도시의 행정 장관 같은 사람에게 세금을 대신 거둬들이게 했어.
왕의 요청을 받은 그들이 세금을 걷어 왕에게 납부하면 왕으로부터 자유로울 수 있었지.
세금
왕은 자신이 요청한 세금을 받고
세금
세금을 거둬들이는 권한을 영구히 시민들에게 허락을 했던 거야.
세금!
세금!

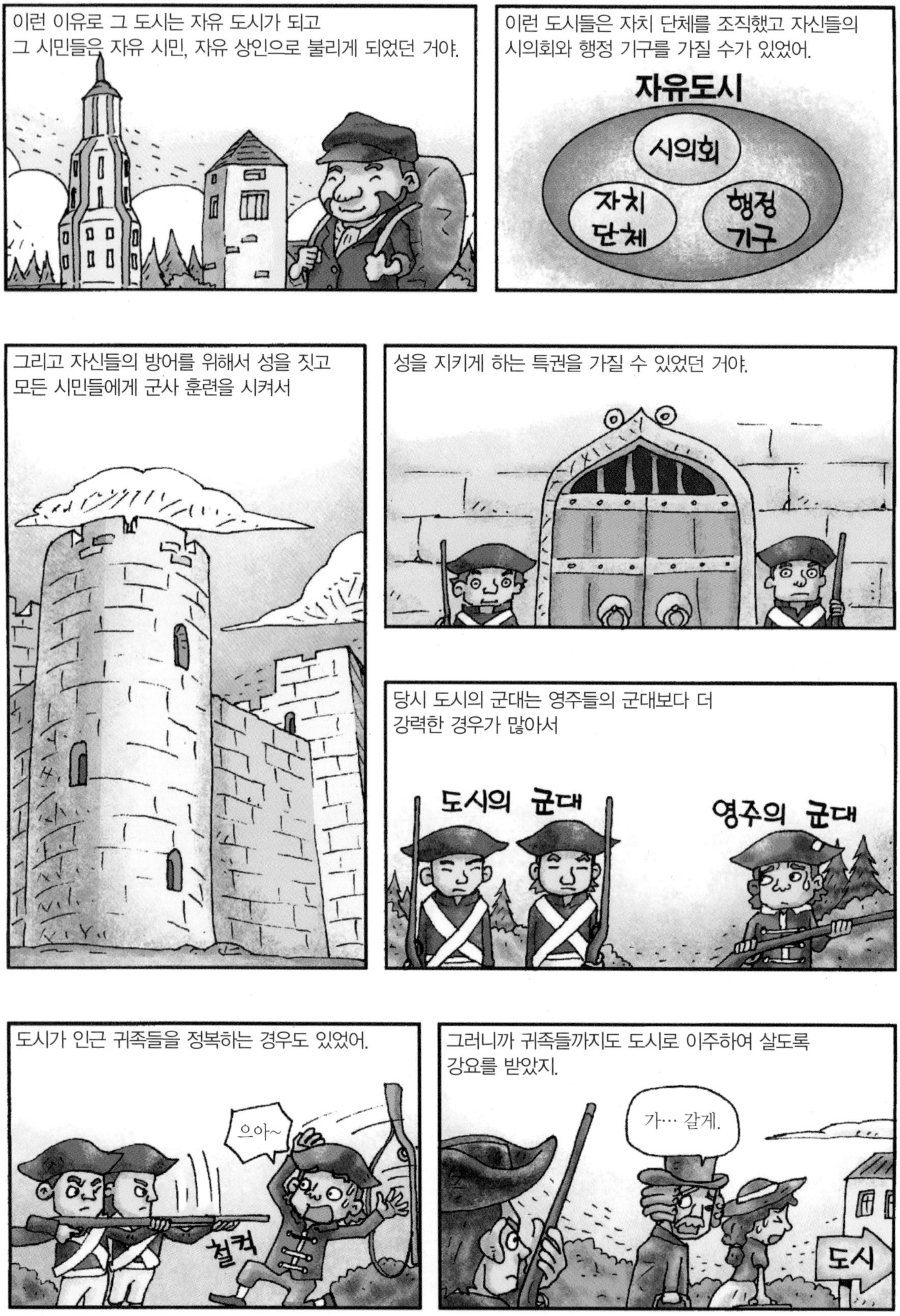
이런 이유로 그 도시는 자유 도시가 되고
그 시민들은 자유 시민, 자유 상인으로 불리게 되었던 거야.
이런 도시들은 자치 단체를 조직했고 자신들의
시의회와 행정 기구를 가질 수가 있었어.
자유도시
시의회
자치 단체
행정 기구
그리고 자신들의 방어를 위해서 성을 짓고
모든 시민들에게 군사 훈련을 시켜서
성을 지키게 하는 특권을 가질 수 있었던 거야.
당시 도시의 군대는 영주들의 군대보다 더
강력한 경우가 많아서
도시의 군대
영주의 군대
도시가 인근 귀족들을 정복하는 경우도 있었어.
으아~
철컥
그러니까 귀족들까지도 도시로 이주하여 살도록
강요를 받았지.
가… 갈게.
도시

이렇게 도시는 안전과 자유가
보장된 반면에
농촌은 토지 소유자들의 온갖 폭력에
시달리고 있었어.
사람들은 필요한 것 이상을
생산하려 들지 않았어.
이만큼만
생산해야지.
왜냐하면 더 이상 생산하면
더 많은 압제를 받을 수밖에 없기 때문이었지.
그래서 농촌에서 조금이라도 저축을 해서
자본이 있는 사람들은 도시로 도망을 갔어.
도시는 여유 자본이 있는 사람들에게
유일한 피난처였던 거야.
EXIT
도시
그러나 도시 주민들이 언제나 자신들의 식량, 제조업의 원료 등을
밀가루가
떨어졌어요.
제조품
원료도요.
농촌으로부터 얻어야 하는 것은 엄연한 사실이었어. 그러나 바다와 강을 끼고 있는 도시들은
그런 재료들을 반드시 농촌으로부터 얻을 필요는 없었지.

먼 나라와의 무역을 통하여 그것들을 얻을 수 있었던 거야.
식량
제조원료
도시
이런 식으로 도시들은 인근 농촌의 빈곤에도 불구하고 큰 재산을 소유할 수 있었어.
상업 도시의 주민들은 다른 나라의 제조품이나 사치품을 수입하여 농촌 지주들의 토지 생산물과 교환할 수 있었지.
토지생산물
농촌지주
사치품
제조품
도시주민
이런 제조품에 대한 수요가 늘어나자
더 없수?
도시 상인들은 운송비를 절약하기 위해 국내에서도 같은 상품을 만들기 위해 노력했어.
꽝꽝
쿵쾅
까짓거 우리가 만들지 뭐.
공장
이것이 도시의 제조업을 발달시켰지.
도시제조업
도시의 상업은 농촌의 발전에 어떻게 기여했을까?
상업, 제조업의 발달로 도시의 부는 증가했고
상업, 제조업의 발달
도시 주변에 있는 농촌의 발전에도 다음과 같은 기여를 했어.
도시의 부 증가

첫째, 도시는 농촌의 천연 생산물에 대해 크고 편리한 시장을 제공함으로써
시장
농촌에 공헌을 했어.
제일 멋져!
특히 도시 근처의 농촌은 먼 거리에 있는 농촌보다 운송비가 절약되니까
먼거리 농촌
도시근처 농촌
도시
같은 가격에서는 절약된 운송비 만큼의 이익을 얻을 수 있었어.
운송비에 시간, 에너지까지 이익!
따각
따각
둘째, 도시의 주민들은 늘어난 재산을 가지고 농지를 구입하여 토지를 개량할 수 있었어.
상인들은 보통 지주가 되려는 욕심이 있었고 자신의 자본을 투자하여 이윤을 내는 방법을 잘 아는 사람들이었어.
이 마을엔 과일 나무가 적으니 과일을 팔면 되겠군.
언젠가 내가 지주가 되면 저런 집에서 살아야지.
반면 원래의 지주들은 소비하기만을 좋아하고
1000
토지에 자본을 투자하는 것은 싫어하는 사람들이었지.
투자를 하면 더 부자가 되실 텐데요.
싫어, 안 해!
자본

그리고 상인들은 이익이 생긴다고 생각되면
히히.
토지
과감하게 투자할 줄 아는 사람들이었기 때문에
와, 풍년이다.
그들 덕분에 도시에서 농촌으로 자본을 이동할 수 있던 거야.
또 투자할게.
도시
셋째, 상공업과 제조업은 농촌 주민들에게 질서와 훌륭한 정치, 그리고 자유와 안전을 알게 해 주었어.
이런 게 있었구먼.
질서
훌륭한 정치
자유
안전
영주들에게 거의 노예와 같은 상태로 살았던 농촌 주민들에게
짜악
윽!
상공업이 가져다 준 이런 교육 효과는 가장 중요한 거라 할 수 있지.
두고 보자.
지금부터 상공업과 제조업이 농촌에 끼친 효과를 좀 더 구체적으로 알아볼까요!
원래 대지주는 그 지역의 영주였어.
무역이나 제조업이 발달하기 전에 영주들은 자신의 농지에서 생산한 것과 교환할 상품이 없었기 때문에
심심하고 심심하도다….
주로 자신의 허영을 채우는 데 재산을 사용할 수밖에 없었어.
건배!
자기 잔만 가득이구먼.

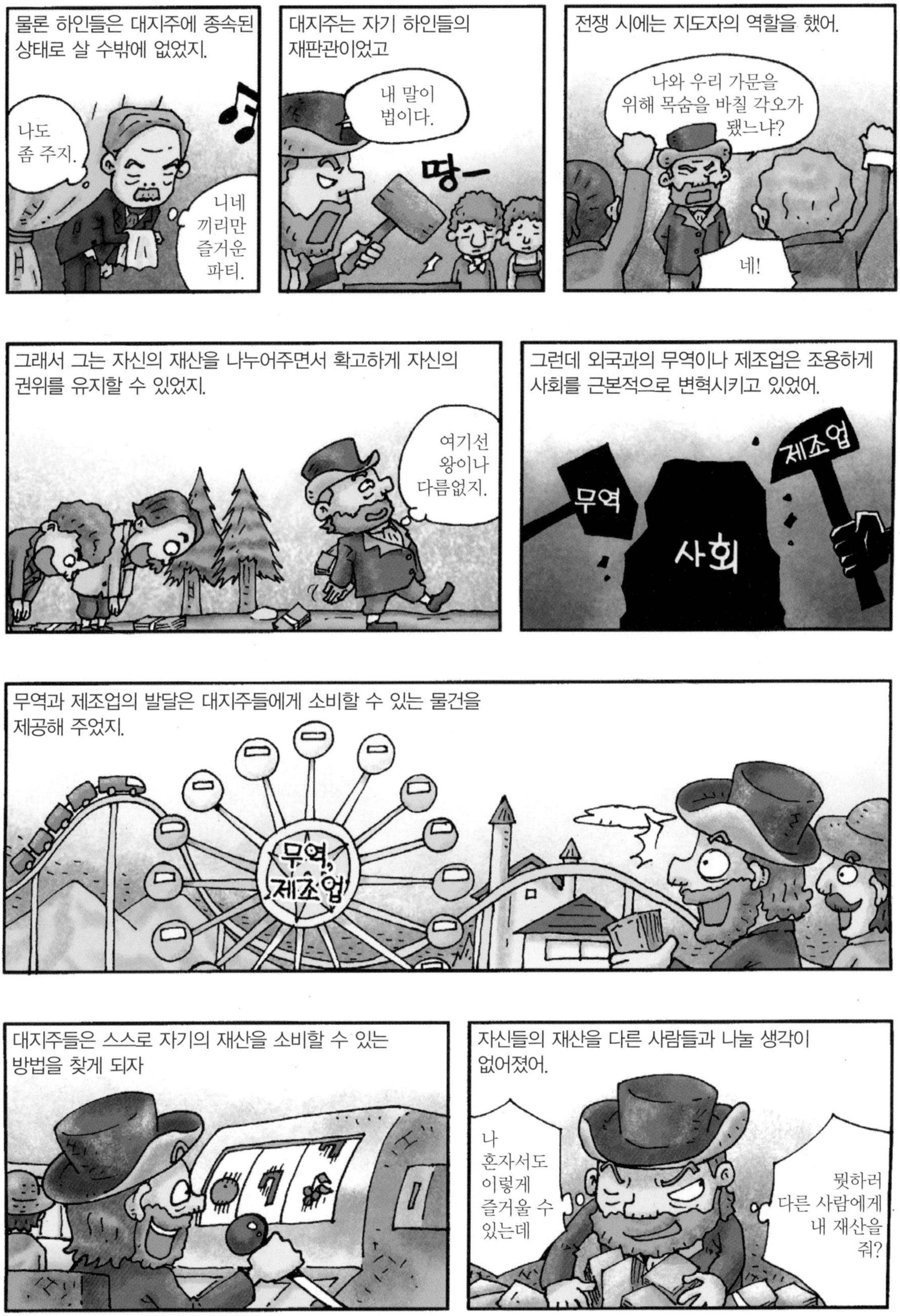
물론 하인들은 대지주에 종속된 상태로 살 수밖에 없었지.
나도 좀 주지.
니네 끼리만 즐거운 파티.
대지주는 자기 하인들의 재판관이었고
내 말이 법이다.
땅ㅡ
전쟁 시에는 지도자의 역할을 했어.
나와 우리 가문을 위해 목숨을 바칠 각오가 됐느냐?
네!
그래서 그는 자신의 재산을 나누어주면서 확고하게 자신의 권위를 유지할 수 있었지.
여기선 왕이나 다름없지.
그런데 외국과의 무역이나 제조업은 조용하게 사회를 근본적으로 변혁시키고 있었어.
무역
사회
제조업
무역과 제조업의 발달은 대지주들에게 소비할 수 있는 물건을 제공해 주었지.
무역, 제조업
대지주들은 스스로 자기의 재산을 소비할 수 있는 방법을 찾게 되자
자신들의 재산을 다른 사람들과 나눌 생각이 없어졌어.
나 혼자서도 이렇게 즐거울 수 있는데
뭣하러 다른 사람에게 내 재산을 줘?

대지주들은 다이아몬드 같은 사치품들과 수천 하인들의 1년 생활비를 기꺼이 교환하게 된 거야.
이거 전부 돈이야. 빨리 줘.
대지주들은 지출이 늘어남에 따라 하인들의 수를 줄이지 않을 수 없었지.
부르셨습니까?
어, 짐 싸.
또한 대지주는 자신의 욕심과 허영심을 만족시키려고
이번엔 물방울 다이아를 사볼까?
자기 토지의 지대를 인상시키려 했어.
지대 올릴 거야!
그러자 토지 경작자들은 지주에게 장기 계약을 요구했어.
그럼 장기 계약으로 해주쇼.
그…그러지 뭐.
이 장기 계약은 토지 경작자들에게 지주로부터의 독립을 가져다 주었어.
아자. 독립 만세!!
지주는 더 이상 계약서에 있는 내용 이상을
돈이 더 필요한데….
지대를 더 올려야지!
경작자들에게 요구할 수 없게 되었어.
지대 인상이라뇨?
계약서 봐요. 아직 30년이나 남았구먼.
아무리 사소한 봉사라도 말이야.
괘씸한….
여봐라! 아무도 없느냐?
아차차, 모두 잘라서 한 명도 없지?

대지주는 사치품을 수집하는
취미 때문에
이거
가져갑니다.
대지주
권한
어, 가져가.
보석만 남기고
….
자신에게 가장 중요한 권한을
팔아버린 결과를 가져온 거야.
잠깐.
대지주
권한
그리하여 사회의 가장 큰
변혁이
변혁
사회 변혁에 전혀 관심이 없는 두 종류의 사람들에 의해
일어난 거야.
즉 대지주의 유일한 동기는 자신의 허영심을
만족시키는 데 있었고
이익
상인과 제조업자들 역시 자신의
이익만을 좇아서 부지런히 행동을
했던 거지.
이익
아무도 대지주의 유치한 동기와 상인들의 부지런함이 사회를 근본적으로
바꿀 수 있다고 생각하지는 못했던 거야.
…
…
사회
변혁
그러므로 유럽에서 도시의 상업,
제조업은 농촌이 발전한 결과가
아니라
도시
농촌을 발전시키는 원인이
되었던 거야.
도시
흠.
아이쿠!

# 제8장 중상주의에 대한 스미스의 생각

중상
주의
중농주의

정치경제학의
체계

국민과 국가를 모두 부유하게 하는
학문은 어떤 것이 있을까?
부
국가
국민

스미스는 정치경제학이 그런
학문이라고 주장했어.
정치
경제학

정치경제학은 정치가나 법을
만드는 사람들에게 필요한
학문으로
법
정치
경제학

이것은 국민에게 스스로 충분한
수입을 얻도록 하고

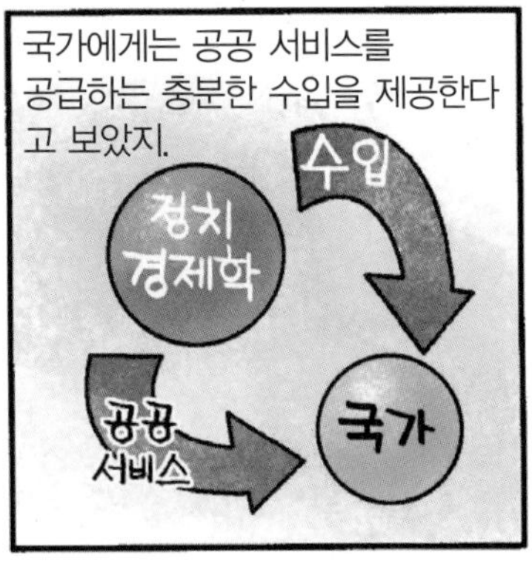
국가에게는 공공 서비스를
공급하는 충분한 수입을 제공한다
고 보았지.
수입
정치
경제학
공공
서비스
국가

스미스는 국민과 국가를 부유하게 만드는 구체적인 방법으로 중농주의를 제시하고 있어.
국민
중농주의
국가
중상주의는 국민과 국가를 부유하게 하는 데 전혀 도움이 되지 못한다고 비판한 반면,
국민
중상주의
허걱!
국가
중농주의에 대해서는 찬사를 보내고 있어.
중농주의
그럼 중상주의와 중농주의의 원리와 그에 대한 스미스의 입장에 대해서 알아볼까?
중상 주의
중농 주의
중상주의의 기초 원리에 대한 스미스의 비판
중상주의 기초 원리는 화폐에 대한 개념에서 시작해.
?
봉건 시대에는 토지를 많이 소유하는 것이 부자의 척도였지만
토지 토지 토지
토지 토지
화폐가 널리 유통되면서 금, 은 화폐를 소유한 사람들이 부자로 여겨졌지.
마찬가지로 금, 은 화폐를 많이 가진 나라가 부유한 국가로 여겨졌어.
부유국
콜럼버스가 아메리카 대륙을 처음 발견하고

에스파냐 사람들이 아메리카 해안에 처음 도착했을 때
톡.
처음 한 질문이 '여기 금, 은이 많이 있습니까?' 였어.
누렇고 반짝이는 거.
뭐지?
이렇게 유럽 모든 국가들은 금, 은을 모으기 위한 모든 노력을 했지.
캉
캉
이런 생각이 보편적으로 받아들여졌기 때문에 토마스 먼의 주장이 영국뿐 아니라 다른 모든 나라에서 받아들여졌어.
토마스먼
지금 시절에 태어났다면 세계를 다니며
강의료 두둑히 챙겼을 텐데….
먼은 그의 저서 《외국 무역에서 영국이 얻게 되는 부》에서 국내 상업은 단지 외국 무역의 종속물이라고 했어.
외국무역
국내 상업
그러므로 국내 상업이 외국 무역에 직접적 영향을 미치지 않는 한 국내 상업으로 나라가 부유해지거나 가난해질 수는 없다고 보았지.
뭐해?
외국무역
국내 상업
도우려고….
이에 대하여 스미스는 '화폐가 부의 원천' 이라는 중상주의의 주장에 반대하고 있어.
중상 주의
아얏!
스미스는 화폐는 부의 전부가 아니라 일부분에 지나지 않는다고 보았어.
부
화폐

상품은 화폐를 구매하는 것 외에도 다른 용도로 사용할 수 있지만
이거 쓰다가 나중에라도 팔면 돈 좀 될 거야.
아유, 이리 귀한걸.
화폐는 상품을 구매하는 것 외에는 다른 용도로 사용할 수가 없는 거야.
이걸로 할 순 없잖아.
화폐는 상품과의 교환 수단으로서의 역할만 한다는 거지.
상품
금, 은 같은 화폐도 상품의 하나에 불과하고
상품
화폐와 상품의 교환이 상품(금, 은)과 상품의 교환과 차이가 없다고 본 거야.
상품
=
상품
한편 한 나라가 다른 나라와 전쟁을 하기 위해서는 돈이 필요한데, 이때 반드시 금, 은을 축적해야 한다는 생각에도 스미스는 반대하고 있어.
전쟁하려면 이게 있어야지?
No, No!
스미스는 소비되는 상품에 의해 군대가 유지된다고 보았어.
이게 있어야 해.
상품
상품
상품
한 나라가 공장에서 만들어진 상품을 수출할 능력이 있다면 그 나라는 그걸로 군대를 유지하는 데 필요한 물자를 구입할 수 있다는 거야.
쿵~

중상주의 무역 원리에 대한 스미스의 비판
중상주의자들은 한 나라가 무역을 통해 얻을 수 있는 주된 이익은 금, 은 같은 화폐를 더 얻을 수 있는 것이라고 주장했어.
우아~ 금이다.
와~
이에 반해 스미스는 무역의 이익이, 한 나라에서 생산된 물건 중에
먹자!
국내에서 다 사용하지 못하는 물건을 외국에 수출하고
배불러.
요건 외국에 팔아야지.
대신 그 나라가 필요로 하는 물건을 가져오는 데 있다고 주장했어.
외국
예를 들어 휴대전화 회사가 상품을 국내에서만 판매한다면 그 회사는 한계에 부딪힐 거야.
수요가 적어 재고가 넘치는구나.
국내에서만 판매하기 위해 그렇게 많은 돈을 투자해서 휴대전화를 대량 생산할 필요는 없잖아.
대신 넓은 해외 시장에 수출할 수 있으면 휴대전화 산업은 더 크게 발전할 거야.
휴대전화 1000억불 수출

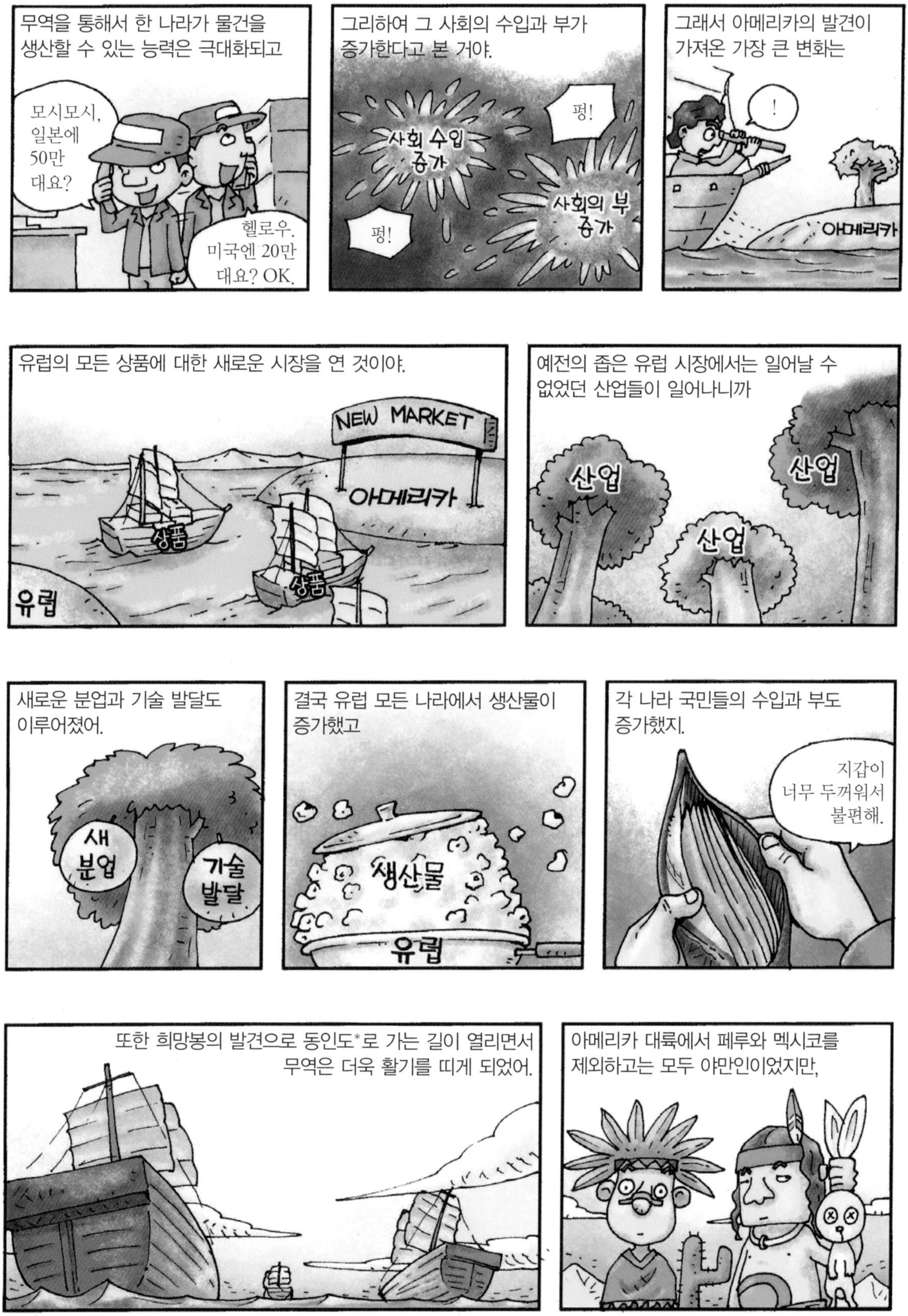
무역을 통해서 한 나라가 물건을 생산할 수 있는 능력은 극대화되고
모시모시, 일본에 50만 대요?
헬로우. 미국엔 20만 대요? OK.
그리하여 그 사회의 수입과 부가 증가한다고 본 거야.
사회 수입 증가
펑!
사회의 부 증가
펑!
그래서 아메리카의 발견이 가져온 가장 큰 변화는
!
아메리카
유럽의 모든 상품에 대한 새로운 시장을 연 것이야.
NEW MARKET
아메리카
상품
상품
유럽
예전의 좁은 유럽 시장에서는 일어날 수 없었던 산업들이 일어나니까
산업
산업
산업
새로운 분업과 기술 발달도 이루어졌어.
새 분업
기술 발달
결국 유럽 모든 나라에서 생산물이 증가했고
생산물
유럽
각 나라 국민들의 수입과 부도 증가했지.
지갑이 너무 두꺼워서 불편해.
또한 희망봉의 발견으로 동인도*로 가는 길이 열리면서 무역은 더욱 활기를 띠게 되었어.
아메리카 대륙에서 페루와 멕시코를 제외하고는 모두 야만인이었지만,

***동인도** – 인도, 인도네시아, 말레이 제도를 포함하는 지역.

중국, 일본 같은 나라들과 동인도의 나라들은
모든 기술과 제조업에서 아메리카보다는 선진화되어 있었지.
문명화된 나라들은 같은 문명화된 나라들 간의 무역에서
문명국
문명국
언제나 더 큰 가치들을 교환할 수 있는 법이지.
큰가치
그러나 중상주의자들은 금, 은이 국가 부의 원천이고
이런 것이 없는 나라들은 국가가 금, 은을 획득하도록 간섭해야 한다고 보았어.
국가에서 알려드립니다. 국민 여러분은 모두 금과 은을 들고 나오십시오!
결국 국가가 수입을 못하도록 규제하고
국가
수입
꾹.
수출을 늘리는 것을 장려하는 간섭 정책을 취해야 한다고 본 거야.
간섭 정책
수출
스미스는 중상주의의 이런 정책이 국가의 부를 증가시키기는커녕
?
간섭 정책
피시이~
도리어 자연적인 분업 구조를 왜곡시키게 한다고 보았어.
자연적 분업구조
국가

관세 부과 및 수입 금지 조치들의 효과
수입 제한 조치에는 어떤 것들이 있을까?
수입
수입제한조치
우선 국내에서 생산할 수 있는 제품을 수입하려고 할 때 높은 관세를 부과하거나
종이를 수입하려고 하는데….
우리나라에서도 생산되는 거잖아?
국가
높은 관세 부과!
아예 수입을 못하게 금지하는 방법이 있어.
수입 금지
이런 방법은 특정 산업이 국내 시장을 독점할 수 있게 할 거야.
XX제지
종이는 무조건 우리 △△제지 것만 써야 돼!
국내시장
그 예로 처음 우리나라가 신발을 생산하던 1960년대만 해도 외국과의 경쟁은 생각도 못하던 때였어.
이때 정부가 옷이나 신발을 수입하는 데 많은 관세를 부과했다고 해봐.
수입
관세 부과
원래 가격이 5만 원인 구두에 관세를 두 배 정도 부과하여 15만 원이 되게 한다면
가서 감자 묵자….
15만원
엉.
몇몇 부자들만 외제 신발을 신을 수 있었을 거야.
TV에서 본 거랑 똑같다.

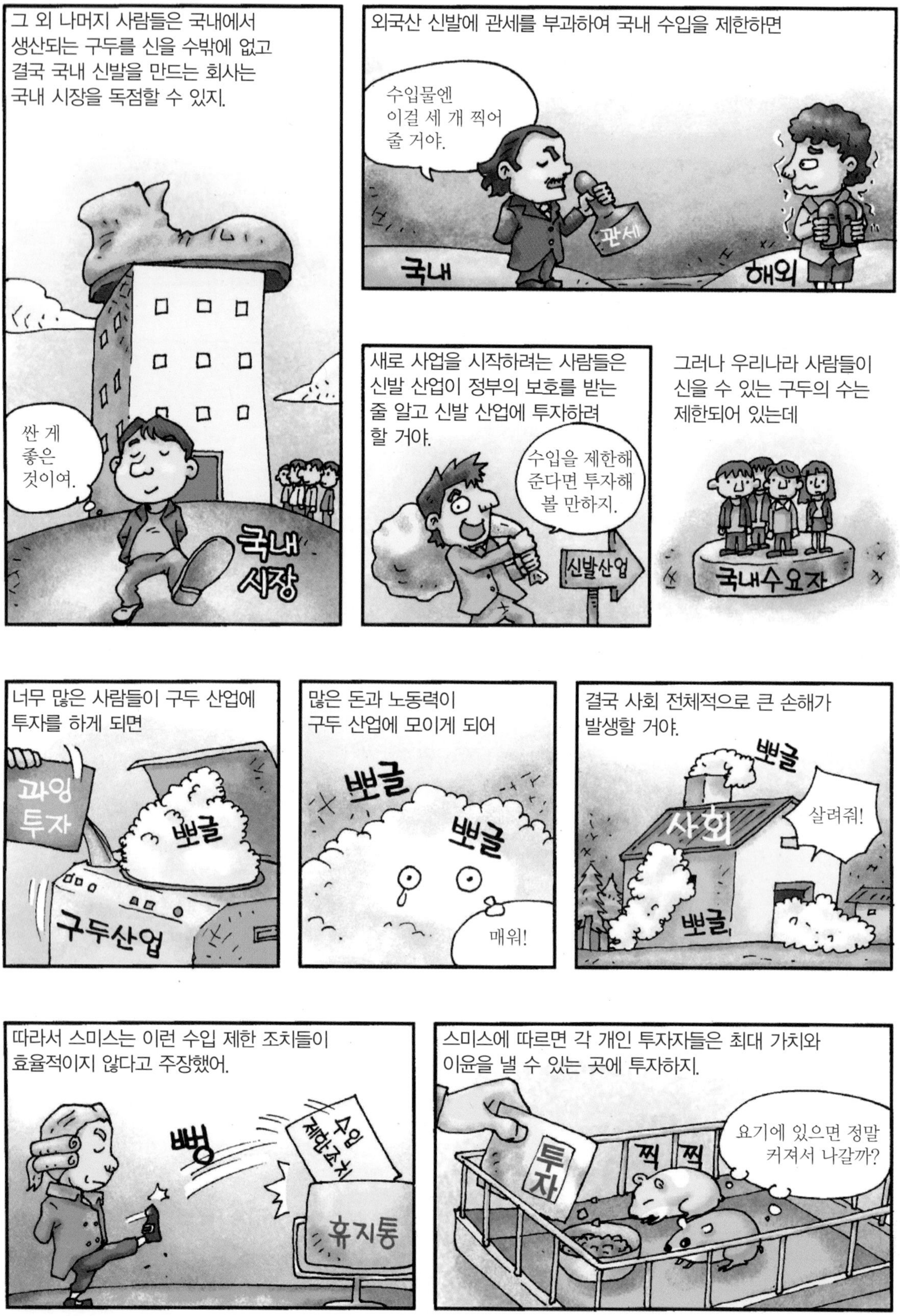
그 외 나머지 사람들은 국내에서 생산되는 구두를 신을 수밖에 없고 결국 국내 신발을 만드는 회사는 국내 시장을 독점할 수 있지.
싼 게 좋은 것이여.
국내 시장
외국산 신발에 관세를 부과하여 국내 수입을 제한하면
수입물엔 이걸 세 개 찍어 줄 거야.
관세
국내
해외
새로 사업을 시작하려는 사람들은 신발 산업이 정부의 보호를 받는 줄 알고 신발 산업에 투자하려 할 거야.
수입을 제한해 준다면 투자해 볼 만하지.
신발산업
그러나 우리나라 사람들이 신을 수 있는 구두의 수는 제한되어 있는데
국내수요자
너무 많은 사람들이 구두 산업에 투자를 하게 되면
과잉 투자
뽀글
구두산업
많은 돈과 노동력이 구두 산업에 모이게 되어
뽀글
뽀글
매워!
결국 사회 전체적으로 큰 손해가 발생할 거야.
뽀글
살려줘!
사회
뽀글
따라서 스미스는 이런 수입 제한 조치들이 효율적이지 않다고 주장했어.
뻥
수입 제한조치
휴지통
스미스에 따르면 각 개인 투자자들은 최대 가치와 이윤을 낼 수 있는 곳에 투자하지.
요기에 있으면 정말 커져서 나갈까?
투자
찍
찍

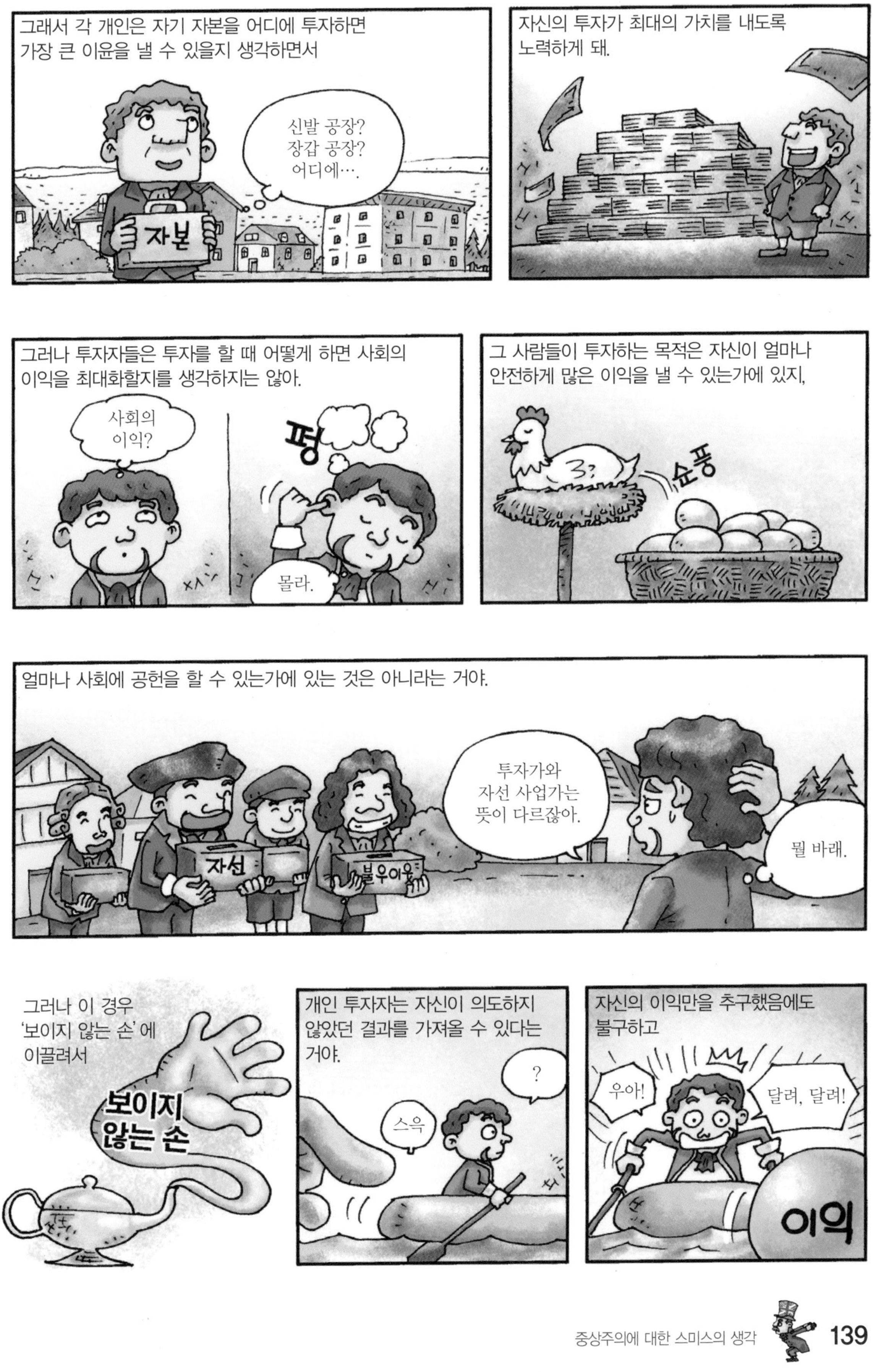
그래서 각 개인은 자기 자본을 어디에 투자하면 가장 큰 이윤을 낼 수 있을지 생각하면서
신발 공장? 장갑 공장? 어디에….
자본
자신의 투자가 최대의 가치를 내도록 노력하게 돼.
그러나 투자자들은 투자를 할 때 어떻게 하면 사회의 이익을 최대화할지를 생각하지는 않아.
사회의 이익?
펑
몰라.
그 사람들이 투자하는 목적은 자신이 얼마나 안전하게 많은 이익을 낼 수 있는가에 있지,
숑
얼마나 사회에 공헌을 할 수 있는가에 있는 것은 아니라는 거야.
자선
불우이웃
투자가와 자선 사업가는 뜻이 다르잖아.
뭘 바래.
그러나 이 경우 '보이지 않는 손'에 이끌려서
보이지 않는 손
개인 투자자는 자신이 의도하지 않았던 결과를 가져올 수 있다는 거야.
스윽
?
자신의 이익만을 추구했음에도 불구하고
우아!
달려, 달려!
이익

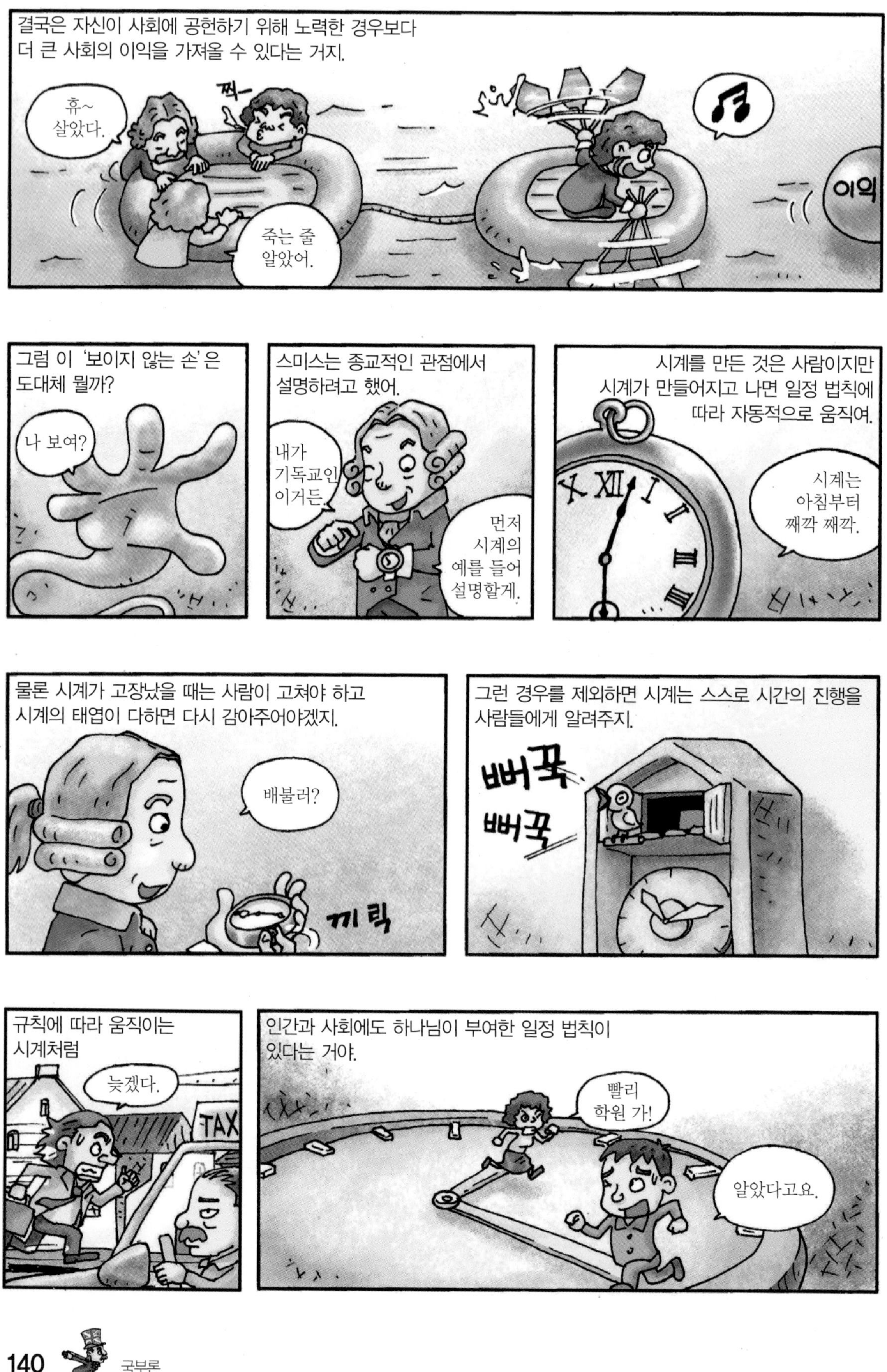

결국은 자신이 사회에 공헌하기 위해 노력한 경우보다
더 큰 사회의 이익을 가져올 수 있다는 거지.
휴~ 살았다.
죽는 줄 알았어.
이익
그럼 이 '보이지 않는 손'은
도대체 뭘까?
나 보여?
스미스는 종교적인 관점에서
설명하려고 했어.
내가 기독교인 이거든.
먼저 시계의 예를 들어 설명할게.
시계를 만든 것은 사람이지만
시계가 만들어지고 나면 일정 법칙에
따라 자동적으로 움직여.
시계는 아침부터 째깍 째깍.
물론 시계가 고장났을 때는 사람이 고쳐야 하고
시계의 태엽이 다하면 다시 감아주어야겠지.
배불러?
끼릭
그런 경우를 제외하면 시계는 스스로 시간의 진행을
사람들에게 알려주지.
뻐꾹
뻐꾹
규칙에 따라 움직이는
시계처럼
늦겠다.
TAX
인간과 사회에도 하나님이 부여한 일정 법칙이
있다는 거야.
빨리 학원 가!
알았다고요.

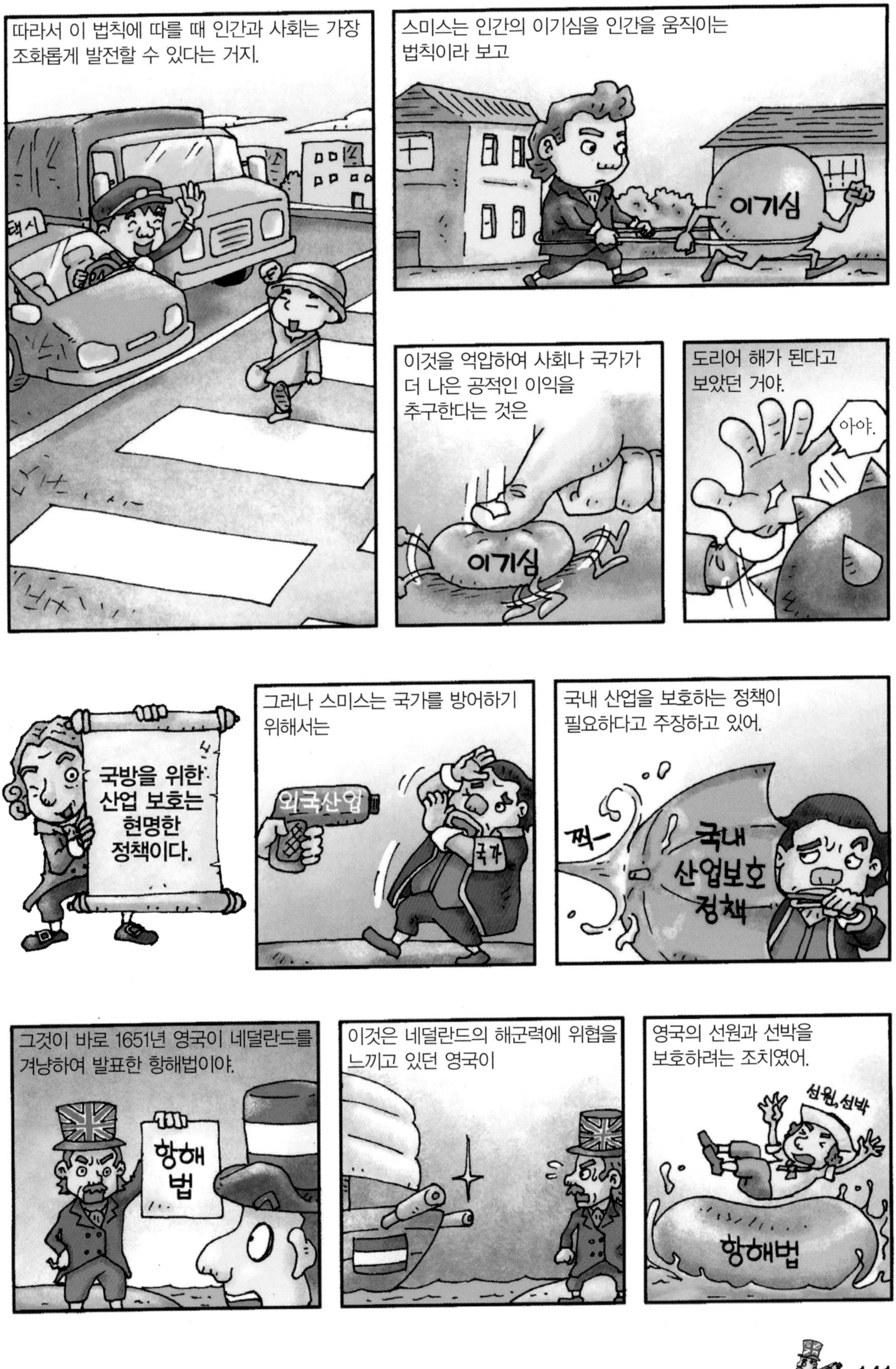
따라서 이 법칙에 따를 때 인간과 사회는 가장 조화롭게 발전할 수 있다는 거지.
택시
스미스는 인간의 이기심을 인간을 움직이는 법칙이라 보고
이기심
이것을 억압하여 사회나 국가가 더 나은 공적인 이익을 추구한다는 것은
이기심
도리어 해가 된다고 보았던 거야.
아야.
국방을 위한 산업 보호는 현명한 정책이다.
그러나 스미스는 국가를 방어하기 위해서는
외국산업
국가
국내 산업을 보호하는 정책이 필요하다고 주장하고 있어.
찍—
국내 산업보호 정책
그것이 바로 1651년 영국이 네덜란드를 겨냥하여 발표한 항해법이야.
항해법
이것은 네덜란드의 해군력에 위협을 느끼고 있던 영국이
영국의 선원과 선박을 보호하려는 조치였어.
선원, 선박
항해법

당시에는 해군력이 선박이나 선원들에 크게 의존하고 있었거든.
그러니까 영국 선박 보호는 바로
영국 해군력 보호라고 할 수 있지.
항해법에서는 유럽 이외 나라의 상품들을 영국으로 운반하려 할 때
유럽 이외 나라
영국
반드시 영국 선박을 이용할 것을 규정하고 있어.
승무원의 대다수가 영국군인 배야.
그리고 유럽 상품들을 영국이 수입하는 경우도 영국 선박이 하거나
유럽
영국
상품 생산국의 선박을 반드시 이용하게 하고 있었지.
외국의 선박으로 수입하는 경우
수입품에 두 배의 관세를 부과했어.
그러나 항해법은 외국과 무역을 하는 국민들에게는 분명히 불리한 정책이야.
항해법
당시 외국에서 영국과 무역을 하기 위해서는 외국의 물건을 영국에 들여 오고
상품
그 배에 영국의 물건을 싣고 가서 팔았거든.
해외
영국
그런데 영국에 물건을 가져와도 관세를 물게 되면 가격이 두 배로 뛰어 영국에서 팔기가 어려웠어.
수입품 코너
물건 사세요.
미쳤냐?
그 비싼 걸 사게?

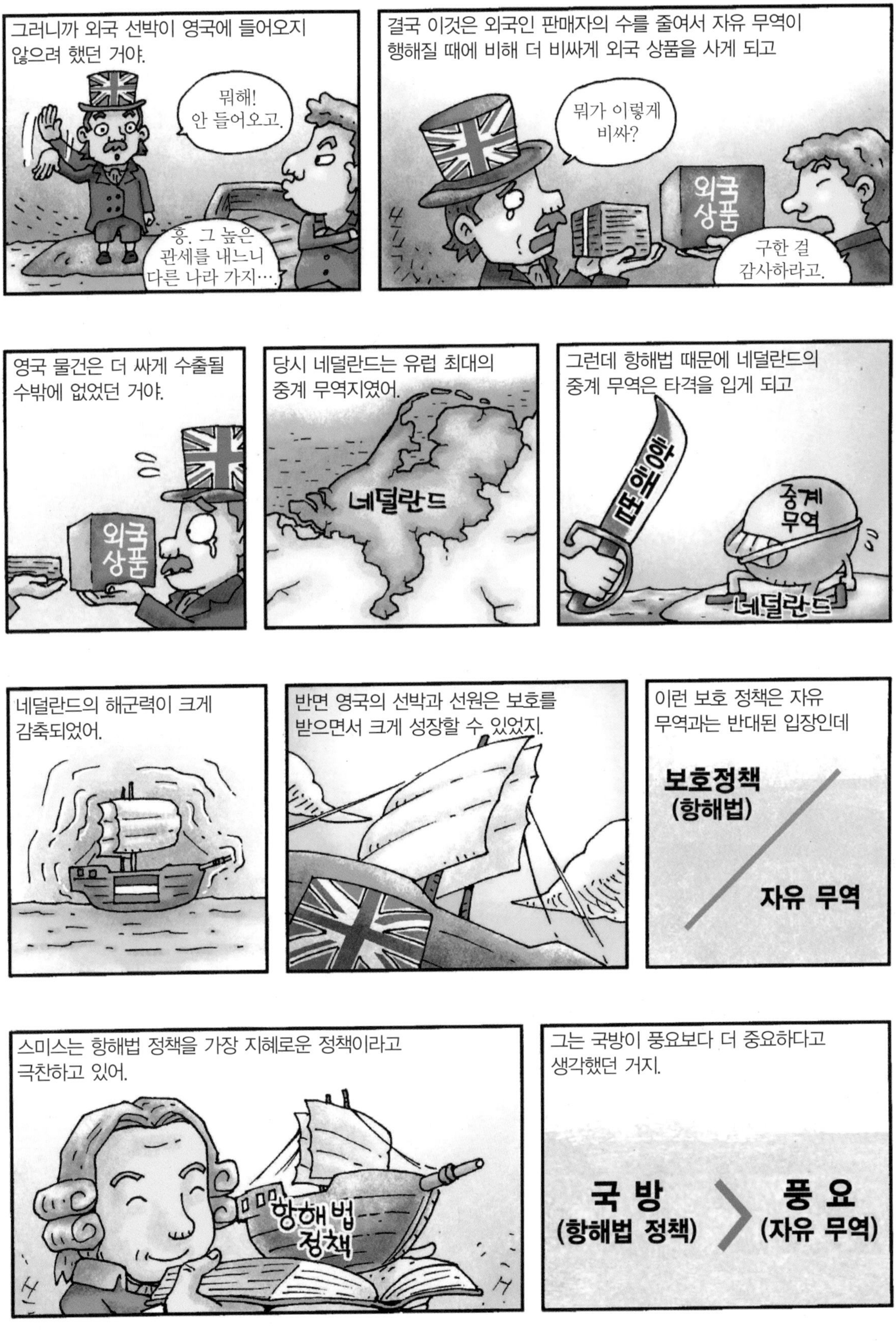
그러니까 외국 선박이 영국에 들어오지 않으려 했던 거야.
뭐해! 안 들어오고.
흥. 그 높은 관세를 내느니 다른 나라 가지….
결국 이것은 외국인 판매자의 수를 줄여서 자유 무역이 행해질 때에 비해 더 비싸게 외국 상품을 사게 되고
뭐가 이렇게 비싸?
외국 상품
구한 걸 감사하라고.
영국 물건은 더 싸게 수출될 수밖에 없었던 거야.
외국 상품
당시 네덜란드는 유럽 최대의 중계 무역지였어.
네덜란드
그런데 항해법 때문에 네덜란드의 중계 무역은 타격을 입게 되고
항해법
중계 무역
네덜란드
네덜란드의 해군력이 크게 감축되었어.
반면 영국의 선박과 선원은 보호를 받으면서 크게 성장할 수 있었지.
이런 보호 정책은 자유 무역과는 반대된 입장인데
보호정책 (항해법)
자유 무역
스미스는 항해법 정책을 가장 지혜로운 정책이라고 극찬하고 있어.
항해법 정책
그는 국방이 풍요보다 더 중요하다고 생각했던 거지.
국 방 (항해법 정책)
풍 요 (자유 무역)

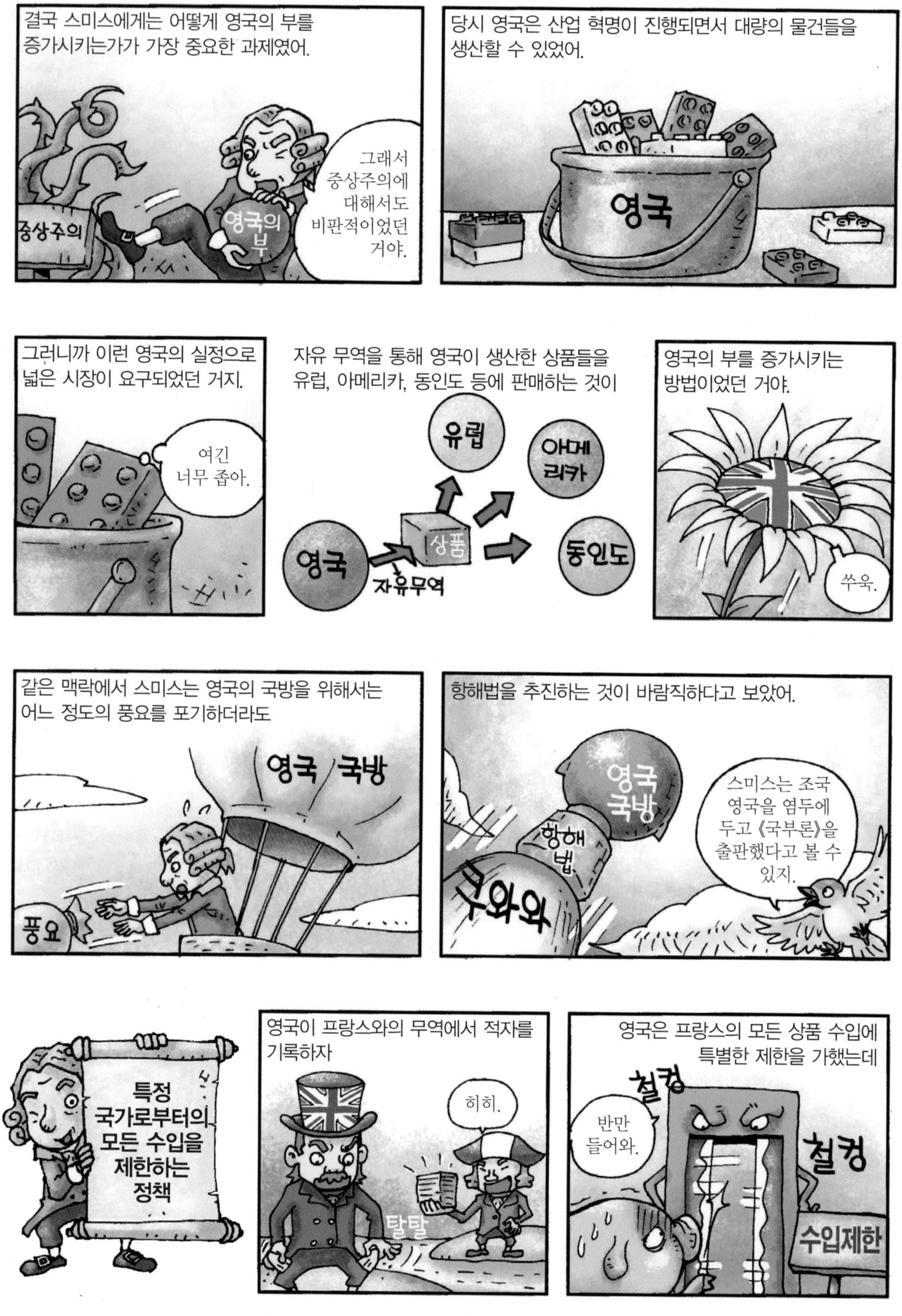
결국 스미스에게는 어떻게 영국의 부를 증가시키는가가 가장 중요한 과제였어.
중상주의
영국의 부
그래서 중상주의에 대해서도 비판적이었던 거야.
당시 영국은 산업 혁명이 진행되면서 대량의 물건들을 생산할 수 있었어.
영국
그러니까 이런 영국의 실정으로 넓은 시장이 요구되었던 거지.
여긴 너무 좁아.
자유 무역을 통해 영국이 생산한 상품들을 유럽, 아메리카, 동인도 등에 판매하는 것이
영국
자유무역
상품
유럽
아메리카
동인도
영국의 부를 증가시키는 방법이었던 거야.
쑤욱.
같은 맥락에서 스미스는 영국의 국방을 위해서는 어느 정도의 풍요를 포기하더라도
영국 국방
풍요
항해법을 추진하는 것이 바람직하다고 보았어.
영국 국방
항해법
우와와
스미스는 조국 영국을 염두에 두고 《국부론》을 출판했다고 볼 수 있지.
특정 국가로부터의 모든 수입을 제한하는 정책
영국이 프랑스와의 무역에서 적자를 기록하자
히히.
탈탈
영국은 프랑스의 모든 상품 수입에 특별한 제한을 가했는데
철컹
반만 들어와.
철컹
수입제한

스미스는 이런 정책이 매우 불합리하다고 비판했어.
중상주의자들의 원리에서 봐도 매우 불합리하거든.
왜냐하면 개별 국가와의 무역으로 적자를 보았다 하더라도 반드시 무역 전체의 적자를 가져오지는 않는다는 거야.
A국
B국
C국
D국
O-흑자
X-적자
영국의 경우 프랑스로부터 들여온 수입품을 동인도나 아메리카로 재수출할 수 있고
프랑스
동인도
아메리카
영국
이것이 프랑스에 지불한 것보다 더 많은 금과 은을 가져다 줄 수도 있다는 거지.
?
또한 중상주의자들이 주장하는 무역 차액설 자체가 불합리한 것이라고 주장했어.
무역 차액설
그 설에 따르면 영국과 프랑스가 무역을 해서 서로 손해도 이익도 보지 않는다면
찌찌뽕~
무역으로 두 국가가 얻는 것은 없다는 주장이지.
아… 아.
이에 반해 스미스는 두 나라가 자국의 상품을 서로 수출해 균형을 이루는 경우 각 국가는 거의 균등한 이익을 얻게 된다고 보았어.
영국
프랑스

영국과 프랑스가 무역을 하는데 영국은 국내에서 사용하고 남은 면직물을 프랑스에 수출하고
프랑스
프랑스는 국내에서 소비되지 않는 와인을 수출한다면
물론 영국에서는 와인을 생산할 수 없고
프랑스는 면직물을 생산할 수 없어야 겠지.
뽕
Wine
결국 양국이 무역으로 균형을 이루었다 해도
영국
프랑스
양국이 수출을 하기 위해 들인 자본과 노동의 양은 증가하게 되고
수출
자본량
노동량
증가
이것이 곧 국가의 부와 가치를 증가시키게 하는 거야.
국가의 부와 가치
또한 영국이 프랑스에 아무것도 수출하지 못하고 와인을 수입하여
아메리카
이것을 다시 아메리카 등지에 수출하는 경우에도 양국이 이득을 보는 거야.
그런데 당시 영국은 북아메리카 식민지를 독점하면서 프랑스와의 무역은 제한하려고 했는데
같이 먹자!
앙~
북아메리카
스미스의 입장에서 보면 이것은 매우 불합리한 정책이었어.
프랑스와의 무역 제한
콰

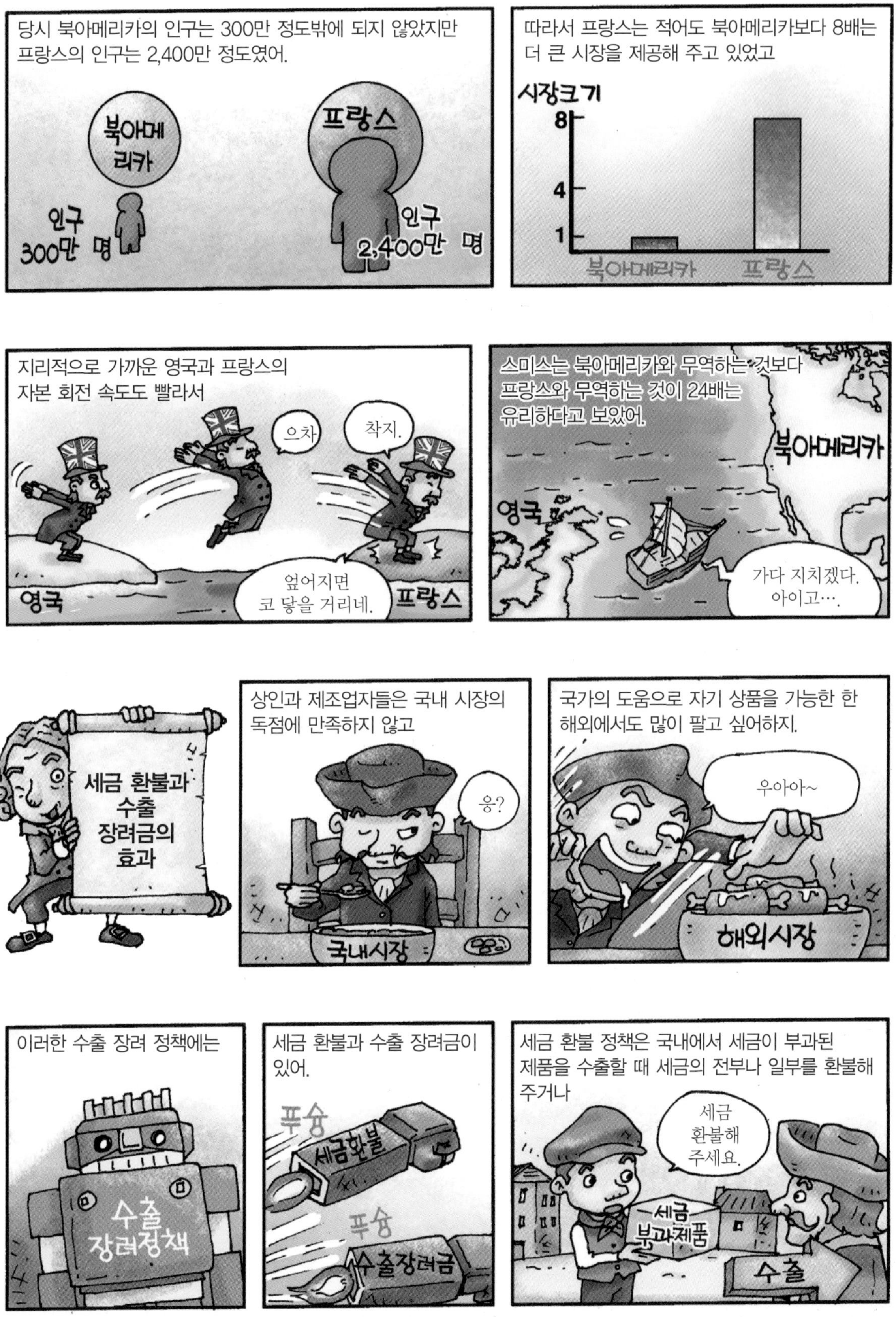

당시 북아메리카의 인구는 300만 정도밖에 되지 않았지만 프랑스의 인구는 2,400만 정도였어.
북아메리카
인구 300만 명
프랑스
인구 2,400만 명
따라서 프랑스는 적어도 북아메리카보다 8배는 더 큰 시장을 제공해 주고 있었고
시장크기
8
4
1
북아메리카
프랑스
지리적으로 가까운 영국과 프랑스의 자본 회전 속도도 빨라서
으차
착지.
엎어지면 코 닿을 거리네.
영국
프랑스
스미스는 북아메리카와 무역하는 것보다 프랑스와 무역하는 것이 24배는 유리하다고 보았어.
북아메리카
영국
가다 지치겠다. 아이고….
세금 환불과 수출 장려금의 효과
상인과 제조업자들은 국내 시장의 독점에 만족하지 않고
응?
국내시장
국가의 도움으로 자기 상품을 가능한 한 해외에서도 많이 팔고 싶어하지.
우아아~
해외시장
이러한 수출 장려 정책에는
수출 장려정책
세금 환불과 수출 장려금이 있어.
푸슝
세금환불
푸슝
수출장려금
세금 환불 정책은 국내에서 세금이 부과된 제품을 수출할 때 세금의 전부나 일부를 환불해 주거나
세금 환불해 주세요.
세금 부과제품
수출

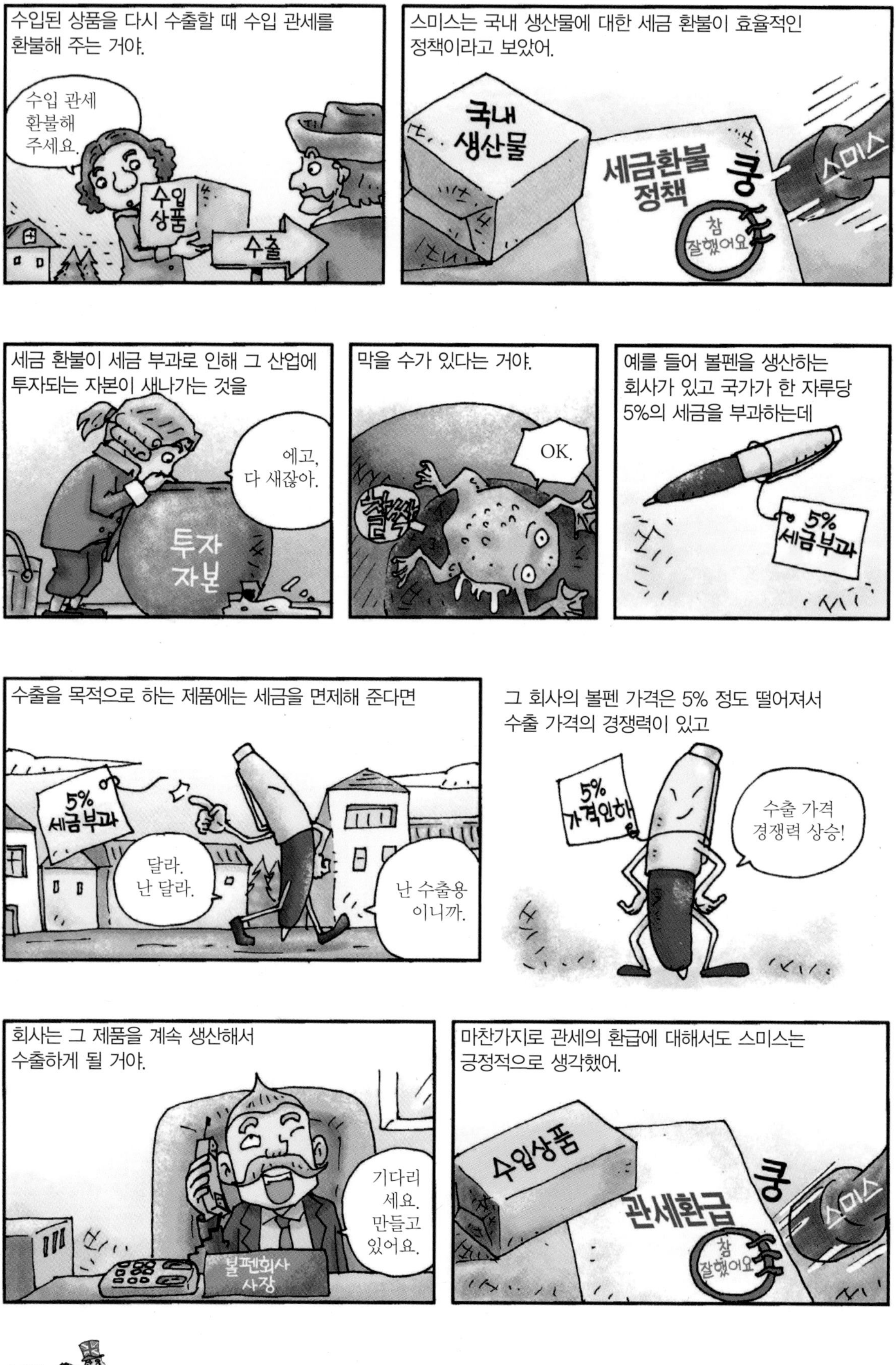
수입된 상품을 다시 수출할 때 수입 관세를 환불해 주는 거야.
수입 관세 환불해 주세요.
수입 상품
수출
스미스는 국내 생산물에 대한 세금 환불이 효율적인 정책이라고 보았어.
국내 생산물
세금환불 정책
쿵
참 잘했어요
스미스
세금 환불이 세금 부과로 인해 그 산업에 투자되는 자본이 새나가는 것을
에고, 다 새잖아.
투자 자본
막을 수가 있다는 거야.
OK.
예를 들어 볼펜을 생산하는 회사가 있고 국가가 한 자루당 5%의 세금을 부과하는데
5% 세금부과
수출을 목적으로 하는 제품에는 세금을 면제해 준다면
5% 세금부과
달라. 난 달라.
난 수출용 이니까.
그 회사의 볼펜 가격은 5% 정도 떨어져서 수출 가격의 경쟁력이 있고
5% 가격인하
수출 가격 경쟁력 상승!
회사는 그 제품을 계속 생산해서 수출하게 될 거야.
기다리 세요. 만들고 있어요.
볼펜회사 사장
마찬가지로 관세의 환급에 대해서도 스미스는 긍정적으로 생각했어.
수입상품
관세환급
쿵
참 잘했어요
스미스

관세 환급은 중계 무역을 촉진시키기 위해 추진되었어.
신난다~
관세환급
중계무역
영국이 프랑스의 포도주를 수입해서 아메리카에 다시 수출할 때
자.
여기.
땡큐.
수입
수출
50% 정도 관세를 되돌려 받을 수 있다면
받아.
정부
관세 50%환급
영국의 수입업자들은 프랑스의 와인을 계속 수입해서
와인퍼다 날라~
다시 아메리카에 수출하려 할 거야.
와인
이것은 결국 수입하는 와인의 양을 증가시키기 때문에 관세 수입도 증가시키는 효과를 가져올 거야.
수입와인
관세 수입
이에 반해 스미스는 수출 장려금 정책은
또르르..
수출 장려금 정책
효율적인 분업 구조를 왜곡시킨다고 보았어.
수출 장려금 정책
아니, 왜?

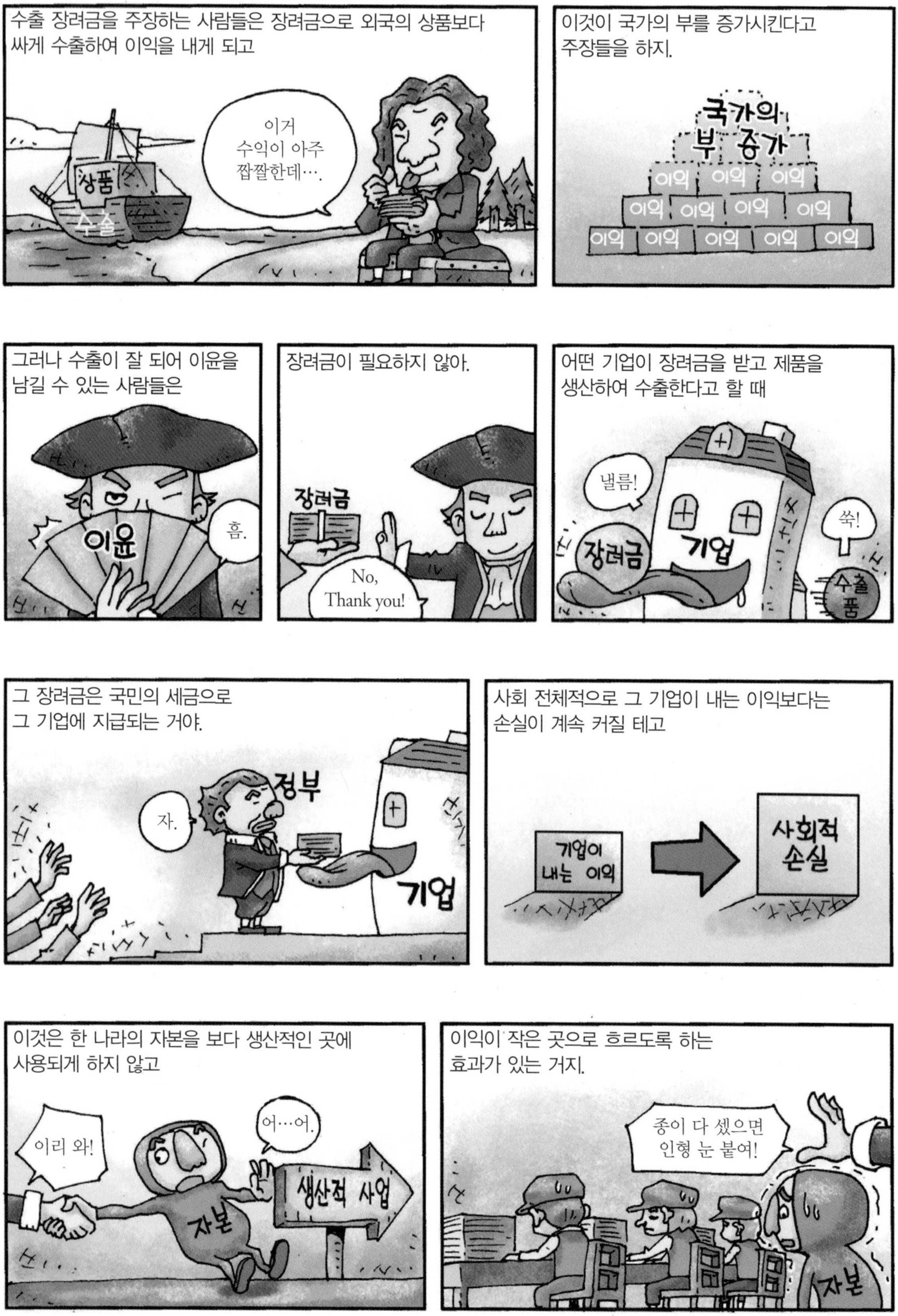
수출 장려금을 주장하는 사람들은 장려금으로 외국의 상품보다 싸게 수출하여 이익을 내게 되고
이거 수익이 아주 짭짤한데….
상품
수출
이것이 국가의 부를 증가시킨다고 주장들을 하지.
국가의 부 증가
이익 이익 이익
이익 이익 이익 이익
이익 이익 이익 이익 이익
그러나 수출이 잘 되어 이윤을 남길 수 있는 사람들은
이윤
흠.
장려금이 필요하지 않아.
장려금
No, Thank you!
어떤 기업이 장려금을 받고 제품을 생산하여 수출한다고 할 때
낼름!
장려금
기업
쑥!
수출품
그 장려금은 국민의 세금으로 그 기업에 지급되는 거야.
자.
정부
기업
사회 전체적으로 그 기업이 내는 이익보다는 손실이 계속 커질 테고
기업이 내는 이익
사회적 손실
이것은 한 나라의 자본을 보다 생산적인 곳에 사용되게 하지 않고
이리 와!
어…어.
자본
생산적 사업
이익이 작은 곳으로 흐르도록 하는 효과가 있는 거지.
종이 다 셌으면 인형 눈 붙여!
자본

그러나 스미스는 고래잡이 같은 어업에 지급되는 장려금에 대해서는 국방에 기여할 수 있다고 보고 찬성하고 있어.
장려금
어업
윽!
국방에 기여하는 일이야. 받아들여.
어업에 장려금을 지급하는 것이 국가의 부를 증가시키는 데 직접적으로 도움이 되는 것은 아니야.
장려금
어업
국가의 부 증가
그러나 장려금이 지급되면 선원의 수와 선박의 수가 더 증가하게 될 거야.
대규모의 상비 해군력을 유지하려면 많은 비용이 들지만 민간인 선원과 선박의 수를 증가시켜서
비용
전쟁 시에 해군으로 동원할 수 있으면
전쟁이 났다고!
그렇다면 해군으로 변신!
상비 해군보단 비용이 적게 들게 되잖아.
비용
스미스는 이 또한 항해법처럼 국방에 기여하기 때문에 찬성했던 거지.
어업에 장려금이 지급되면
국방비가 절감되지.

# 제9장 식민지 경영에 대한 스미스의 생각

식민지 경영

스미스의 《국부론》이
출판된 1776년은
1776
국부론

영국의 식민지였던 미국이

독립한 해이기도 했어.
탕
영국
식민지

당시 식민지 문제는 영국이 해결해야 할
중요한 문제 중 하나였고
식민지..
여기서 꼭 막혀.

스미스는 《국부론》의 많은 부분을 식민지 문제에
대해 서술하고 있어.
막히면
뚫어야지!

식민지를 개척한 이유는 뭘까?
아메리카에 식민지를 개척한 이유는 뭘까?
그걸 알기 위해 고대 식민지 개척과 비교해 보면….
고대 그리스는 모두 도시 국가였어.
인구가 증가하자 사람들은 새로운 거주지를 찾아 소아시아나 에게 해에 식민지를 개척했지.
그러나 식민지는 독립된 통치 제도를 가진 독립 국가였고
독립국가
식민지
지배하는 건 머리 아파.
모국 역시 식민지를 지배하려 하지는 않았어.
그럼, 지배하는 게 얼마나 머리 아픈 건데….
로마 시대는 대토지 제도가 유행하면서
가진 자들은 큰 땅을 차지하고….
일반 시민들이 토지를 소유할 수 없게 되자 시민들을 만족시키기 위해 식민지를 개척하게 되었지.
와, 식민지로 이주할 사람은 나를 따르라!
식민지
그리스와는 달리 로마의 식민지는 항상 모국의 사법, 행정 감독원에 복종해야만 했어.
모국의 관리 법률을 잘 이행하고 있겠지?
네!

이처럼 고대 그리스와 로마의 식민지 개척은 이유가 있는 것이었지.
인구가 늘어서….
일반 시민들의 토지 소유를 위해.
이에 반해 영국의 아메리카 식민지 개척은 분명한 목적 없이 시작되었어.
이탈리아의 베네치아 인들이 지중해 무역 독점권을 가지고 인도와의 무역에서 큰 이익을 내자
인도와의 무역 항로를 개척하기 위해 콜럼버스가 모험을 하게 되었고
지금의 아메리카를 발견하게 된 거야.
나 콜럼버스가 역사에 이름을 남긴 대사건!
그런데 신대륙에서 금, 은 광산이 발견되자
오, 놀라워라!
에스파냐가 본격적으로 식민지를 개척하기 시작했어.
금 캐러 가세.
에스파냐
아메리카
이처럼 아메리카 식민지 개척은 우연히 진행된 거야.
그 작은 우연이
지금의 초강국 미국을 있게 했지.
왜 영국의 식민지는 다른 식민지에 비해 번성했던 걸까?
식민지 개척의 초기 목적이었던 금, 은 광산의 개발은 많은 경우 실패했지만
캐는 금값보다 인건비가 더 들어.

우수한 농업과 수공업에 관한 지식을 가졌던 이주민과 질이 좋은 토지가 결합되어
흠, 각종 미네랄이 풍부하구먼.
밀과 옥수수 농사에 제격이겠어.
식민지는 크게 번성할 수 있었지.
영국의 식민지
특히 영국의 북아메리카 식민지는 다른 곳보다 빨리 발전할 수 있었어.
북아메리카
영국의 식민지
프랑스, 에스파냐, 포르투갈 같은 나라들은 자국의 절대적인 전제 정치 방식으로 식민지를 통치했지.
식민지
전제 정치
이런 나라들은 독점 회사가 식민지의 자유로운 활동을 억압하면서 식민지의 발전을 지연시켰어.
독점회사
에쿠!
식민지
반면 영국은 식민지의 자유로운 활동을 보장해 주었지.
요~
식민지
우선 영국 식민지들은 다른 식민지들에 비해 토지 소유가 독점되지 않고 분할이나 자유 매매가 가능했어.
싹둑!
토지독점
영국
토지가 독점되면
토지자유매매
아무리 토지가 풍부하고 값이 싸도 개발되기가 어려울 거야.
결국 남 좋은 일인데….
개발해서 뭐해?

영국의 식민지들은 저렴하고 질이 좋은 토지를 자유롭게 개발하여
딸기
사과
옥수수
다른 식민지보다 많은 생산물을 공급할 수가 있었던 거야.
영국식민지 생산물
다른 식민지 생산물
둘째, 영국의 식민지는 세금이 적어서
세금
생산한 물건들이 더 많이 국민들의 소유가 될 수 있었어.
일하는 보람이란 이런 것.
이 생산물들은 저축되거나 더 많은 사람들을 고용하는 데 사용되었지.
생산물
저축
노동자 고용
셋째, 영국의 식민지들은 자기들이 소비하고 남은 생산물들을 자유롭게 수출할 수 있었어.
남은 생산물은 뭐하지?
생산물
뭐하긴 팔아야지.
영국은 자국민이 식민지와 무역하는 것을 자유롭게 허용했고 모든 항구에 무역을 허용했어.
무역허용
무역허용
그리고 세관의 절차도 간소화하고 어떤 면허도 요구하지 않았지.
그 정도라면 나도 한번 무역 사업 해 볼까?
반면 다른 나라들은 많은 제한을 두고 있었어.
휴~ 이제 세관 검사 10개 남았다.

어떤 나라는 식민지 전체의 무역을 하나의 독점 회사에 맡겼어.
혼자서도 잘할 수 있지?
무역독점회사
그래서 식민지 거주자들은 그 회사를 통해서만 필요한 물건을 사거나 팔 수 있었지.
어디 화장지 파는 가게 없나?
식민지 거주자
급한데
무역독점회사
안 돼, 무조건 날 통해 사야 돼.
독점 회사는 당연히 비싼 가격에 물건을 팔았고 싼 가격에 물건을 샀지.
이렇게 비싼 응가는 처음이야.
또 어떤 나라는 무역을 모국의 특정 항구에서만 할 수 있게 했어.
무역할 사람은 이곳으로 모여!!
자연히 무역할 배가 부족하여 일정한 계절에만 항해할 수 있었고
만선!
배를 이용할 때에는 거액의 요금을 지불해야 했어.
여객선인 타이타닉호라도 되나?
넷째, 식민지 주민들에겐 자신들의 일을 자유롭게 처리할 수 있는 의회가 있었어.
의견이 있어서 왔는데…
그러지 말고 우리 의회에 가서 차분하게 얘기해 보자고.
그 자유는 모든 면에서 영국 국민들이 누리는 자유와 큰 차이가 없었지.
식민지 의회는 입법권과 행정권을 가지고 있었고 본국과는 다르게 공화정으로 운영이 되고 있었어.
입법권
행정권
식민지의회
공화정
반면 프랑스, 에스파냐, 포르투갈은 식민지를 전제적으로 다루었어.
프랑스
에스파냐
포르투갈
전제적 운영

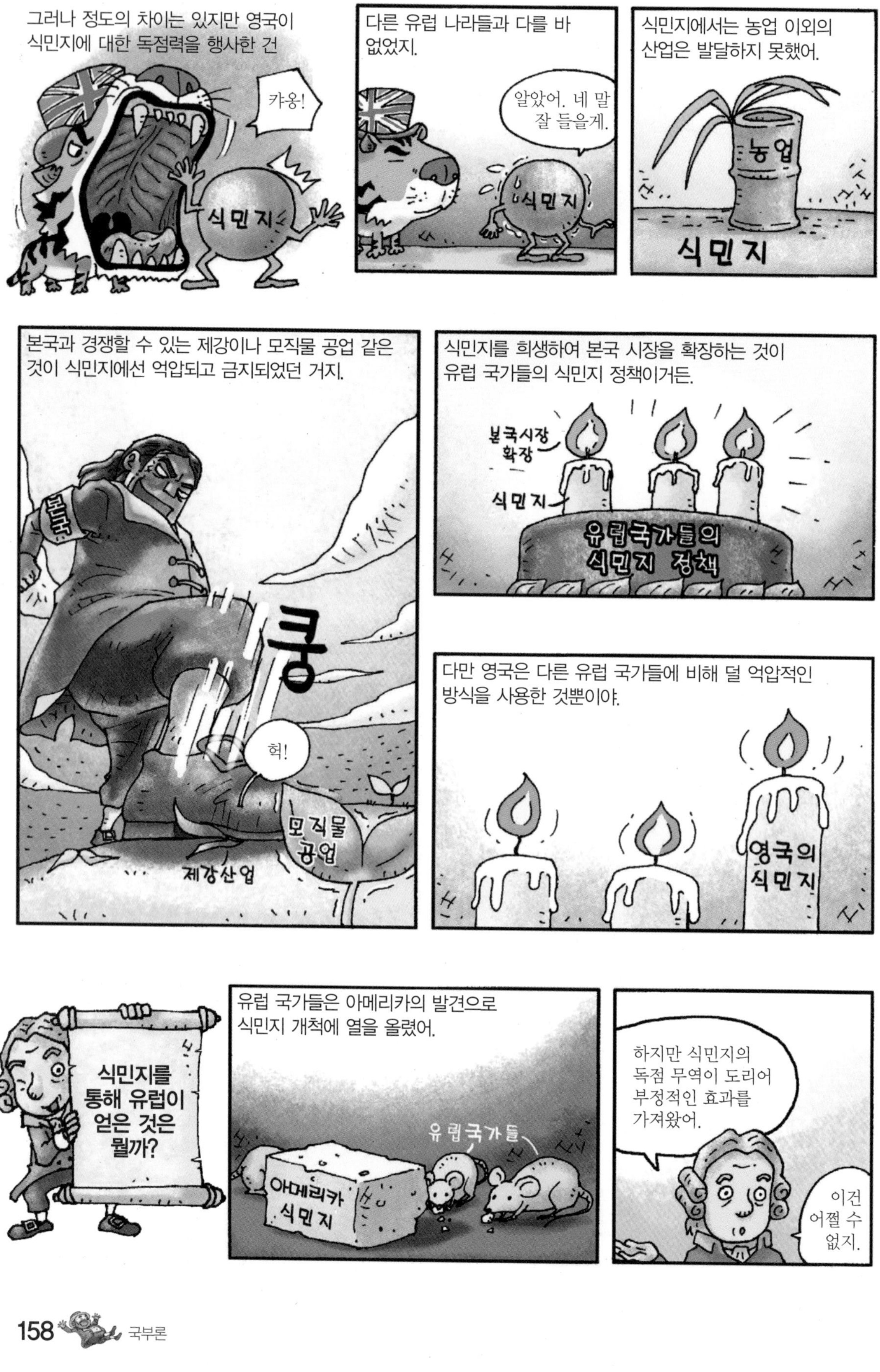
그러나 정도의 차이는 있지만 영국이
식민지에 대한 독점력을 행사한 건
캬옹!
식민지
다른 유럽 나라들과 다를 바
없었지.
알았어. 네 말
잘 들을게.
식민지
식민지에서는 농업 이외의
산업은 발달하지 못했어.
농업
식민지
본국과 경쟁할 수 있는 제강이나 모직물 공업 같은
것이 식민지에선 억압되고 금지되었던 거지.
본국
쿵
헉!
모직물
공업
제강산업
식민지를 희생하여 본국 시장을 확장하는 것이
유럽 국가들의 식민지 정책이거든.
본국시장
확장
식민지
유럽국가들의
식민지 정책
다만 영국은 다른 유럽 국가들에 비해 덜 억압적인
방식을 사용한 것뿐이야.
영국의
식민지
식민지를
통해 유럽이
얻은 것은
뭘까?
유럽 국가들은 아메리카의 발견으로
식민지 개척에 열을 올렸어.
유럽국가들
아메리카
식민지
하지만 식민지의
독점 무역이 도리어
부정적인 효과를
가져왔어.
이건
어쩔 수
없지.

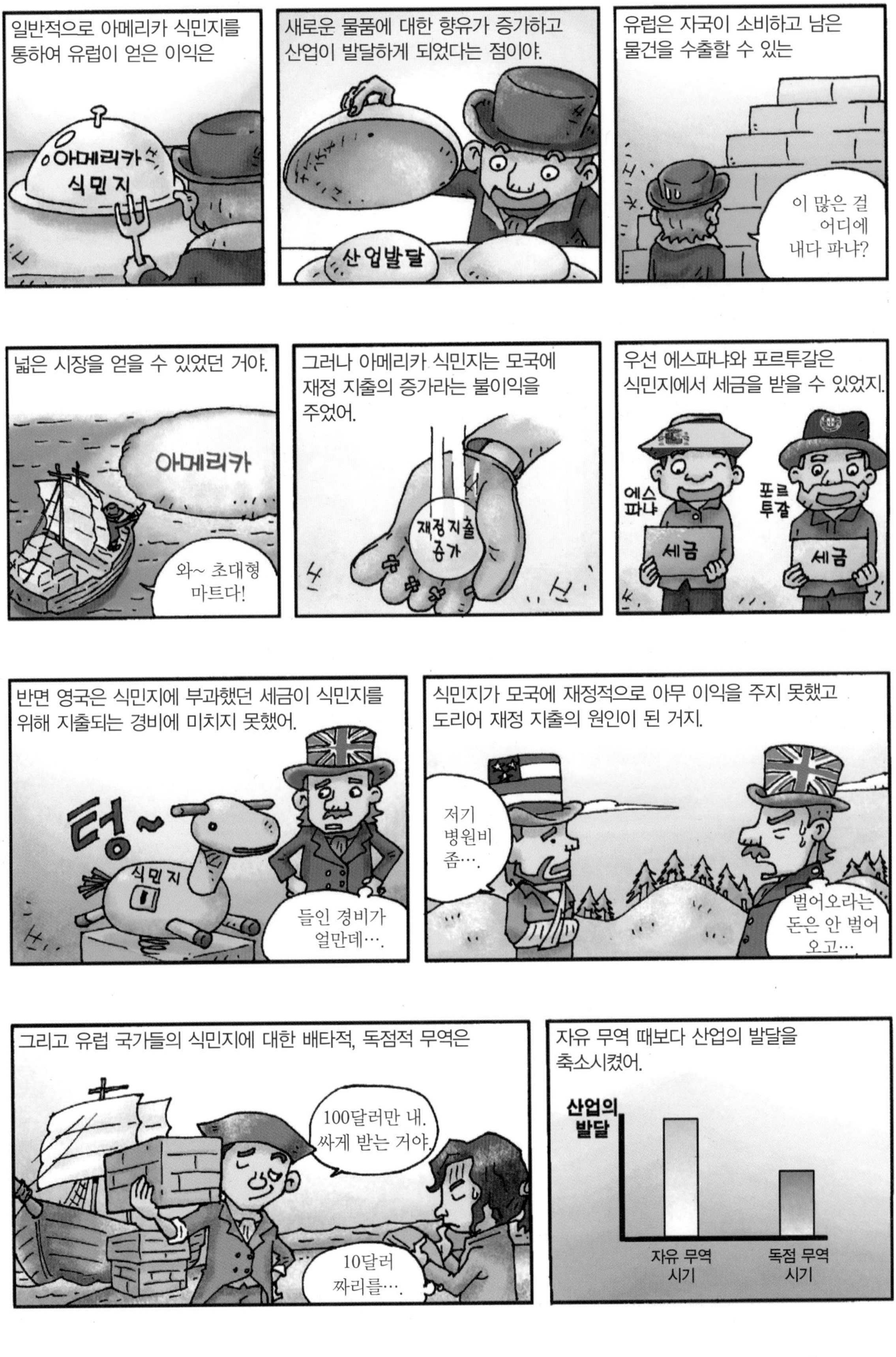
일반적으로 아메리카 식민지를 통하여 유럽이 얻은 이익은
아메리카 식민지
새로운 물품에 대한 향유가 증가하고 산업이 발달하게 되었다는 점이야.
산업발달
유럽은 자국이 소비하고 남은 물건을 수출할 수 있는
이 많은 걸 어디에 내다 파냐?
넓은 시장을 얻을 수 있었던 거야.
아메리카
와~ 초대형 마트다!
그러나 아메리카 식민지는 모국에 재정 지출의 증가라는 불이익을 주었어.
재정지출 증가
우선 에스파냐와 포르투갈은 식민지에서 세금을 받을 수 있었지.
에스파냐
세금
포르투갈
세금
반면 영국은 식민지에 부과했던 세금이 식민지를 위해 지출되는 경비에 미치지 못했어.
텅~
식민지
들인 경비가 얼만데….
식민지가 모국에 재정적으로 아무 이익을 주지 못했고 도리어 재정 지출의 원인이 된 거지.
저기 병원비 좀….
벌어오라는 돈은 안 벌어 오고….
그리고 유럽 국가들의 식민지에 대한 배타적, 독점적 무역은
100달러만 내. 싸게 받는 거야.
10달러 짜리를….
자유 무역 때보다 산업의 발달을 축소시켰어.
산업의 발달
자유 무역 시기
독점 무역 시기

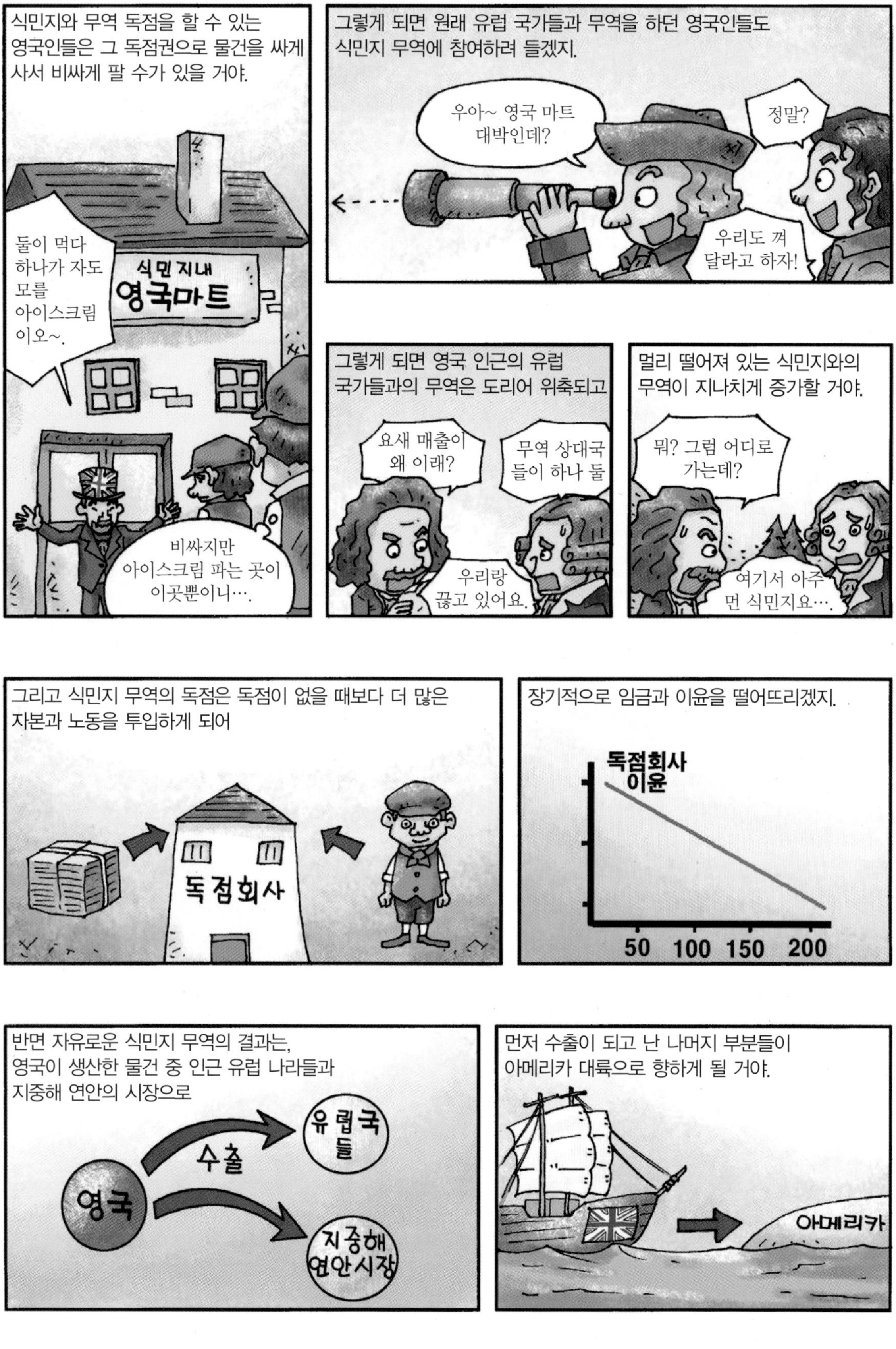
식민지와 무역 독점을 할 수 있는 영국인들은 그 독점권으로 물건을 싸게 사서 비싸게 팔 수가 있을 거야.
식민지내 영국마트
둘이 먹다 하나가 자도 모를 아이스크림 이오~.
비싸지만 아이스크림 파는 곳이 이곳뿐이니….
그렇게 되면 원래 유럽 국가들과 무역을 하던 영국인들도 식민지 무역에 참여하려 들겠지.
우아~ 영국 마트 대박인데?
정말?
우리도 껴 달라고 하자!
그렇게 되면 영국 인근의 유럽 국가들과의 무역은 도리어 위축되고
요새 매출이 왜 이래?
무역 상대국 들이 하나 둘
우리랑 끊고 있어요.
멀리 떨어져 있는 식민지와의 무역이 지나치게 증가할 거야.
뭐? 그럼 어디로 가는데?
여기서 아주 먼 식민지요….
그리고 식민지 무역의 독점은 독점이 없을 때보다 더 많은 자본과 노동을 투입하게 되어
독점회사
장기적으로 임금과 이윤을 떨어뜨리겠지.
독점회사 이윤
50 100 150 200
반면 자유로운 식민지 무역의 결과는, 영국이 생산한 물건 중 인근 유럽 나라들과 지중해 연안의 시장으로
영국
수출
유럽국들
지중해 연안시장
먼저 수출이 되고 난 나머지 부분들이 아메리카 대륙으로 향하게 될 거야.
아메리카

이런 자유로운 무역은 자연스럽게 자본과 노동에
분업 구조가 형성되게 해서
자본
노동
생산력이 향상될 테지.
생산력
이 생산력의 향상은 인근 유럽과의 무역도 늘리고 식민지와의 무역도 증가시킬 거야.
독점 무역은 독점을 누리는
특정 집단의 소득을 증가시킬
수는 있지만
국민 대다수의 소득은 오히려
감소시킬 거야.
독점무역
힘들어.
결국 국민 대다수의 세금을 낼 수
있는 능력도 줄어들 테고 말이야.
아, 세금
많이 내고
싶다.
소득 좀
높아지고
싶다.

제10장
중상주의의 결론
중
상
주
의
스미스에 따르면 중상주의는 독점을 보장 받는 대규모 제조업자들의 이익을 위해
대규모 제조업자들
중상주의
가난한 노동자들의 이익을 억압하는 정책이라고 비판하고 있어.
노동자들
앞에서 배웠듯 수출을 장려하고 수입을 억제하여
수입
수출
쏴!
한 나라의 부를 증가시키는 것이 중상주의의 목적인데
중상주의
실제 특정 상품에 대해서는 이와는 반대로 수출을 억제하고 수입을 장려하는 정책을 취하기도 했어.
수입
수출

우선 중상주의는 원료 수입을 장려하고 있어. 이것은 국민들이 값싼 원료를 가공하여 상품을 만들게 함으로써
원료
생산품
비싼 완성품이 수입되는 것을 막기 위한 것이라고 볼 수 있어.
이런 거 필요없어?
우리도 있지.
외국
국내
원료 수입을 장려하는 방식은 세금을 면제해 주거나 수입 장려금을 지급하는 방식이 있지.
원료수입 장려방식
세금 면제
수입장려금 지급방식
당시 영국에서는 원면, 염료, 짐승의 가죽, 선철 같은 원료들의 수입이 권장되었어.
만약 국가가 모든 수입 원료에 대하여 이런 정책을 취한다면
원료수입 장려정책
국가
수입 원료
사회 전체에 이익을 주는 매우 좋은 정책이 될 거야.
수입 원료
사회
그러나 탐욕스러운 대규모 제조업자들은
최대의 이익을 남기기 위해서 정부에 압력을 넣어 완제품 수출에는 장려금을 받게 하고
제조업자
완제품 수출
정부
완제품의 수입에는 무거운 관세를 부과하게 했어.
관세

또한 원료 수입은 장려하여
원료 수입
국내의 가난한 업자들이 생산한 상품들을 헐값에 사들이려고 노력을 했어.
나 덕분에 싸게 원료를 구했으니 싸게 넘겨!
생산품
생산품
원료가 자유롭게 수입이 되니까
수입 원료
수입 원료
수입 원료
수입 원료
국내의 원료 생산자들은 수입 원료와 끊임없이 경쟁할 수밖에 없고
국내 원료
수입 원료
이것이 원료의 가격을 떨어뜨렸지.
툭
원료 가격
완성품의 가격을 높이고 원료의 가격을 인하하는 것이 결코 노동자들의 이익에는 도움되지 않아.
완성품의가격
원료가격
아이고, 우리집 지붕 무너지겠네!
따라서 중상주의로 권력자의 산업은 큰 이익을 얻지만
오 예~
중상주의
가난한 자들의 이익은 무시되고 억압받게 되지.
이익
그리고 중상주의는 제조업의 원료 수출을 완전히 금하거나 높은 관세로 억제했어.
원료 수출금지
높은 관세
중상주의

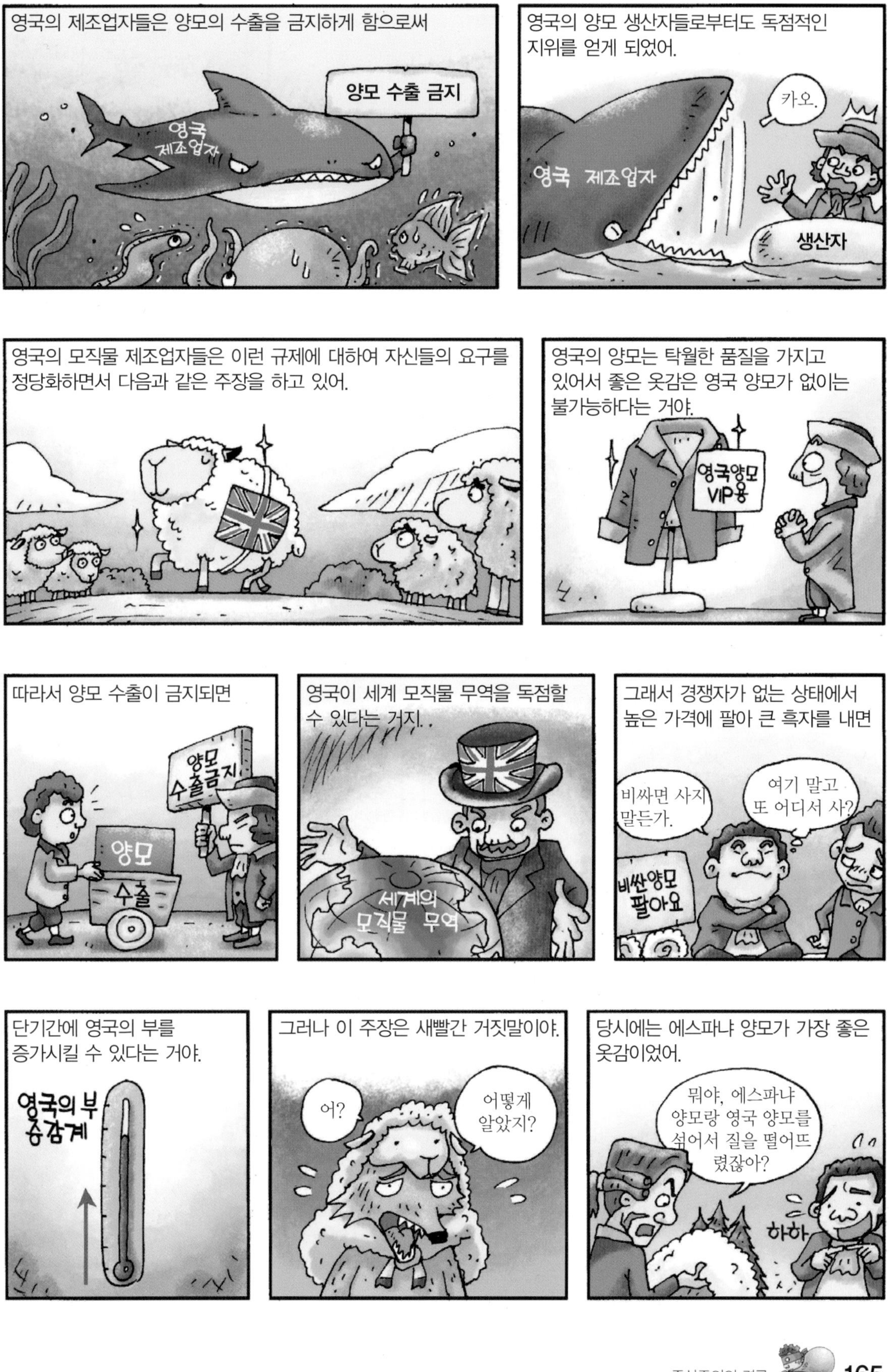
영국의 제조업자들은 양모의 수출을 금지하게 함으로써
양모 수출 금지
영국 제조업자
영국의 양모 생산자들로부터도 독점적인 지위를 얻게 되었어.
카오.
영국 제조업자
생산자
영국의 모직물 제조업자들은 이런 규제에 대하여 자신들의 요구를 정당화하면서 다음과 같은 주장을 하고 있어.
영국의 양모는 탁월한 품질을 가지고 있어서 좋은 옷감은 영국 양모가 없이는 불가능하다는 거야.
영국양모 VIP용
따라서 양모 수출이 금지되면
양모 수출금지
양모
수출
영국이 세계 모직물 무역을 독점할 수 있다는 거지.
세계의 모직물 무역
그래서 경쟁자가 없는 상태에서 높은 가격에 팔아 큰 흑자를 내면
비싸면 사지 말든가.
여기 말고 또 어디서 사?
비싼양모 팔아요
단기간에 영국의 부를 증가시킬 수 있다는 거야.
영국의 부 증감계
그러나 이 주장은 새빨간 거짓말이야.
어?
어떻게 알았지?
당시에는 에스파냐 양모가 가장 좋은 옷감이었어.
뭐야, 에스파냐 양모랑 영국 양모를 섞어서 질을 떨어뜨렸잖아?
하하

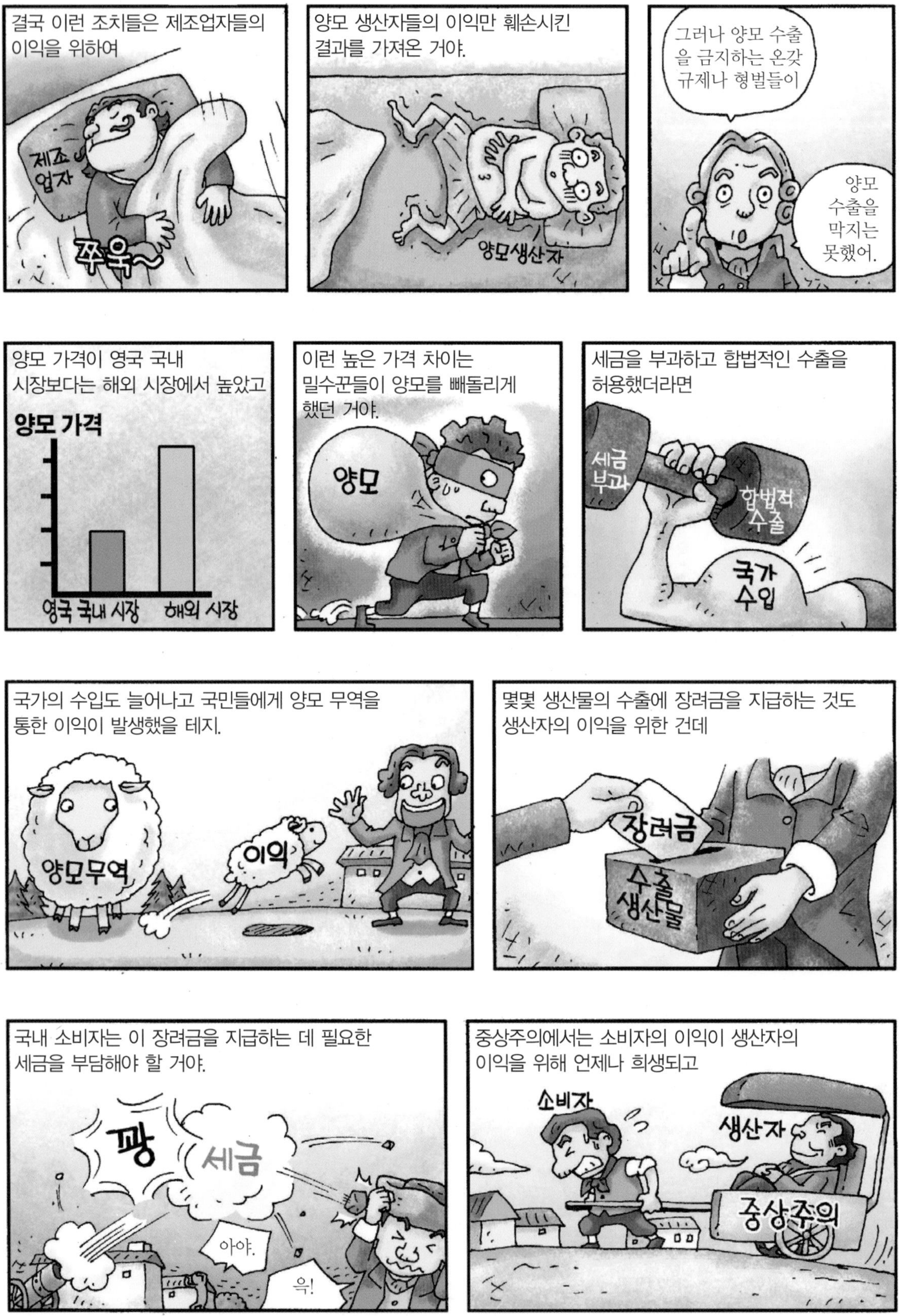
결국 이런 조치들은 제조업자들의 이익을 위하여
제조업자
쭈욱~
양모 생산자들의 이익만 훼손시킨 결과를 가져온 거야.
양모생산자
그러나 양모 수출을 금지하는 온갖 규제나 형벌들이
양모 수출을 막지는 못했어.
양모 가격이 영국 국내 시장보다는 해외 시장에서 높았고
양모 가격
영국 국내 시장
해외 시장
이런 높은 가격 차이는 밀수꾼들이 양모를 빼돌리게 했던 거야.
양모
세금을 부과하고 합법적인 수출을 허용했더라면
세금 부과
합법적 수출
국가 수입
국가의 수입도 늘어나고 국민들에게 양모 무역을 통한 이익이 발생했을 테지.
양모무역
이익
몇몇 생산물의 수출에 장려금을 지급하는 것도 생산자의 이익을 위한 건데
장려금
수출 생산물
국내 소비자는 이 장려금을 지급하는 데 필요한 세금을 부담해야 할 거야.
꽝
세금
아야.
윽!
중상주의에서는 소비자의 이익이 생산자의 이익을 위해 언제나 희생되고
소비자
생산자
중상주의

소비가 아니라 생산을 정책의 목표로
삼고 있다고 스미스는 주장했어.
중상
주의
생산
중상주의 이론을 고안해 낸
사람도 당연히 생산자일 거야.
중상주의
이론설계
중상주의가 소비자의 이익은
전적으로 무시하고
소비자
이익
중상
주의
교묘하게 생산자의 이익은
보호하고 있잖아.
생산자
이익
특히 대규모 상인이나
제조업자들이 중상주의의
주요 설계자일 거야.
스미스는 절대주의 권력과 결탁한
거대 상인들이나
거대상인
절대주의
권력
특허 제조 회사들을 가장 공격했어.
제조회사
그들은 왕권과 결탁하여 국부를
증진시키기는커녕
국부증진
국부증진
자신들의 독점적 이익만 지키려는
특권층일 따름이었으니까.
독점적이익
와르르
스미스는 사회 일반적인 시민들을 희생시켜서
독점 이윤을 꾀하는 사기꾼이라고 그들을 비난했어.
독점
이윤

# 제11장 중농주의를 지지한 스미스

중상주의에 대해서 그렇게 비판적이던 스미스는
중농주의

중농주의에 대해서는 매우 관대했어.
중농주의

중농주의는 지금껏 알려진 학설 중 가장 독창적이라고 찬사를 보냈지.
독창상

중농주의는 프랑스의 경제학자 케네가 주장했던 경제 학설이야.
내가 원래 닥터였거든.

의사로서의 경험이 그의 경제학 이론에 많은 영향을 주고 있어.
경제학

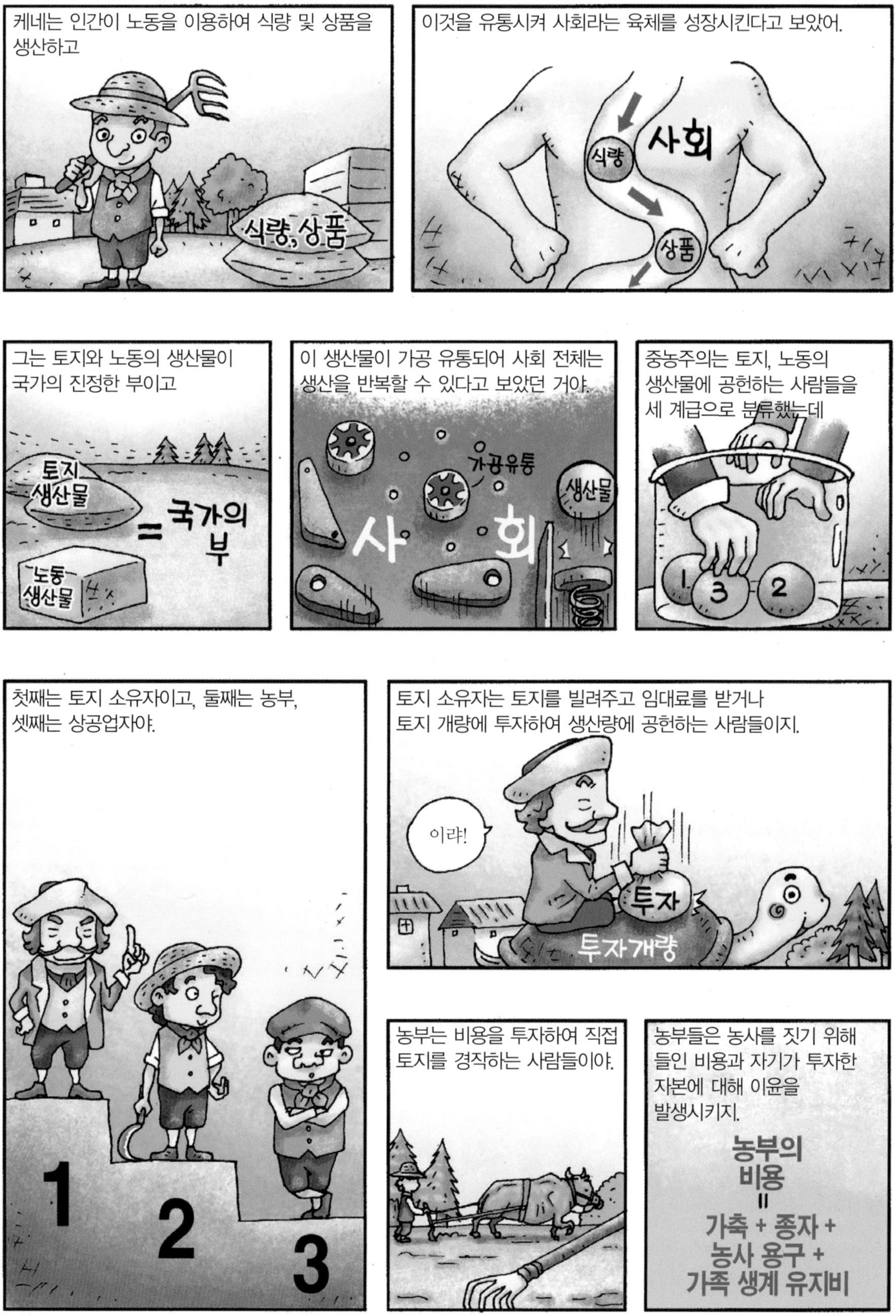
케네는 인간이 노동을 이용하여 식량 및 상품을 생산하고
식량, 상품
이것을 유통시켜 사회라는 육체를 성장시킨다고 보았어.
사회
식량
상품
그는 토지와 노동의 생산물이 국가의 진정한 부이고
토지 생산물
= 국가의 부
노동 생산물
이 생산물이 가공 유통되어 사회 전체는 생산을 반복할 수 있다고 보았던 거야.
가공유통
생산물
사회
중농주의는 토지, 노동의 생산물에 공헌하는 사람들을 세 계급으로 분류했는데
1
3
2
첫째는 토지 소유자이고, 둘째는 농부, 셋째는 상공업자야.
1
2
3
토지 소유자는 토지를 빌려주고 임대료를 받거나 토지 개량에 투자하여 생산량에 공헌하는 사람들이지.
이랴!
투자
투자개량
농부는 비용을 투자하여 직접 토지를 경작하는 사람들이야.
농부들은 농사를 짓기 위해 들인 비용과 자기가 투자한 자본에 대해 이윤을 발생시키지.
농부의 비용
=
가축 + 종자 +
농사 용구 +
가족 생계 유지비

한편 중농주의는 상공업자들을
비생산적인 계급으로 간주하고 있어.
비생산적 계급
왜냐하면 상공업자들은 새로운
가치를 창조하는 것이 아니라
새로운 가치창조
자신과 자신의 고용인들의 생활을
유지할 정도의 가치만 생산한다고
보았거든.
빵
그래서 상공업자들이 극도로 절약해야만
사회의 부와 소득을 증가시킬 수 있다는
거지.
어흑.
사회의 부와 소득
쫘악—
아빠…
여보,
잘하고 있어!
그들은 단지 자신들의 생활을 위한
재원만 생산하므로
내일
먹을 양식.
입에 풀칠만
하누?
자신들의 소비 중 일부를
절약하지 않으면
이만큼은
저축.
사회 전체의 소득은 증가하지 않는다는 거야.
여기 모아
둔 거 다
어디 갔어?
사회 전체의 소득
꺼억~
….
요즘은 상공업자들이 농업에 종사하는 사람보다 훨씬
많은 부를 창조하지만
상공업
농업
산업 혁명의 단계로 들어가기 전인 18세기 프랑스를
생각하면 이해될 거야.
문 좀
열어 주세요.
산업 혁명
똑
똑
프랑스

당시 프랑스는 상공업이 있더라도 아주 소규모의 가내 공업 정도였어.
훌쩍.
18C 프랑스 상공업
중농주의는 이런 비생산적인 상공업들도 사회 전체를 위해 크게 유용하다고 보았어.
상공업자
꼬마야, 이리로 차.
왜냐하면 상공업자들의 노동으로 지주와 농부들이 필요로 하는 외국의 상품들과
외국 상품
지주
와, 수입품이다!
국내 상품들을 구입할 수 있기 때문이지.
땡큐구먼.
외국상품
국내상품
상공업자들은 이런 간접적인 방법으로 토지 생산물의 증가에 기여하고 있는 거야.
토지 생산물
따라서 중농주의가 상공업자들의 노동을 제한하는 것은
어떤 경우에도 지주와 농부들에게 도움이 되지 않지.
경찰
하지 말라는데 왜 해?
왜냐하면 상공업자들의 자유가 클수록
지주와 농부들은 자신들이 원하는 외국 재화와 국내 상품들을 싸게 구입할 수 있기 때문이야.
외국재화, 국내상품
30% D·C
창고대방출
오예~

동시에 지주와 농부를 억압하는 것은
어… 어?
어쿠!
상공업자들에게도 이익이 되지 않는다고 주장했어.
상공업자들은 지주와 농부들의 생산물이 없으면 활동할 수가 없는 계급이거든.
배에서 벨이 울리고 있는데 요걸 먹으라고?!
꼬르륵
그게 마지막 빵이에요.
토지 생산물이 클수록
토지 생산물
상공업자들의 생산과 고용도 더 증가한다는 거야.
상공업자들의 생산과 고용
생산 계급인 지주, 농부들과 비생산 계급인 상공업자들 간에 완전한 자유, 완전한 평등을 이루는 것이
지주, 농부
상공업자
자유
평등
모두에게 최고의 번영을 가져다 준다는 거지.
번영
….
와, 커졌어!
따뜻해.
중농주의는 농업국에 부족한 상공업자들을 농업국에 공급하고
자유무역
농업국
농업국에 없는 중요한 물자들을 가장 효과적으로 공급할 수 있는 방법이 바로 자유 무역이라고 생각했어.
그게 뭐야?
회초밥 인데요.
농업국

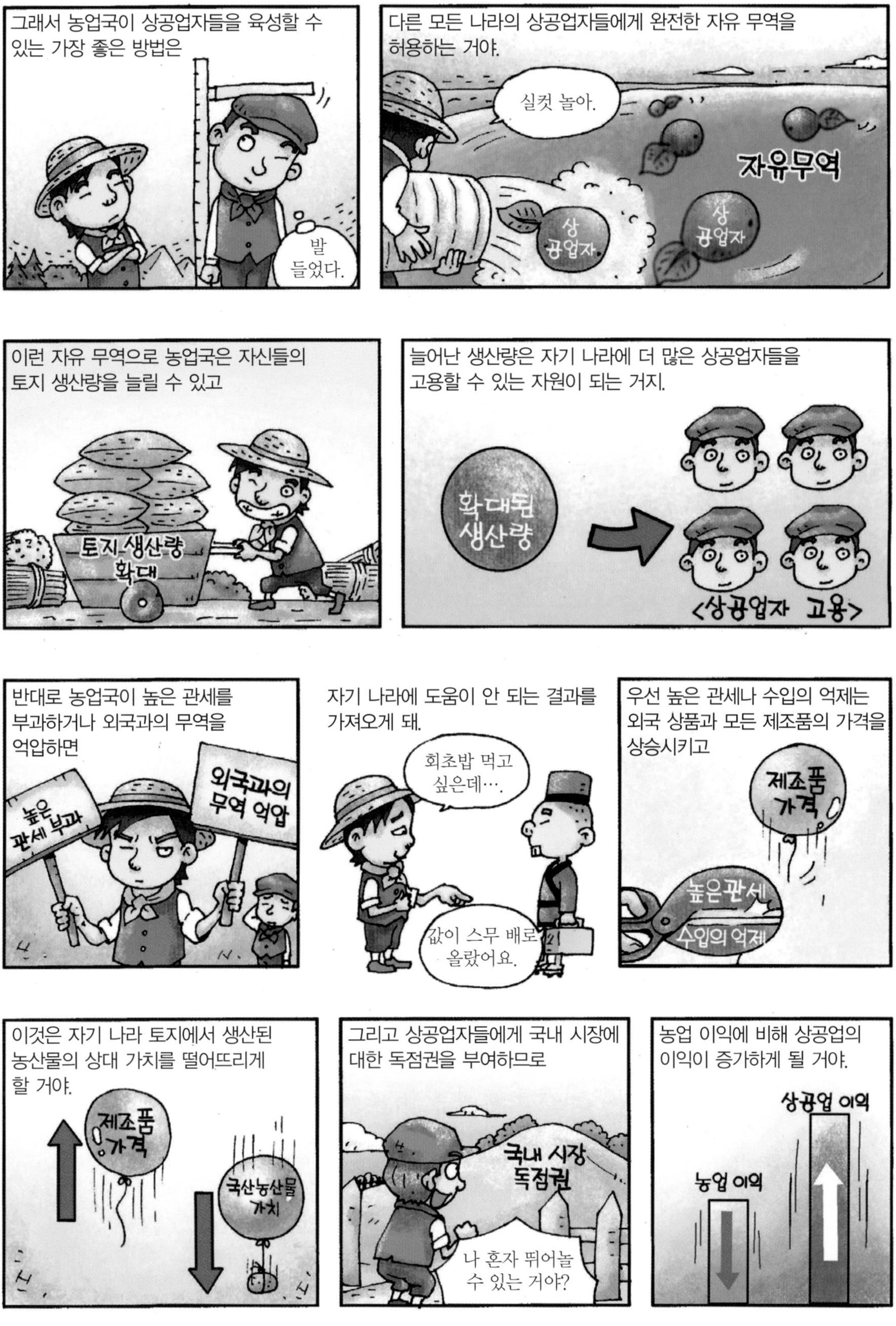

그래서 농업국이 상공업자들을 육성할 수 있는 가장 좋은 방법은
발 들었다.
다른 모든 나라의 상공업자들에게 완전한 자유 무역을 허용하는 거야.
실컷 놀아.
자유무역
상 공업자
상 공업자
이런 자유 무역으로 농업국은 자신들의 토지 생산량을 늘릴 수 있고
토지 생산량 확대
늘어난 생산량은 자기 나라에 더 많은 상공업자들을 고용할 수 있는 자원이 되는 거지.
확대된 생산량
<상공업자 고용>
반대로 농업국이 높은 관세를 부과하거나 외국과의 무역을 억압하면
높은 관세 부과
외국과의 무역 억압
자기 나라에 도움이 안 되는 결과를 가져오게 돼.
회초밥 먹고 싶은데….
값이 스무 배로 올랐어요.
우선 높은 관세나 수입의 억제는 외국 상품과 모든 제조품의 가격을 상승시키고
제조품 가격
높은관세
수입의 억제
이것은 자기 나라 토지에서 생산된 농산물의 상대 가치를 떨어뜨리게 할 거야.
제조품 가격
국산농산물 가치
그리고 상공업자들에게 국내 시장에 대한 독점권을 부여하므로
국내 시장 독점권
나 혼자 뛰어놀 수 있는 거야?
농업 이익에 비해 상공업의 이익이 증가하게 될 거야.
상공업 이익
농업 이익

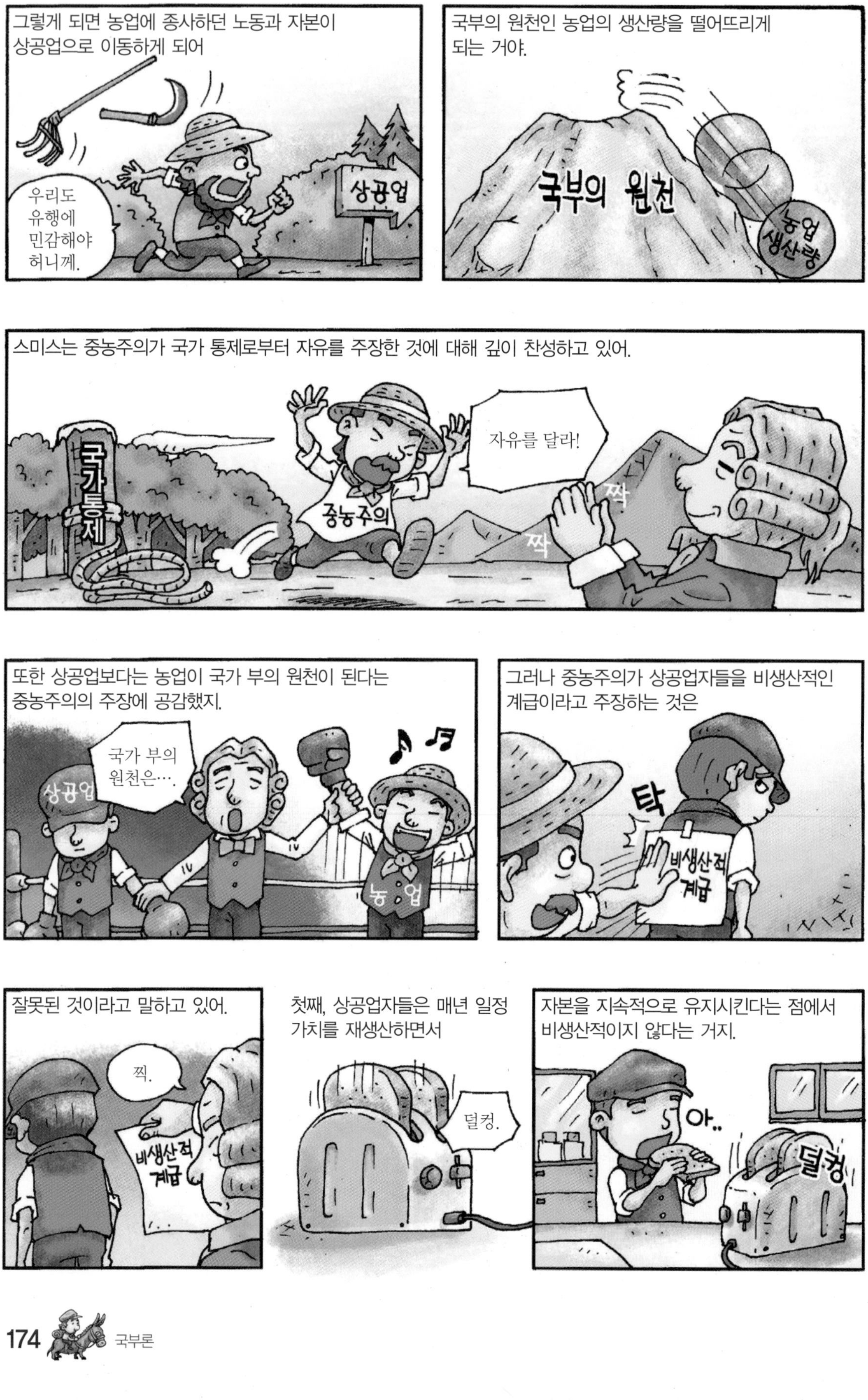
그렇게 되면 농업에 종사하던 노동과 자본이 상공업으로 이동하게 되어
우리도 유행에 민감해야 허니께.
상공업
국부의 원천인 농업의 생산량을 떨어뜨리게 되는 거야.
국부의 원천
농업 생산량
스미스는 중농주의가 국가 통제로부터 자유를 주장한 것에 대해 깊이 찬성하고 있어.
국가통제
중농주의
자유를 달라!
짝
짝
또한 상공업보다는 농업이 국가 부의 원천이 된다는 중농주의의 주장에 공감했지.
상공업
국가 부의 원천은….
농업
그러나 중농주의가 상공업자들을 비생산적인 계급이라고 주장하는 것은
탁
비생산적 계급
잘못된 것이라고 말하고 있어.
찍.
비생산적 계급
첫째, 상공업자들은 매년 일정 가치를 재생산하면서
덜컹.
자본을 지속적으로 유지시킨다는 점에서 비생산적이지 않다는 거지.
아..
덜컹

물론 농업에 비해서 상공업의 생산력이 떨어진다는 것은 인정하지만 말야.
<농업 생산력>
<상공업 생산력>
가령 세 명의 아이를 가진 부모가 두 명의 아이를 가진 부모를 보고
당신은 비생산적이군요.
비생산적이라 말하는 것은 맞지 않아.
이건 아니지.
둘째, 이런 이유로 중농주의가 상공업에 종사하는 사람들을
우리 집 마당 좀 쓸어.
농업에 종사하는 사람들의 하인처럼 취급하는 것은 잘못된 것이라고 스미스는 주장하고 있어.
팍
네가 쓸어!
하인들의 노동은 주인에게 서비스를 제공하고 소멸해 버리므로
휴, 다 치웠다.
휘잉
어떤 자본도 축적할 수가 없을 거야.
으악, 또?
반면에 상공업자들의 노동은 판매가 가능한 상품이라고 볼 수 있어.
상공업자들의 노동은 하인의 노동과 달리 생산적인 노동이지.
비생산적
생산적
셋째, 중농주의에 따르면 상공업자들은 절약하지 않고는 사회의 부를 증가시킬 수 없고,
그만 봐! 짜겠다.
-가훈-
한숟갈 모여 한공기

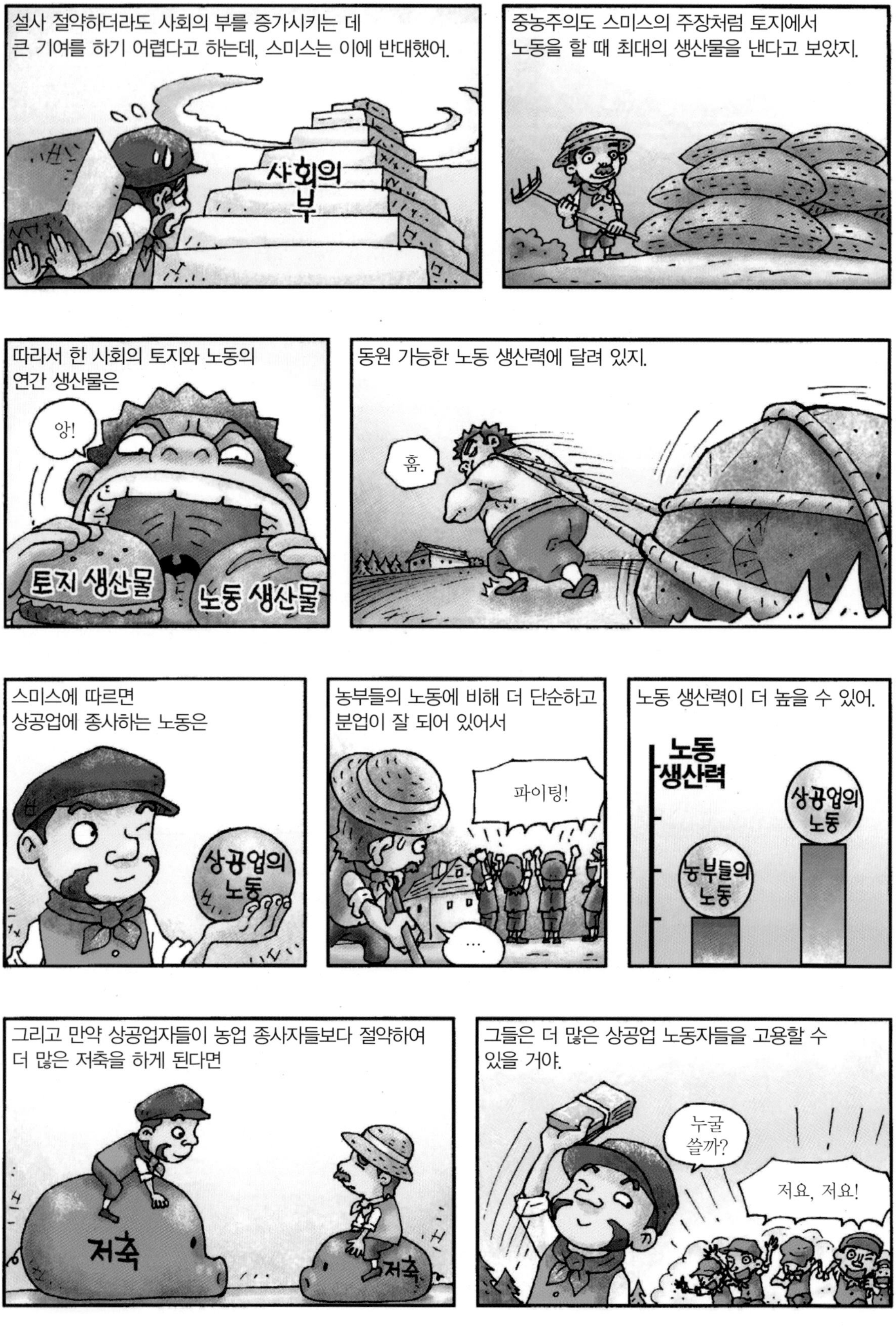
설사 절약하더라도 사회의 부를 증가시키는 데 큰 기여를 하기 어렵다고 하는데, 스미스는 이에 반대했어.
사회의 부
중농주의도 스미스의 주장처럼 토지에서 노동을 할 때 최대의 생산물을 낸다고 보았지.
따라서 한 사회의 토지와 노동의 연간 생산물은
앙!
토지 생산물
노동 생산물
동원 가능한 노동 생산력에 달려 있지.
흡.
스미스에 따르면 상공업에 종사하는 노동은
상공업의 노동
농부들의 노동에 비해 더 단순하고 분업이 잘 되어 있어서
파이팅!
….
노동 생산력이 더 높을 수 있어.
노동 생산력
상공업의 노동
농부들의 노동
그리고 만약 상공업자들이 농업 종사자들보다 절약하여 더 많은 저축을 하게 된다면
저축
저축
그들은 더 많은 상공업 노동자들을 고용할 수 있을 거야.
누굴 쓸까?
저요, 저요!

이렇게 상공업자들이 농업 종사자들에 비해 사회의
부를 증가시키는 데 더 큰 기여를 할 수도 있어.
기여
그리고 중농주의가 지주, 농부, 상공업자로 사회 계급을
분류한 것에 비해
중농주의
지주
농부
상공업자
사회계급
스미스는 자본가, 지주, 노동자로 분류하여
근대적 계급 체계를 제시하고 있지.
자본가
지주
노동자
또한 스미스는 인위적으로 간섭을 하거나 특정 산업에
특혜를 주는 모든 제도가 폐지되면
인위적 간섭 제도
특정 산업 특혜 제도
자연적 자유의 제도가 스스로 확립될 수 있다고
보았어.
자연적 자유의 제도 확립
확립하라!
이 제도하에서는 모든 사람들이 완전히 자유롭게
자, 골라 골라~
팍
자신의 방식대로 자신의 이익을 추구할 수 있게
된다는 거야.
겨울 식량 준비 완료~

이런 체제하에서 국가는 개인의 노동이나 특정 산업을 지휘 감독하는 의무에서
삐-익
해방될 수가 있어.
날아갈 것 같아.
그런데 이런 자연적 자유의 제도가 확립된 상황에서 국가는 사라질까?
잠깐, 나 지금 사라지고 있는 거니?
그런 거야?
물론 아니지.
쿵
이런 상태에서도 국가가 해야 할 명확한 세 가지 의무가 있어.
3
의무는 내가 존재하는 이유.
첫째, 국가를 다른 국가들의 폭력이나 침략으로부터 보호하는 거야.
국가
그… 그냥 갈게요.
둘째, 엄정한 사법을 확립하여 사회 내에 불법이나 억압으로부터 구성원들을 보호하는 거야.
국가
셋째, 일정한 공공 사업과 공공 시설을 유지할 의무가 있어.
시청
구청
주민 자치 센터
국립 공원
공중 화장실

이건 반드시 전체 사회의 이익을 위해 행해져야 할 거야.
국가의 의무
팔락.
국가
국가가 이런 세 가지 의무를 수행하는 데
필요한 비용은 누가 지불할까?
세금
국가 의무 수행
국가가 행하는 의무로부터 가장 큰 혜택을 누리는
사람들은 바로 국민들이잖아.
?
국민
국민
?
그래서 국민들이 세금을 내고
국가는 그 세금으로 이런 의무를 수행하는 거야.
세금 만땅. 힘 팍팍!!
다음 장에서는 국가에 필요한
경비는 무엇이고
경비실
누가 나 불렀어?
국가는 어떻게 세금을
거두어 들이는지,
세금
그리고 국채의 원인과 그것이 사회에 미치는 영향이
무엇인지를 알아볼 거야.
국채

# 제12장 국가에 필요한 경비와 그 마련 방법

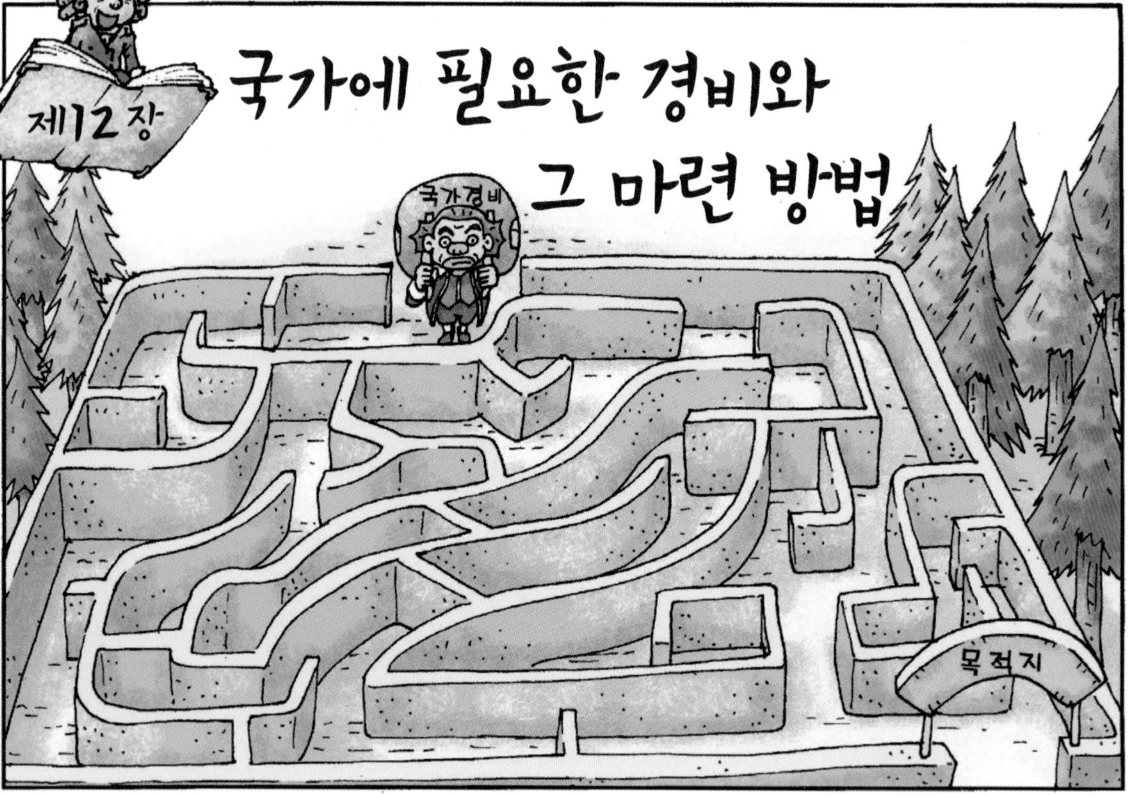
국가경비
목적지

이 장은 인위적인 간섭이나 특혜가 폐지된 자연적 체제하에서
인위적 간섭
특혜

국가의 고유한 역할에 대해 말하고 있어.
국가

스미스의 《국부론》을 읽을 때 주의해야 할 것이 있어.
국부론
주의사항

우선 스미스는 경제에 대한 정부의 간섭이나 규제가 없어지면
정부
경제
경제

모든 사람들이 자유롭게 자신의 이익을 추구할 수 있게 된다고 주장하고 있어.
고기를 잡으러 바다로 갈까요~
난 과일을 팔아 볼까?

그러나 이런 상태하에서 스미스가 정부의 역할을 필요악으로 간주한다고 보는 것은
정부의 역할 =
필요악
스미스에 대한 큰 오해를 가져오지.
빵
국가가 필요악이라고 주장하는 사람들은
국가는 필요악이다!
사회가 발전함에 따라 국가의 역할이 가능한 한 축소되어야 한다고 보았어.
국가의 역할
사회의 발전
그러나 스미스는 그 반대로 주장했지.
No, No, No!
민간 경제가 발전하여 커질수록
경제
경제발전
정부의 역할은 더 강화되어야 할 필요가 있다는 거야.
경제
정부의 역할
스미스에 따르면 군대는 정부가 담당하는 분업이라는 거야.
정부
따라서 민간 경제는 민간에 맡겨두고
정부
민간 경제
정부는 국방, 사법, 공공 시설을 유지하는 역할을 담당하게 되는 거지.
국방
사법
공공시설

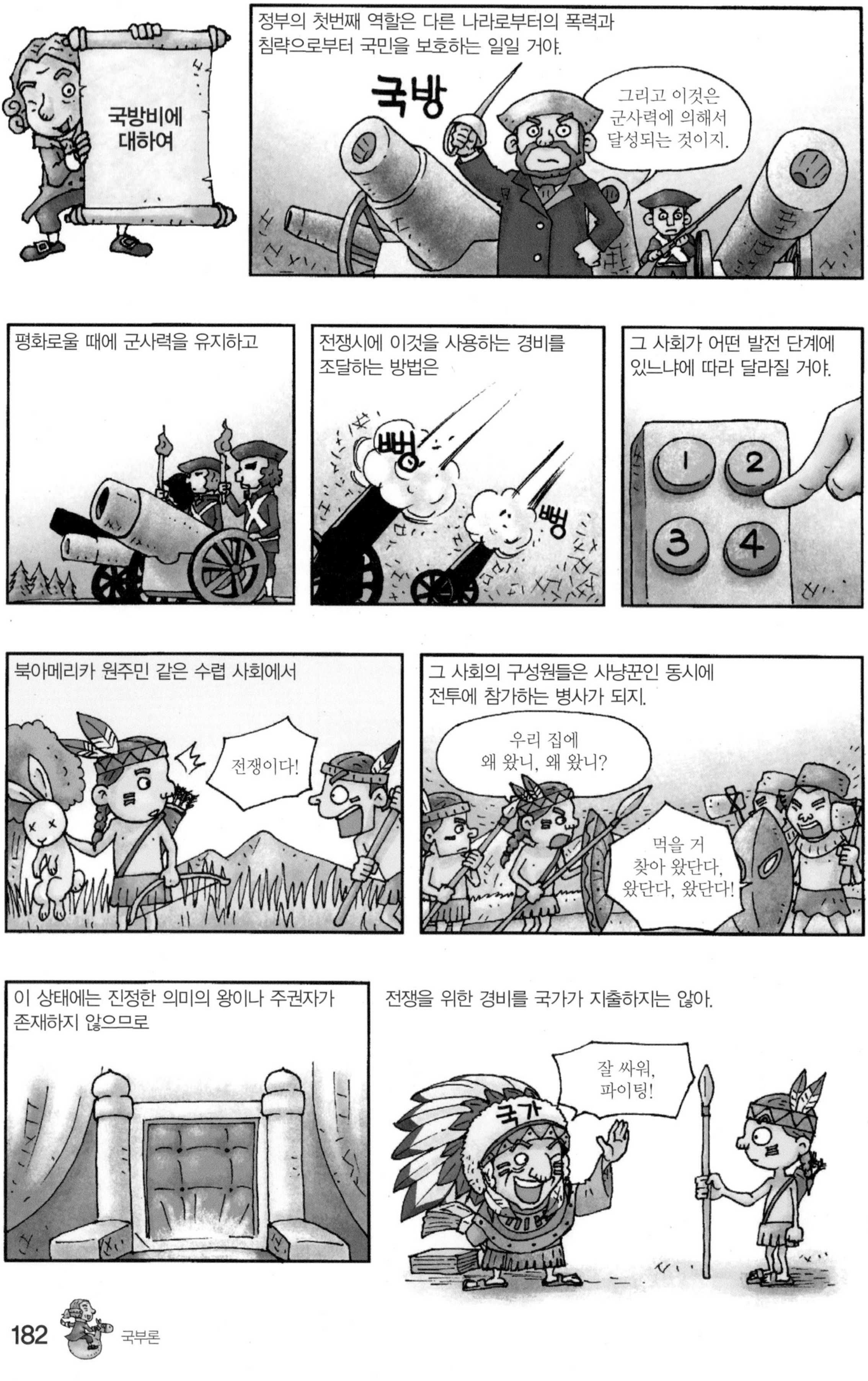
국방비에 대하여
정부의 첫번째 역할은 다른 나라로부터의 폭력과 침략으로부터 국민을 보호하는 일일 거야.
국방
그리고 이것은 군사력에 의해서 달성되는 것이지.
평화로울 때에 군사력을 유지하고
전쟁시에 이것을 사용하는 경비를 조달하는 방법은
뻥
뻥
그 사회가 어떤 발전 단계에 있느냐에 따라 달라질 거야.
1
2
3
4
북아메리카 원주민 같은 수렵 사회에서
전쟁이다!
그 사회의 구성원들은 사냥꾼인 동시에 전투에 참가하는 병사가 되지.
우리 집에 왜 왔니, 왜 왔니?
먹을 거 찾아 왔단다, 왔단다, 왔단다!
이 상태에는 진정한 의미의 왕이나 주권자가 존재하지 않으므로
전쟁을 위한 경비를 국가가 지출하지는 않아.
잘 싸워, 파이팅!
국가

타타르 인이나 아라비아 인 같은 유목민들의 경우도 각 개인이 전사가 돼.
부엌칼 들고 왔네.
이들은 평화시에도 이동 생활을 하는 것에 익숙해 있어서
워허이~
전쟁 시 쉽게 전투에 참가해서
각자의 역할을 수행할 수가 있어.
핑.
너 그거 던지면 뭘로 싸워?
이들 민족도 모두 왕이나 주권자를 가지고 있지만
왕이 이들에게 전쟁을 위한 어떤 경비도 부담하지 않아.
썩소.
전쟁에 참가하고 그들이 받는 유일한 보상은
보너스 팍팍!
네!
다른 민족을 마음대로 약탈할 수 있는 거야.
활활
꺄악.
깨갱.
좀 더 진보한 농경 사회에서도 각 개인이 전사가 되지.
출전 준비 끝!!
도랑을 파거나 하는 일은

전쟁 시에 참호나 진지를 구축하는 일을 익숙하게 해.
소대장님, 다 팠습니다.
펑 펑
수고했다.

그러나 농민들은 병사로서 완전한 훈련을 못 받고 있어.
받들어 삽!

그럼에도 왕이나 국가가 농민들이 전쟁에 참가하는 동안 아무 비용도 지불하지 않아.
폐하, 3대대 본부 중대가 식량이 떨어졌답니다.
뭣이? 감자 캐먹으라고 해.

그러나 가장 발전된 사회에서는 두 가지 원인으로 전쟁에 참가하는 사람들이 자신의 비용으로 생활할 필요가 없게 되었어.
이제부턴 도시락 싸오지 마.
와~

그 원인이란 제조업의 발달과 전쟁 기술의 개선이야.
제조업의 발달
전쟁 기술의 개선

농민의 경우는 전쟁이 씨를 뿌리고 난 후에 시작되어

추수하기 전에 끝난다면

농사일이 중단되더라도 농민 전사들에게 큰 손해는 없을 거야.

그러나 목수, 대장장이 같은 수공업자들은 일자리를 떠나면 수입이 없게 되잖아.

그들이 전쟁터에 나가게 된다면 결국 국가가 그들을 부양해야 하지.
알았다. 식량, 생활비 보내.
끙.
전쟁 기술 또한 문명이 발달함에 따라 가장 복잡한 기술의 하나가 돼.
따라서 전쟁 기술을 최고 수준으로 높이기 위해서는 하나의 사회 직업이 될 필요가 있었던 거야.
무기 공학 연구소
전쟁 기술의 발전을 가져오는 데도 분업이 필수적이지.
김박사는 발사대를 연구하시고
남박사는 기폭 장치를,
송박사는 폭발력을 연구하세요.
이런 점에서 군인이라는 직업을 다른 직업과 독립된 것으로 만든 점은 국가의 특별한 지혜일 거야.
국가
척.
사회가 진보할수록 농민들과 제조업자들은 여가를 가지기가 어렵게 되지.
여보, 우리 놀러 안 가요?
잠잘 시간도 빠듯해.
따라서 그들은 군사 훈련을 소홀히 하게 되고
하암.
많은 시민들이 전쟁에 관심을 가지지 않을 거야.
옆나라 전쟁 얘기 들었나?
'쩐의 전쟁'은 좀 아는데….

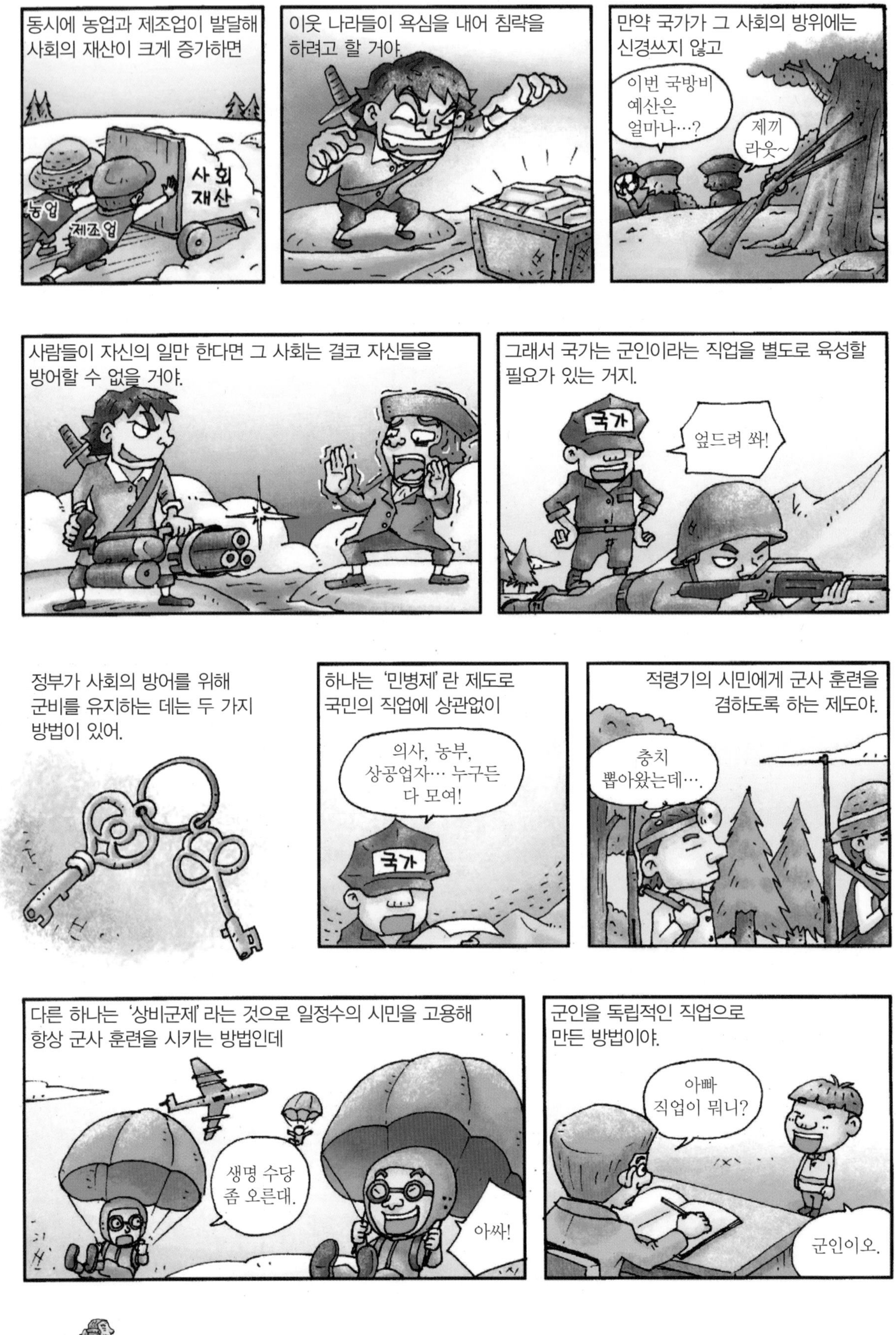

동시에 농업과 제조업이 발달해 사회의 재산이 크게 증가하면
사회 재산
농업
제조업
이웃 나라들이 욕심을 내어 침략을 하려고 할 거야.
만약 국가가 그 사회의 방위에는 신경쓰지 않고
이번 국방비 예산은 얼마나…?
제끼라웃~
사람들이 자신의 일만 한다면 그 사회는 결코 자신들을 방어할 수 없을 거야.
그래서 국가는 군인이라는 직업을 별도로 육성할 필요가 있는 거지.
국가
엎드려 쏴!
정부가 사회의 방어를 위해 군비를 유지하는 데는 두 가지 방법이 있어.
하나는 '민병제'란 제도로 국민의 직업에 상관없이
의사, 농부, 상공업자… 누구든 다 모여!
국가
적령기의 시민에게 군사 훈련을 겸하도록 하는 제도야.
충치 뽑아왔는데….
다른 하나는 '상비군제'라는 것으로 일정수의 시민을 고용해 항상 군사 훈련을 시키는 방법인데
생명 수당 좀 오른대.
아싸!
군인을 독립적인 직업으로 만든 방법이야.
아빠 직업이 뭐니?
군인이오.

이 두 가지 제도를 비교해 보면
민병제
상비군제
민병제의 군인들은 임시적으로 군사 훈련에 임하고 각자 본래의 직업으로 돌아가는 반면에
훈련 벌써 끝났어?
벌써라니. 얼굴이 반쪽이 됐구먼!
상비군제 군인들의 군사 훈련은 그들의 본래 직업이고
사격!
탕 탕
그들의 급여는 국가로부터 나오게 돼.
국가
수고했다.
충성!
급여
두 군대의 군사력을 비교하면
챙
민병제의 군인은 군인보다 상인, 농부, 노동자의 성격이 더 강하다고 할 수 있어.
민병
사과랑 감이 다 익었을 텐데….
반면에 상비군제의 군인은 군인으로서의 성격이 앞선다고 볼 수 있어.
저기요, 길 좀 물을게요.
톡
선임 하사 변기차!!
따라서 어떤 방식으로 훈련을 받든지
민병대
한 달에 한 번 훈련하는 우리가….
민병대는 상비군보다는 늘 전투력에서 떨어질 수밖에 없어.
와아~
상비군
매일 훈련받는 상비군을 무슨 수로 이겨?
죽은 척.

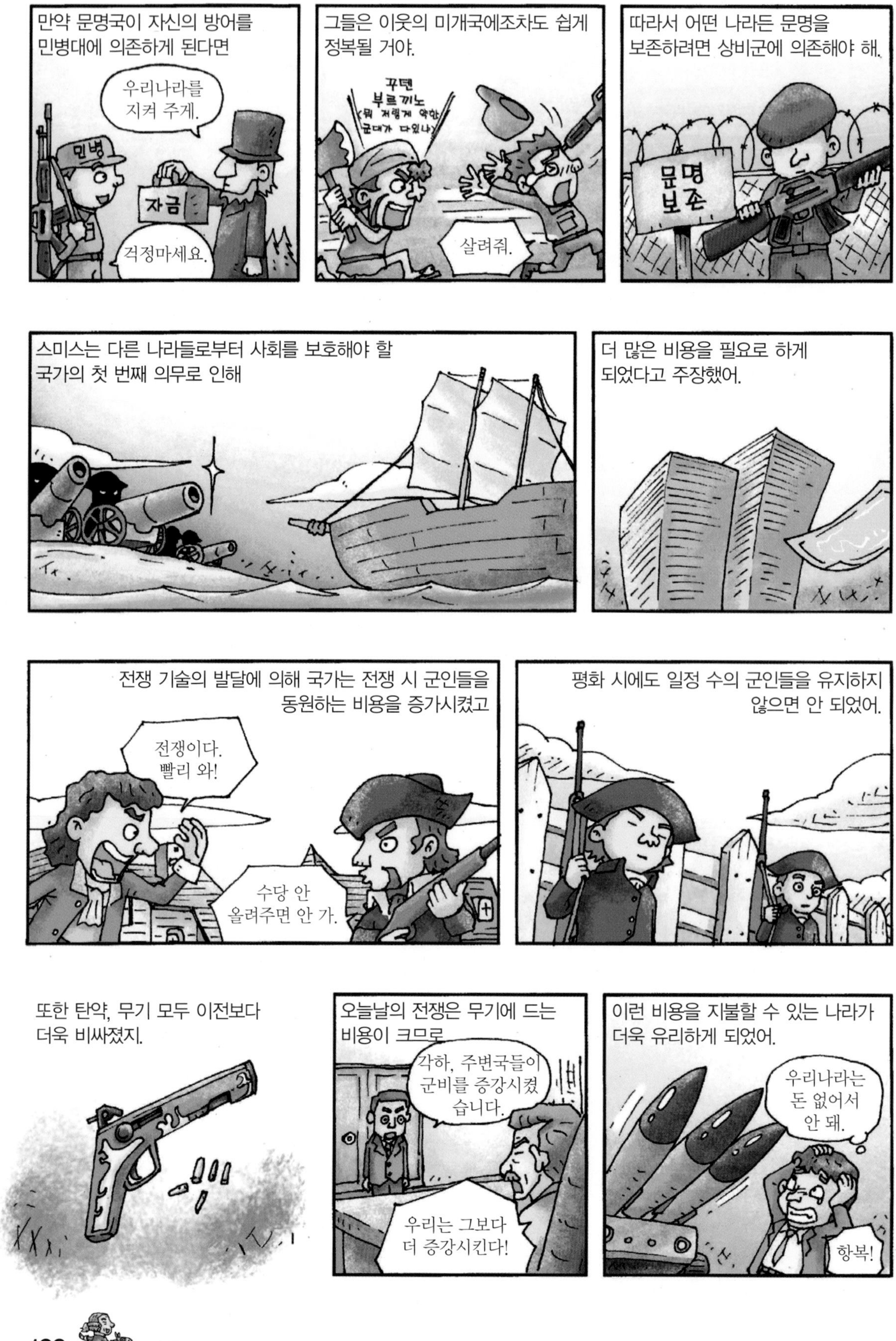
만약 문명국이 자신의 방어를
민병대에 의존하게 된다면
우리나라를 지켜 주게.
민병
자금
걱정마세요.
그들은 이웃의 미개국에조차도 쉽게
정복될 거야.
꾸뗀 부르끼노
(뭐 저렇게 약한 군대가 다있나)
살려줘.
따라서 어떤 나라든 문명을
보존하려면 상비군에 의존해야 해.
문명 보존
스미스는 다른 나라들로부터 사회를 보호해야 할
국가의 첫 번째 의무로 인해
더 많은 비용을 필요로 하게
되었다고 주장했어.
전쟁 기술의 발달에 의해 국가는 전쟁 시 군인들을
동원하는 비용을 증가시켰고
전쟁이다. 빨리 와!
수당 안 올려주면 안 가.
평화 시에도 일정 수의 군인들을 유지하지
않으면 안 되었어.
또한 탄약, 무기 모두 이전보다
더욱 비싸졌지.
오늘날의 전쟁은 무기에 드는
비용이 크므로
각하, 주변국들이 군비를 증강시켰습니다.
우리는 그보다 더 증강시킨다!
이런 비용을 지불할 수 있는 나라가
더욱 유리하게 되었어.
우리나라는 돈 없어서 안 돼.
항복!

스미스는 현대식 무기의 발명이 얼핏 해로운 것처럼 보이지만
콰오오
이러다 인류 멸망하는 거 아냐?
문명을 보존하는 데는 확실히 유리하고,
쳇, 전투력이 증강됐잖아.
배 돌렷!
따라서 국방비는 사회의 문명이 발달함에 따라 증대하여, 결코 줄어들지 않는다고 보았어.
사법비에 대하여
정부의 두 번째 의무는 개인을 다른 개인의 불법이나 억압으로부터 보호하는
정부
개인
웬 떠이야~
사법권의 확립에 있지.
사법권
즉 재판의 엄정한 시행을 확립하는 데 있다는 거야.
땅
사법부
수렵 민족들에겐 재산이라는 것이 거의 없었고
재산?
썩기 전에 다 먹어야지.
재판의 정규적인 운영도 없었어.
네가 잘했냐, 내가 잘했냐?
네가.

재산이 없는 사람들끼리의 상호 침해는 신체나 명성에만 국한되고
우리 마을 미래 남편 인기 1위. 칠득이!
그 침해도 심각한 것은 아니었어.
쳇, 잘났다.
그러나 큰 재산이 있으면 큰 불평등이 있어서
잠깐, 왜 다 가져가?
한 사람의 큰 부자가 있으면 수백 명의 가난한 사람들이 있게 되잖아.
부자는 자신의 부로 방종하게 되고 이것이 가난한 사람들을 화나게 해서
돈으로 비행기 만들면 더 잘 날까?
부자의 재산을 침해하게 하지.
빠라밤~
따라서 부자들이 자신의 재산을 부정한 침해로부터 보호받기 위해서는
사법권의 보호를 받는 방법밖에 없어.
사법권
스미스는 방대한 사유 재산이 발생하여 시민 정부가 수립이 되고
시민정부
이것이 재산을 보호하는 역할을 하게 된다고 보았어.
시민 정부

결국 시민 정부의 통치가 부자들의 재산을 안전하게 지키기 위해 형성된 것이므로
팅
팅
가난한 사람들로부터 부자를 지키기 위한 것이라고 볼 수 있는 거야.
시민 정부
쿵
그러면 시민 정부가 사법권을 행사하는 데 필요한 경비는 어떻게 모을 수 있었을까?
이것은 근대 사회 이전과 이후로 나누어서 알아보아야 해.
근대 사회가 확립되기 전에는 통치자의 사법권이
지출의 원인이 아니라 도리어 수입의 원천이었어.
여기….
흠.
왕이나 통치자에게 재판을 요청하는 사람들은 언제나 재판에 대해 돈을 지불하려 했어.
그게 무엇인고?
그냥 아무 사심없는 사과 상자 이옵니다.
그리고 왕의 판결로 유죄를 받은 사람은 상대방에게 뿐만 아니라 왕에게도 벌금을 물어야 했어.
왕들이 돈 많은 이유를 이제야 알겠다.
벌금
벌금
재판으로 왕을 골치 아프게 했다는 데 대한 벌금이었지.
아, 머리 아프도다.
실은 이게 내 투잡이거든.

만약 재판이 상당한 수입을 올리는 목적이 되어 버린다면
폐하, 재판이 두 건 들어 왔사옵니다.
오~예.
선물의 크기에 따라 판결이 결정되고
사과 상자 대신 포도 상자잖아.
패소!
무죄를 유죄로, 유죄를 무죄로 조작하는 것이 얼마든지 가능할 거야.
패소한 자가 다시 사과 두 상자를 가지고 왔습니다.
그럼, 승소!!
이런 재판의 부패는 정부가 국방비의 증대로 각종 세금을 거두어 들이면서 감소하기 시작했어.
세금
이제 귀찮은 재판 안 해도 되겠네.
사람들이 자기 자신의 안전을 위해 여러 가지 세금을 부담하게 되면서
왜 많은 세금을 내냐고?
난 소중하니까.
사람들은 통치자와 그의 관리들이 재판을 할 때
이 세금을 받는 대신….
판사
대신?
어떤 명목으로도 선물을 받아서는 안 된다는 요구를 시작했기 때문이야.
재판 때마다 선물 받는 행위 금지!
판사
금지!
알았다.
재판관에게는 일정한 급료가 지급되었어.
판사
나 고위 공무원 이잖아.
그러나 재판이 무료로 행해지지는 않았어.
WHY
?
사람들은 변호사에게 항상 대가를 지불했거든.
우리 앤 잘못이 없거든요.
알겠습니다.

그리고 스미스는 사법권이
행정권으로부터 분리된 것은
안녕.
사법권
행정권
사회가 점차 진보함에 따라 사무가
증가한 것이 원인이고
돈 언제 갚을 거야?
법대로 하자고~ 법.
네가 잘했네, 내가 잘했네.
이것 역시 분업의 원리에 기반을
둔다고 보았어.
일을 분할할수록 더 능률적이 되니까.
그러나 사법권과 행정권이
통합되어 있을 때에는
사법권
행정권
재판이 정치에 종속되어 희생될
수밖에 없을 거야.
피고가 국방부 장관 아들이라는데요?
그럼 승소하게 해야겠군.
국가의 이익을 담당하는 사람들은
판사
국방부 장관 아들이 진다면 국방부 장관이
심란해서 나랏일을 제대로 못 볼 테니….
개인의 이익이 희생되는 것을 당연하게
생각할 수도 있겠지.
판사
나라가 위험해지는 것보단
소수의 피해자가 생기는 게 낫지, 암.
그래서 모든 개인이 자기의 권리를 안전하게 누리기
위해서는 사법권이 행정권으로부터 분리 독립될 필요가
있었던 거야.
행정권
사법권
재판관은 행정부의 기분에 따라
면직되어서는 안 되고
행정부
기분 나빠, 면직!
판사
흥, 누구 맘대로.
재판관의 급료 역시 행정부에 좌지우지되어선
안 되는 거지.
급료는 내가 계산해 줄게.
행정부
판사
내 봉급은 내가 챙긴다.

정부의 세번째 의무는 공공 사업과
공공 시설을 세우고 유지하는 데 있어.
청소년 체육관
이런 사업들은 전체 사회에 큰 유익을 줌에도 불구하고
성공신화 강연회
개인이 그 비용을 낼 수가 없기 때문에
개인들이 그것을 유지할 수가 없는 사업들이야.
공원
박물관
교육관
이런 사업에는 앞에서 말한 국방, 사법을 포함하여
사회의 상업을 장려하기 위한 것과
사람들의 교육을 증진시키기 위한 공공 시설, 공공 사업이 있을 수 있어.
도서관
청소년 교육관
사회의 상업을 촉진 시키는 공공 사업에 대하여
한 나라의 상업을 편리하게 하는 공공 사업에는
시장까지 너무 멀어서 고기가 상할 텐데…
Meat
도로, 다리, 운하, 항구 등을 건설 유지하는 사업이 있어.
다리가 놓여 시장까지 빨리 갈 수 있겠다.

이런 사업을 유지하는 데 드는 비용은
연간 생산물!
분명히 그 나라의 연간 생산물이 증가함에 따라 커질 거야.
쩌렁
사업 유지비용
그러나 스미스는 이런 공공 사업의 비용을 국가의 세금으로 낼 필요는 없다고 보고 있어.
예를 들어 도로, 다리, 운하 등을 건설하는 비용은 이를 이용하는 마차들에게
워워~
약간의 통행료를 거두는 것으로 충당이 가능하다는 거지.
통행료
통행료를 지불한 운송자는 최종적으로 그 비용을 상품 가격에 덧붙여서
수익이 남아야 하니까.
소비자가 그 비용을 지불하게 할 거야.
소비자
그러나 수송비는 공공 사업으로 세워진 다리, 도로 덕분에 줄어들 테고
거리가 줄었으니까.
도착지
출발
기존 가던 길
따라서 통행료로 상품의 가격이 증가하는 것이 아니라
통행료
또르르
탁
상품가격
수송비를 낮추는 효과로 인해 상품 가격이 인하될 거야.
촤르르르르르르륵—
수송비 인하
상품 가격

그리고 사치스러운 마차들에 대해서는 통행료를 높여서
가난한 사람들에게 혜택을 줄 수 있을 거야.
통행료
도로, 다리, 운하 등이 이런 방식으로 유지된다면
그것들을 건설하는 것이 상업적으로 필요가 있는 곳에만 건설될 수 있겠지.
아무곳에나 건설해서 비싼 통행료만 물면
안 되니까 말이야.
그래서 도로가 귀족이나 권력자의 별장을 연결하기 위해 건설되는 일은 없을 거야.
귀족별장
매번 이렇게 다녀야 해?
놀랍지 않아?
이런 방법은 요즘 우리나라에서도 사용하는 방법이잖아.
고속 도로를 처음 개통할 때 통행료를 부과한다거나
소형차:4000
대형차:5000
터널을 새로 뚫을 때 통행료를 부과하는 방법 등이
스미스가 18세기에 이미 생각한 아이디어라는 게 말이야.
천재란 시공을 초월하는 법.

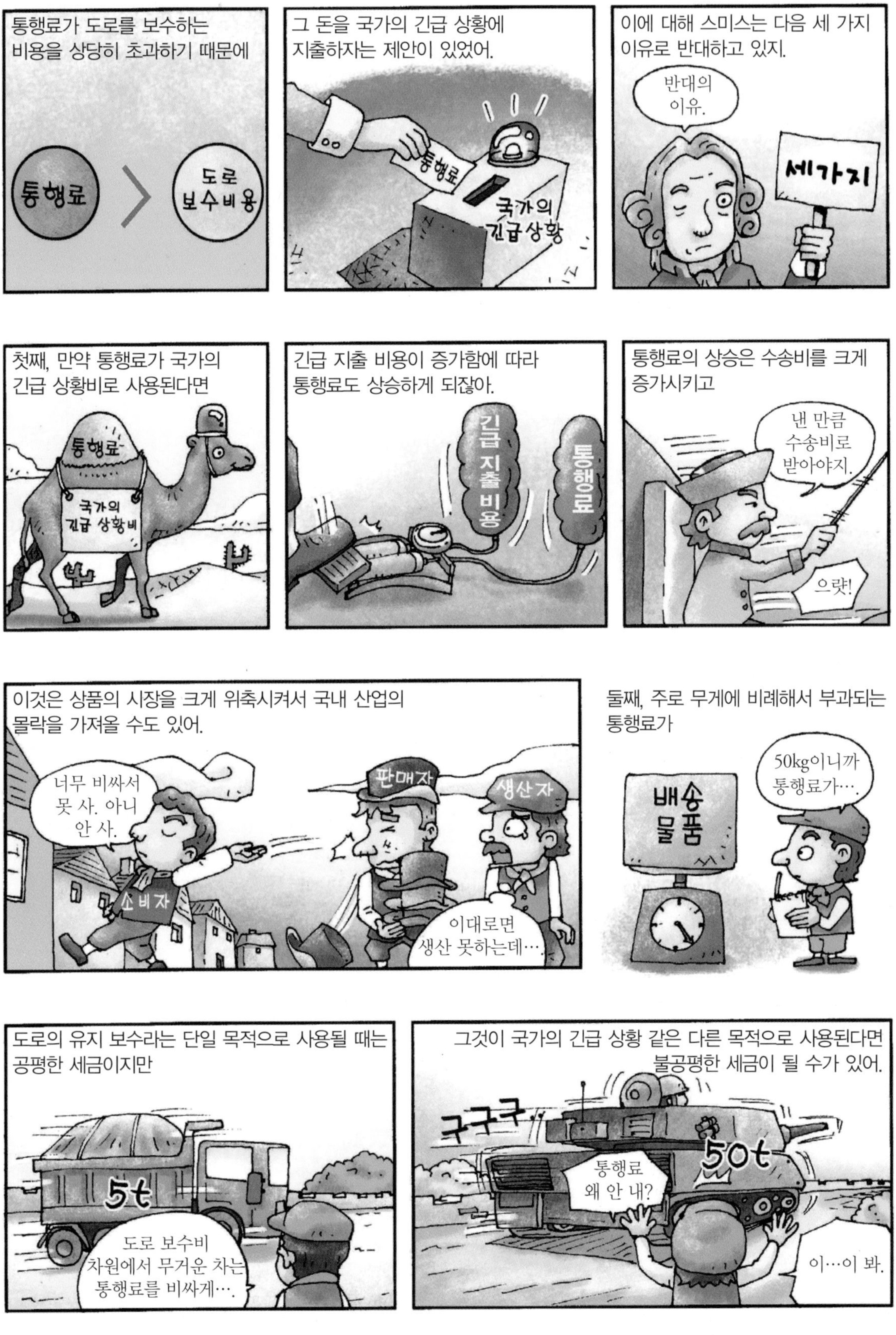
통행료가 도로를 보수하는 비용을 상당히 초과하기 때문에
통행료
도로 보수비용
그 돈을 국가의 긴급 상황에 지출하자는 제안이 있었어.
통행료
국가의 긴급상황
이에 대해 스미스는 다음 세 가지 이유로 반대하고 있지.
반대의 이유.
세가지
첫째, 만약 통행료가 국가의 긴급 상황비로 사용된다면
통행료
국가의 긴급 상황비
긴급 지출 비용이 증가함에 따라 통행료도 상승하게 되잖아.
긴급 지출 비용
통행료
통행료의 상승은 수송비를 크게 증가시키고
낸 만큼 수송비로 받아야지.
으랏!
이것은 상품의 시장을 크게 위축시켜서 국내 산업의 몰락을 가져올 수도 있어.
너무 비싸서 못 사. 아니 안 사.
소비자
판매자
생산자
이대로면 생산 못하는데….
둘째, 주로 무게에 비례해서 부과되는 통행료가
50kg이니까 통행료가….
배송 물품
도로의 유지 보수라는 단일 목적으로 사용될 때는 공평한 세금이지만
5t
도로 보수비 차원에서 무거운 차는 통행료를 비싸게….
그것이 국가의 긴급 상황 같은 다른 목적으로 사용된다면 불공평한 세금이 될 수가 있어.
구구구…
50t
통행료 왜 안 내?
이…이 봐.

세금은 주로 비싸고 가벼운 상품의 소비자가 아니라
싸고 무거운 상품의 소비자들이 부담하게 될 거야.
그런데 그런 무거운 상품의 소비자들은 가난한 사람들이야.
결국 부유하고 힘있는 사람들이 아니라
가난하고 힘없는 사람들이 국가의 긴급 재정 비용을 부담하게 되는 거지.
긴급재정비용
셋째, 통행료가 다른 목적으로 사용되는 경우
매번 들어오는 통행료.
조금 슬쩍해도 모르겠지?
도로를 보수 유지한다는 원래의 목적을 위해 그 세금이 사용되기가 어려워질 거야.
다리를 왜 만들다 말어?
통행료로 거둔 세금이 모자라.
특수 상업 부문을 촉진시키는 공공 사업
어떤 특수 상업 분야를 촉진시키기 위해서는
국수 사업을 하고 싶은데
면발은 뭘로 뽑아야 하지.
특수한 시설과 특수한 비용이 요구되는 경우가 있을 거야.
오~
쭉 쭉

아프리카나 인도 같은 문명화되지 않은 지역과 무역을 하는 상인들은
국가의 특별한 보호가 필요하지.
저거 천둥창이다.
영국 정부가 인도와 무역을 하는 동인도 회사의 안전을 위해
인도가 무서워.
흠….
동인도 회사
인도에 요새를 세우도록 허락한 것이나
이제 됐지?
응.
인도
동인도 회사
터키 회사의 무역을 돕기 위해
터키 회사
이스탄불에 상주 대사를 둔 것은 그런 경우에 해당하지.
자….
탁탁
땡큐~
상주대사관
이스탄불
터키 회사
일반적인 정부는 무역을 보호하는 것이 국방상 필수적인 것으로 간주했고
국방상 해야 할 일.
무역
정부
이것은 행정 당국의 의무 중 하나로 간주되었어.
팅
팅
행정당국의 의무
따라서 동인도 회사 같은 특수 회사를 보호하는 것이 행정의 일부가 된 거지.
팍
행정의 의무
팍
동인도회사
그러나 이런 특수 회사들의 상인들이 정부와 의회를 설득하여
제 말만 들으시면….
특수회사 상인
주구장창~
정부
의회

이런 정부의 행정권을 자신들에게 위임하게 하여
행정권
정부
배타적 특권을 가지는 경우가 발생하게 되었어.
배타적 특권
스미스는 이런 회사들이 국가가 하지 않았을 시도를
지금까진 모두 그냥 무역만 했지.
하지만 우린 달라.
스스로의 비용을 씀으로써 새로운 무역 분야를 개척하는 데는 유용했을지 몰라도
무역 대상국에 직접 회사를 차려 무역을 하니
훨씬 많은 소득을 올릴 수 있단 말이지.
결국 특정 영역을 편애하게 되어
정부
나머지 영역에 손해를 입혔다고 보는 거야.
우린 아무것도 안 해주고.
청소년 교육 시설을 위한 경비에 대하여
청소년 교육 기관도 자체의 비용을 지불하기 위해 수업료나 사례금 등으로 충분한 수입을 올릴 수가 있지.
수업료 낸 사람만 입실하기.
사례금은 보너스.
수업료
그러나 당시 대부분의 유럽 대학이나 학교들은 기부 재산이 있었어.
기부 재산
기부 재산
유럽대학
유럽학교
국가에 부담을 주지 않고도 교육 기관을 유지할 수가 있었지.
기부재산

그런데 스미스는 이런 기부 재산이 교육 기관의 원래 목적을 촉진하는 데 기여했는지,
기부 재산
원래의 목적
그리고 그것이 선생의 능력을 발전시키는 데 기여했는지 의문을 제기하고 있어.
기부 재산
선생
이에 대해 스미스는 모든 직업을 수행하는 사람들은
호호
히히
노력을 해야 할 필요가 있을 때 노력한다고 보았어.
내일이 마감이야. 빨리 끝내.
네.
여기서 노력을 해야 할 필요가 있을 때란 자유로운 경쟁이 있을 때를 말해.
쟤보다 빨리 승진해야 해.
질 수 없지.
그러나 학교, 대학의 기부 재산으로 인해
기부재산
선생들이 노력할 필요성이 감소한다고 보았어.
선생님, 봉급 받아 가세요.
사례비나 수업료가 금지되어 봉급만을 받을 수 있는 선생의 경우
봉급
이번 달엔 좀 높았는데….
그 사람은 될 수 있는 대로 편안하게 지내려 할 거야.
선생님 수업 안 해요?
자기 보수에 아무 변동이 없다면 굳이 힘든 임무를 수행하지 않을 거라는 거지.
잘리지만 않으면 되지.
산책이나 다녀와야지.
학교

그러나 만약 선생의 보수가 전적으로 수업료에 의존한다면
저 선생 수업 진짜 졸립대.
!
그 자신의 평판이 자신의 수입과 비례하므로
수업료 떨어지는 소리가 들린다.
나도 열심히 공부하세.
그는 아주 열심히 자기 일에 매진하게 될 거야.
내 수업에 자는 학생은 가만 안 둬!
스미스는 학교, 대학 교육의 이런 자유 경쟁이
구구구…
학교, 대학 교육
높은 질의 교육을 사회에 공급할 수 있다고 주장한 반면에
빵
높은 질의 교육
사회
발달한 상업 사회에서는 서민 교육에 더 많은 사회적 관심이 필요하다고 보았어.
사회
배움은 끝이 없다.
평생 교육관
야학
낮엔 일하니 밤에라도 공부를….
어느 정도 부와 지위를 가지고 있는 사람들과 달리
방학 동안 외국에서 공부하고 와라.
네.
서민들은 교육을 받을 여유가 없고
먹고 살기 바쁘니….
그들의 부모들도 그들을 양육할 능력이 없어.
아빠, 참고서 사야 하는데.
친구 것 같이 봐.

서민들이 재산과 지위를 가진 사람들만큼 충분한 교육을 받을 수 없다 하더라도
잔돈이 부족한 거 같은데….
읽기, 쓰기, 셈하기 등의 가장 필수적인 교육은 받아야 할 필요가 있어.
어디서 셈하는 법 좀 가르쳐주면 좋겠는데….
이때 국가는 적은 비용으로도 거의 모든 국민들에게
구청에서 무료로 기본 교육을 시켜준대요.
정말?
가장 필수적인 교육을 습득할 수 있도록 장려할 수 있고 의무로 강제할 수도 있어.
따라하세요. 1+2=3
구청
1+2=3
스미스는 국가가 서민들을 교육시킴으로써
다음 페이지….
국가
서민
많은 이익을 얻을 수 있다고 보았어.
이익
우선 교육을 받으므로 사람들은 미신 같은 것에 덜 빠지게 돼.
선녀보살
부채도사
흥.
엉터리.
종종 이런 것들은 사회를 큰 혼란에 빠뜨리기도 하잖아.
광신교도 사회적 문제
복채로 집안기둥 흔들흔들..
교육을 받은 사람은 그렇지 않은 사람들보다 더 예의 바르고 법을 잘 지키게 되어 있어.
예의 범절도 교육에서 나오거든.
교육을 잘 받은 사람이군.

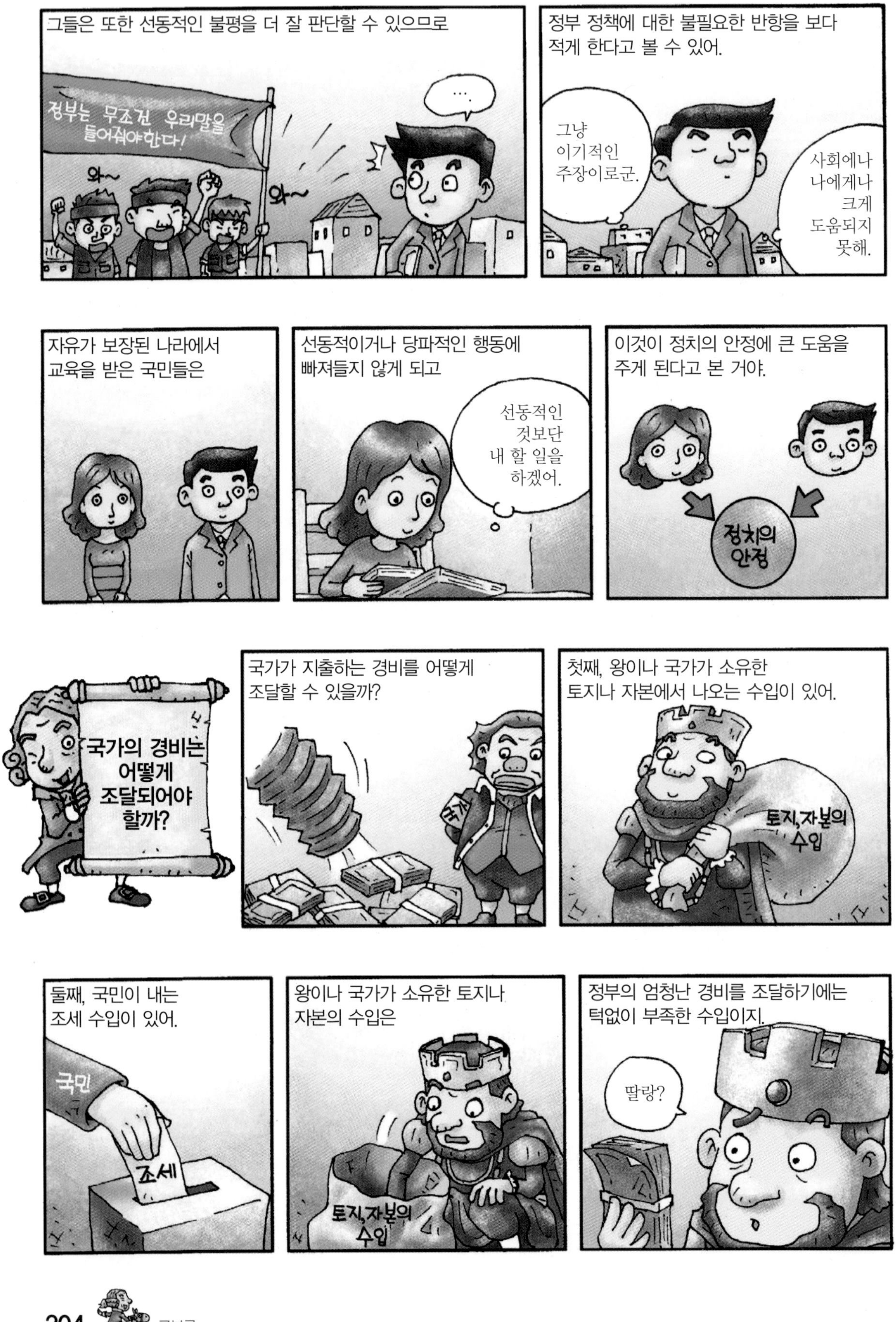
그들은 또한 선동적인 불평을 더 잘 판단할 수 있으므로
정부는 무조건 우리말을 들어줘야한다!
와~
와~
…
정부 정책에 대한 불필요한 반항을 보다 적게 한다고 볼 수 있어.
그냥 이기적인 주장이로군.
사회에나 나에게나 크게 도움되지 못해.
자유가 보장된 나라에서 교육을 받은 국민들은
선동적이거나 당파적인 행동에 빠져들지 않게 되고
선동적인 것보단 내 할 일을 하겠어.
이것이 정치의 안정에 큰 도움을 주게 된다고 본 거야.
정치의 안정
국가의 경비는 어떻게 조달되어야 할까?
국가가 지출하는 경비를 어떻게 조달할 수 있을까?
국가
첫째, 왕이나 국가가 소유한 토지나 자본에서 나오는 수입이 있어.
토지, 자본의 수입
둘째, 국민이 내는 조세 수입이 있어.
국민
조세
왕이나 국가가 소유한 토지나 자본의 수입은
토지, 자본의 수입
정부의 엄청난 경비를 조달하기에는 턱없이 부족한 수입이지.
딸랑?

따라서 필요한 경비는 국민의
조세 수입으로 조달할 수밖에 없을 거야.
역시 네가 있어야 힘을 쓰는구나.
국민조세수입
국가경비
국민은 국가의 공공 지출을
지탱하기 위해
국민
봉급
각자 소득의 일부를
납부해야만 하지.
국민
국가 조세
꺽~
각 개인의 소득은 앞서 말한 지대, 이윤, 임금으로부터
나오게 되는데
지대
이윤
임금
개인의 소득
조세는 이들 세 가지 소득 중
하나에 부과되는 것과
1.지대
2.이윤
3.임금
소득에 상관없이 부과되는 세금이 있어.
부자
우리들이 똑같이?
지대세는 토지에 대한 세금과
<토지세>
토지 위에 지어진 건물에 대한
세금을 가리키고 있어.
<건물세>
이윤세는 자본으로부터 생기는
수익에 대한 세금을 가리키고,
이윤세
임금세는 노동자의 임금에 대해서
부과되는 세금을 가리켜.
임금세

그리고 기타 모든 수입에 대하여 부과되는 것으로
부과 세금
기타 수입
필수품에 대한 소비세, 사치품에 대한 소비세, 관세 등이 있지.
필수품에 대한 소비세.
사치품에 대한 소비세.
관세.
스미스는 조세를 평가하기 전에 조세에 대한
네 가지 원칙에 대해 말하고 있어.
첫째, 백성들은 자신의 능력에 비례해서 조세를 부담할 필요가 있어.
꺄, 오빠!
넌 조세 더 내.
둘째, 각 개인이 납부하는 조세는 확정적이어야 하고 멋대로여선 안 돼.
세금 지불의 시기,
방법,
금액이 분명해야만 해.
그렇지 않으면 납세자들은 세무 공무원들의 권력에 복종해야 할 거야.
세무 공무원
납세자
불명확한 과세는 부패를 조장할 수 있어.
이거 얼마 안 되는데 제 성의입니다.
안 그래도 되는데….
셋째, 조세는 납세자가 지불하기 가장 편리한 시간에 징수되어야 해.
세금은 제 월급날 다음날 낼게요.
그렇게 하세요.
넷째, 모든 조세는 국민의 주머니에서 나오는 금액과 국고에 들어가는 금액이 큰 차이가 나지 않도록 고안되어야 해.
국민에게서 나온 세금
이렇게 되려면 그 과정에서 부패가 없어야 하겠지.
국고에 들어가는 세금

가장 좋은 조세는 위의 네 가지 원칙에 부합하고,
생산이나 경작에 해가 되지 않는 방법으로 국민에게 부과하는 것이 되겠지.
하지만 그런 이상적인 조세는 아마 존재하지 않을 거야. 멋지고 매너좋고 돈 많은 완벽한 사람을 만나기 힘든 것처럼 말이야.
그렇지만 《국부론》을 토대로 공부한 너희들이 자라서, 자신의 나라를 보다 발전된 경제 강국으로 꼭 만들 거라고 난 믿는단다!
국부론

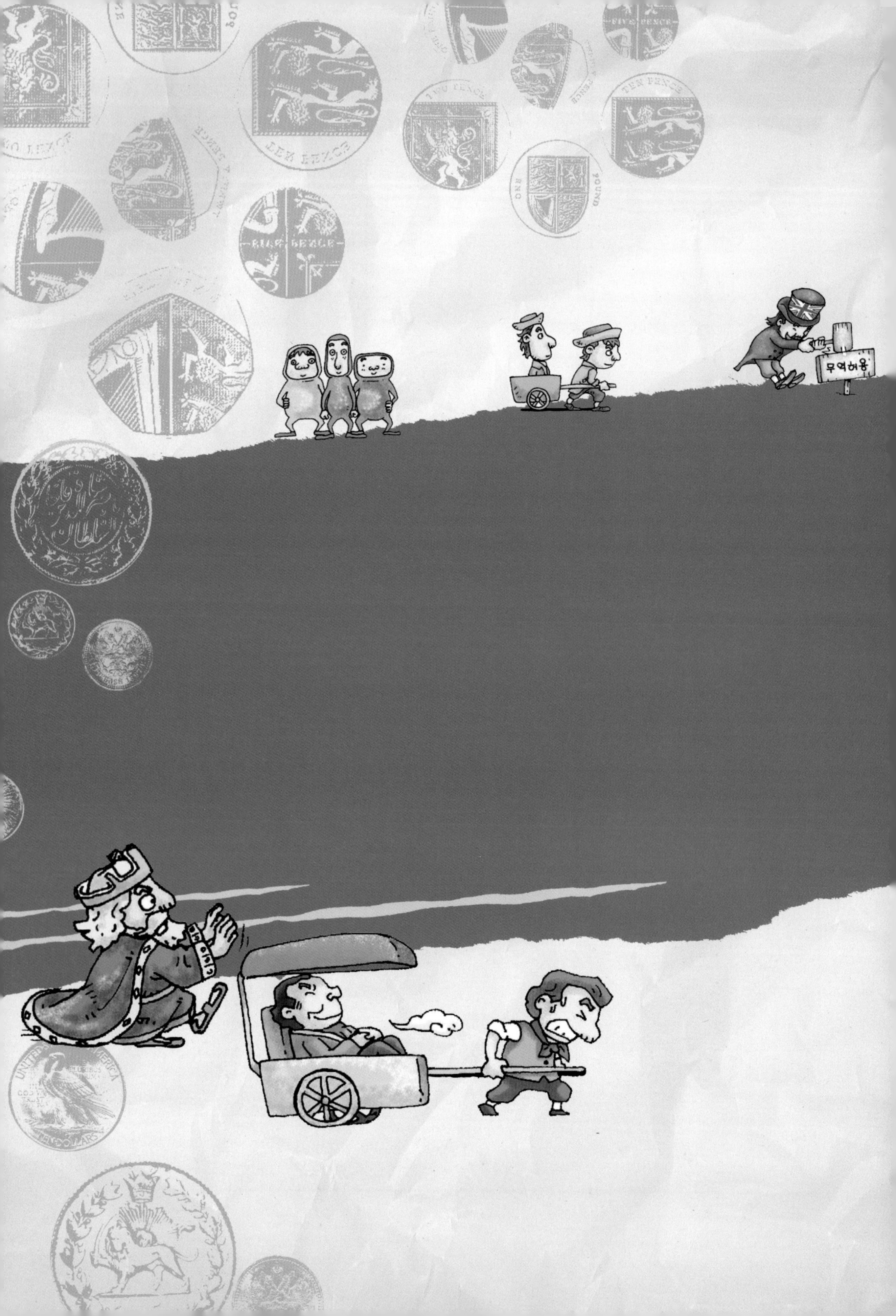
무역허용

# 《국부론》이 더 쉬워지는 8가지 이야기

기여

# 프리드리히 리스트(1789~1846)

**프리드리히 리스트**(Friedrich List)는 프랑스혁명이 일어난 해인 1789년 독일 남서부 지방 뷔르템베르크에서 태어났어요. 리스트가 태어날 무렵 독일은 통일 국가가 아니었고 200여개의 왕국과 60여개의 자유 도시 등으로 분열되어 있었어요. 또한 독일은 봉건 국가의 유산이 강하게 남아 있는 후진 농업 국가였답니다. 각 왕국은 황제, 귀족 등 강한 신분제에 기초한 전제정치를 실시하고 있었고, 융커(Junker)라는 전통 지주계급이 사회 전반을 지배하고 있었으며 인구의 대부분은 농촌에 살고 있었어요.

프리드리히 리스트

독일의 경제학자

부유한 피혁 제조업자의 아들로 태어난 리스트는 아버지의 사업을 물려받는 것에는 관심이 없었고 관청의 서기가 되면서 행정 관료로 일했어요. 당시엔 나폴레옹의 군대가 유럽원정을 하게 되면서 독일 역시 프랑스 군대에 의

빌헬름 1세

프로이센의 왕

해 점령되었습니다. 비록 점령군이었지만 나폴레옹 군대는 프랑스혁명의 이념인 자유주의 사상을 전 유럽에 전파했지요. 리스트는 이것을 계기로 자유주의 사상과 프랑스의 근대적 관료제도에 깊은 관심을 갖게 돼요. 이후 리스트는 행정, 경제, 정치에 관한 폭넓은 지식을 습득하면서 뷔르템베르크 왕국 중앙청의 회계관이 되는 등 행정 관료로서 뛰어난 능력을 보이게 됩니다.

유능한 관료였던 리스트가 급진적인 자유주의 사상가가 되는 계기는 1816년에 찾아왔어요. 프리드리히 1세가 사망하고 빌헬름 1세가 새로운 왕이 되면서 리스트는 개혁적인 내각에 의해 튀빙겐대학의 교수로 발탁되었어요. 리스트에게 맡겨진 임무는 자유주의 개혁을 추진할 관료들의 양성과 개혁의 이론적 기초를 마련하는 것이었습니다. 그러나 빌헬름 1세의 자유주의 내각이 무너지고 보수파가 다시 등장하면서 신분제도에 기초하는 반동적인 헌법 개정안이 나오게 되었어요. 리스트는 이에 반대하면서 입헌군주제에 기초한 자유주의 헌법을 주장하면서 양자는 충돌하게 되었죠. 결국 리스트는 불온 사

상가로 낙인찍히게 되고 신분검열을 받는 등 자유로운 활동을 할 수 없게 됐어요.

1819년 리스트는 프랑크푸르트 독일상공연맹의 법률 고문으로 취임하면서 혁명적인 민족주의자로 변합니다. 독일 상공업자들이 결성한 동맹은 독일 전역을 하나의 시장으로 결합시키려는 관세동맹의 출발을 가져왔어요. 이것은 독일 내 상품 거래에서 모든 국내 관세를 철폐함으로써 독일을 하나의 시장으로 묶으려는 것이었어요. 그러나 국내 관세의 폐지로 수입 감소를 우려한 지배계급은 리스트의 주장을 '위험한 선동' 이라고 낙인찍었어요. 결국 리스트는 뷔르템베르크 의회에서 제명되고 10개월 금고형까지 받게 됩니다. 조국의 개혁을 위해 봉사하려던 리스트는 결국 1825년 미국으로 망명하게 되었습니다.

**튀빙겐**

리스트가 살았던 독일 남서부 뷔르템베르크 주에 있는 도시

리스트의 가장 큰 업적은 아마 《정치경제학의 국민적 체계(The National System of Political Economy)》(1841)를 저술한 것일 거예요. 이 책에서 리스트

는 공업을 독점하는 나라가 필연적으로 세계를 지배하게 될 것이므로 자유무역을 그대로 두면 영국은 세계의 우두머리가 되지만, 그 외 유럽 국가들은 2등 국민으로 전락하게 될 것이라 보고 스미스로부터 시작되는 영국의 자유무역 이론을 반박하고, 대신 보호무역 이론을 주장했습니다.

깃발

뷔르템베르크 주를 대표해요.

# 존 녹스와 스코틀랜드의 종교개혁

MILK


**영국 스코틀랜드의 종교개혁은** 칼뱅주의 전통을 가장 모범적으로 실천한 곳이었습니다. 이 종교개혁은 존 녹스(John Knox, 1514~1572)에 의해 주도되는데, 녹스는 사회를 혁신하는 종교적 · 정치적 자유사상인 칼뱅주의를 스코틀랜드에 심었죠.

존 녹스

16세기
영국 스코틀랜드의
종교 개혁자

스코틀랜드의 해딩턴에서 태어난 녹스는 대학을 졸업하고 순회 신부로 일했어요. 초기 교회 개혁가들의 영향을 받은 녹스는 1549년 이후엔 영국의 성공회 신부로 일하게 됩니다. 그러나 메리 여왕의 집권 이후, 로마 가톨릭교를 강제로 믿게 하기 시작했고, 녹스는 결국 신부 직위를 사임하고 스위스 제네바로 망명을 떠납니다.

제네바 망명 생활 동안 녹스는 칼뱅을 만나게 되고 철저한 칼뱅주의자로 거듭났어요. 자신보다 4살 어린 칼뱅을 일생의 스승으로 모시면서 녹스는 칼뱅주의자로 거듭나게 됩니다.

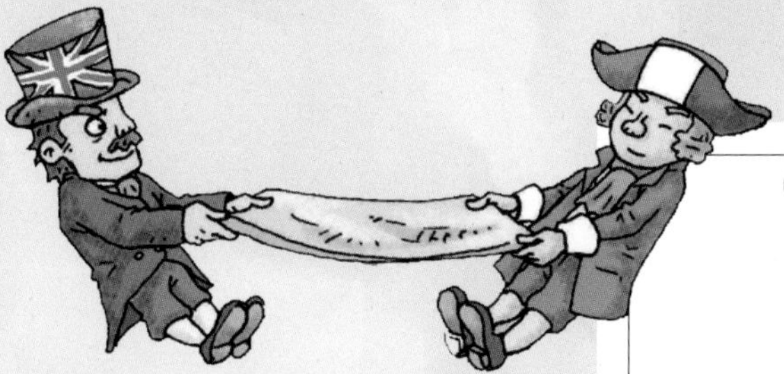

1560년 8월 스코틀랜드로 돌아온 녹스는 의회에서 칼뱅주의를 받아들이는 작업을 하게 되죠. 일단 교황의 관할권을 철폐하고, 칼뱅의 개혁주의 교리에 반대되는 것을 금지하고, 스코틀랜드에서 모든 가톨릭 미사를 금지하였습니다.

칼뱅
프랑스의 종교개혁가

칼뱅주의의 근본 교리는 하나님과 인간의 직접적인 만남을 가능하게 했고 이것이야말로 진정한 의미의 근대성의 출발이라고 볼 수가 있죠. 칼뱅주의는 교회뿐 아니라 가정, 국가 등 모든 영역에서 하나님의 통치가 이뤄진다고 해요. 그래서 의사가 환자를 치료하는 일에도, 기업인이 회사를 경영하는 일에도, 선생님들이 가르치는 일에도, 모든 사람들의 직장 활동, 그리고 학생이 공부하는 등 모든 일들에 하나님의 은혜가 있다고 가르치고 있죠. 이런 칼뱅주의의 가르침은 결국 종교의 권위로부터 개인의 창의성을 해방시켰고, 학문이 독자적으로 발전할 수 있는 길을 열어놓을 수 있었어요.

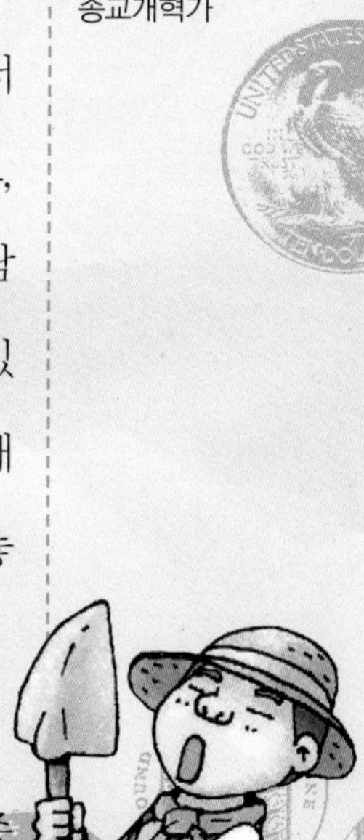

이렇게 존 녹스는 칼뱅주의를 스코틀랜드에 심음으로써 스코틀랜드에 종교적 자유와 진정한 학문이 발전할 수 있는 기틀을 마련했어요. 이런 칼뱅주의의 전통 덕분에 애덤 스미스 같은 위대한 학자가 탄생할 수 있었던 것이죠.

# 동인도 회사

**네덜란드, 영국, 프랑스** 등은 동양에 대한 식민지 경영을 하는 과정에 동인도 회사를 설립하고 그 회사들에 무역에 관한 독점권을 부여하였습니다. 따라서 각국의 동인도 회사들은 동인도의 특산품인 커피, 사탕, 면직물 등의 무역독점권을 둘러싸고 서로 경쟁하게 되는데, 이것은 유럽국가들의 상업전쟁을 가져왔습니다.

암스테르담 호

네덜란드 동인도 회사의 암스테르담 호

1602년 네덜란드는 동인도 회사를 설립하고 동인도의 여러 섬을 정복, 직접 지배했습니다. 동인도 회사는 준 정부의 기능을 가졌는데 전쟁의 수행, 조약의 체결, 화폐 주조 같은 정부가 할 수 있는 기능을 할 수 있었습니다. 네덜란드의 동인도 회사가 통치하던 지역은 인도네시아 군도를 모두 포함하고 있습니다. 그러나 1652년부터 시작된 영국-네덜란드 전쟁에서 네덜란드가 패하면서 식민지에 대한 지배력을 대부분 상실하고 말았습니다. 결국 네덜란드 동인도 회사는 1800

년 파산하여 해체되고 맙니다.

영국의 동인도 회사는 1600년 12월에 설립되었습니다. 그 회사는 1858년 영국 정부가 직접 인도를 지배하게 되기 전까지 실질적으로 인도와 다른 아시아의 식민지를 통치하는 준 정부적 기능을 수행하게 됩니다.

화폐

동인도 회사 때 사용했던 화폐

영국의 동인도 회사는 면직물을 중심으로 한 인도 무역에 주력하였습니다. 영국이 프랑스와 식민지 전쟁을 벌이는 동안 프랑스의 동인도 회사와도 격렬한 싸움을 벌이게 되는데, 결국 영국의 동인도 회사는 1757년 벵골－프랑스 군의 연합군과의 싸움에서 승리하게 되었습니다. 이 싸움의 승리로 영국의 동인도 회사는 벵골에 대한 지배권을 획득하게 되었고, 인도 전역의 식민지화를 위한 교두보를 마련할 수 있었습니다.

그러나 개인 독점 회사인 동인도 회사에 대한 영국 국내 여론이 비판적으로 변하고, 거기에 더해 회사가 경영난에 빠지자 결국 동인도 회사는 영국 정부에 원조를 요청하게 되었습니다. 1773년 노스규제법(동인도 회사의 업무관리를 위한 규제확립에 관한 법률)에 의해 동인도 회사는 영국 정부의 감독하에 놓이게 되었고, 1833년에는 무역 독점권이 폐지되었습니다. 1858년 세포이의 난 이후 영국 국왕이 인도를 직접 통치하게 되면서 동인도 회사의 기능은 멈추게 되었습니다. 그러다 결국 동인도 회사는 1878년 국유화되면서 완전 해체되었습니다.

# 희망봉(Cape of Good Hope)

**희망봉은 남아프리카 최남단** 케이프 반도의 끝 부분에 위치한 곳이에요. 희망봉은 사람들이 대서양을 따라 항해를 할 때 동쪽으로 더 이동하기 시작하게 하는, 심리적으로 중요한 곳이었죠. 1488년, 희망봉을 넘어간 것은 아시아와의 직접적인 무역관계를 시도할 수 있게 한 중요한 사건이었답니다.

바르톨로메우 디아스

희망봉을 발견한 포르투갈의 선장

1488년 처음 희망봉을 발견한 사람은 포르투갈인 탐험가 바르톨로메우 디아스 (1450~1500)였습니다. 디아스는 희망봉을 발견할 당시 그곳을 '폭풍의 봉(Cape of Storms)' 이라고 이름 지었는데, 나중에 포르투갈 국왕 주앙 2세는 그곳이 인도나 동방으로 가는 큰 희망을 주었다는 의미로 '희망봉' 으로 다시 이름 붙였답니다.

그러나 희망봉을 제일 먼저 발견한 사람은 유럽인이 아니라 중국이나 아랍 혹은 인도의 탐험가나 상인이었을 것이라는 추측도 있어요. 그 증거로 1488

년 이전의 중국이나 아랍의 지도에는 희망봉이 표시되어 있기 때문이죠.

이후 희망봉은 식민지 경영을 확대하려는 유럽 국가들의 각축장이 되었고, 이곳을 두고 식민지 전쟁이 일어나기도 했습니다.

1652년 네덜란드 사람들이 처음으로 희망봉에 정착했어요. 그 후 네덜란드 식민지 행정당국은 희망봉에서 50km 떨어진 곳에 식민지 경영 회사였던 동인도 회사의 물류공급처를 세워 장기간의 여행에 필요한 신선한 음식이나 물을 공급하게 했습니다. 이후 그곳은 현재의 케이프 타운(Cape Town)으로 발전했어요. 1687년 겨울에는 종교적 박해를 피해 프랑스로부터 네덜란드로 망명했던 신교도들인 위그노들이 희망봉에 정착했답니다. 당시 네덜란드 동인도 회사는 숙련된 농부들이 필요했는데, 결국 그 사람들은 네덜란드 정부의 도움으로 그곳에서 잘 정착하여 150년 이상 평온하게 살 수 있었습니다.

**희망봉**
남아프리카공화국 케이프 주 남서쪽 끝에 있어요.

그러나 1795년 영국이 자신들의 식민지 경영을 위해 그곳을 침략하였습니다. 1814년에는 영국과 네덜란드가 맺은 조약(Anglo-Dutch Treaty)에 의해 그 땅이 영국으로 넘어가게 되죠. 그 후 그곳은 1910년 남아프리카 공화국에 편입되기 전까지 영국의 식민지로 남게 되었습니다.

# 항해법의 발전과 폐지

항해법(Navigation Act)은 원래 영국 왕 리처드 2세가 1381년에 시행하여 1849년까지 실행한 법으로 영국 및 그 식민지의 상품 수송을 영국 배나 영국 선원에 의해서만 하도록 규정한 법입니다. 이것은 절대주의적 중상주의 정책의 일환으로 영국 해상권의 강화를 위해 추진된 특권적 무역회사를 위한 정책이었죠.

이것은 1651년 크롬웰의 항해법, 1660년 항해법 그리고 1663년 무역촉진법을 통해 재확인됩니다. 항해법은 당시 중계무역을 장악하고 있던 네덜란드의 패권을 타도하고 영국의 해운업, 조선업, 무역업을 보호, 육성하기 위한 것이었어요. 더 나아가서 미국 등 기타 식민지에 대한 무역 독점을 목적으로 하고 있죠. 이것은 결국 영국과 네덜란드 사이의 1차 전쟁(1652~1654)의 원인이 되기도 했습니다.

이 법에 의하면 아시아, 아프리카, 아메리카에 있는 영국 식민지들은 영국 배로만 수입과 수출을 할 수 있었고 선원의 4분의 3 이상이 영국인이어야 했습니다. 무역 규제에 대한 대가로 식민지의 상품들은 영국 시장에 독점권과 호혜관세의 혜택을 받기도 했지만 자유무역의 억제로 자연스럽게 밀수가 일어나기도 했습니다.

항해법이 식민지 경제에 도움을 주었는지 아닌지는 논란의 여지가 있지만, 분명한 것은 이 법이 식민지에서 제조업의 발전을 방해한 것은 사실입니다. 특히 아메리카 식민지에서 밀수를 금지시키려는 강한 시도는 미국독립 전쟁 이전에 영국과 미국 간 소요 사태의 원인을 제공해 주기도 했습니다.

결국 이 법은 19세기 중엽 영국 자본주의 경제가 세계 시장을 제패하고 영국이 다각적 무역관계를 가지게 됨에 따라 불필요해지면서 1849년에 폐지되었습니다.

# 아메리카 식민지의 독립과정

**아메리카 식민지는** 100년 이상 많은 자치를 누리고 있었어요. 식민지의회를 가지고 있었고, 자치도 상당부분 허용되어 식민지의 영국인은 본국의 영국인과 거의 동등한 권리를 행사할 수 있었어요.

그러나 1763년 7년전쟁이 영국의 승리로 끝나면서 프랑스는 아메리카에 있던 자신의 식민지를 포기하는 파리조약을 체결하게 됩니다. 아메리카에서 프랑스가 사라진 것을 계기로 영국은 미국, 캐나다 등 아메리카 식민지 전체를 본국의 통제 안에 두려고 했어요.

**보스턴 차사건**

미국 독립혁명의 발단이 된 사건으로 1773년 12월 16일 밤에 일어났어요.

1763년 영국 국왕은 식민지인과 인디언 사이의 통상을 금지하고 식민지인이 서쪽으로 이주하는 것을 금지했어요. 또한 치안유지와 법률 감시의 목적으로 영국군이 상주하고 그 경비에 대한 분담을 강요했어요. 또한 본국 정부는 중상주의 정책을 강화하여 지금까지 묵인했던 밀 무역을 대대적으로 단속하고, 설탕조례(1763)와 인지조례(1765, 각종 증서에서부터 신문, 광고, 달력에 이르는 인쇄물에 인지를 붙일 것을 요구)를 제정하여 새로운 세금을 부과하였습니다. 이에 대해 미국의 모든 계층은 '대표 없는 곳에 과세 없다.'는 슬로건을 내고 강력히 항의하게 됩니다.

미국인들이 특히 싫어했던 세금은 차(Tea)에 부과하는 세금이었는데 이에 대한 반발로 1773년 보스턴 차사건이 발생하게 됩니다. 이 사건은 애덤스(Samuel Adams, 1722~1803)라는 사람이 50명의 결사대를 이끌고 인디언으로 가장한 후 보스턴 항에 정박 중이던 동인도 회사의 선박에 침입하여 차 3백 상자를 바다 속에 빠뜨린 일이었어요. 이 사건으로 영국 본국은 더 많은 군대를 식민지 미국으로 파견하게 됩니다.

조지 워싱턴

미국의 초대 대통령으로 1달러짜리 지폐의 초상에 워싱턴이 그려져 있어요.

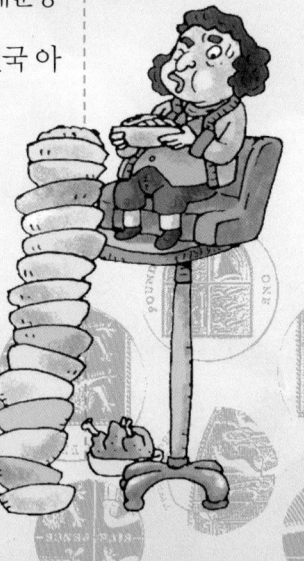

독립을 위한 본격적인 움직임은 1774년 1차 대륙회의에서 시작이 됩니다. 13개 주의 대표들이 필라델피아에 모여 식민지 의회가 입법에 관한 모든 권한을 가진다는 것과 이것이 받아들여지지 않으면 모든 상품에 대한 불매운동을 벌일 것이라고 의결하게 되었습니다. 영국 정부는 이를 거부하고, 결국 아메리카 식민지는 독립전쟁으로 치닫게 되었습니다.

1775년 6월전쟁이 시작되자 아메리카 식민지는 워싱턴(George Washington, 1732~1799)을 총사령관으로 임명하고 영국과의 독립전쟁을 시작하게 되었어요. 1783년 9월 파리조약을 통하여 독립전쟁은 종결되고, 서쪽의 미시시피 강, 남쪽의 동서 플로리다, 북쪽의 오대호(五大湖)까지 이르는 광대한 영토에 대한 주권을 갖게 되었어요.

# 중상주의 이론의 발전과 쇠퇴

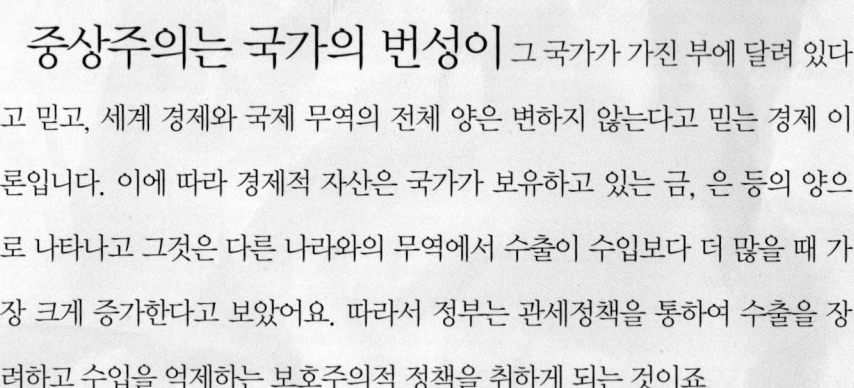

**중상주의는 국가의 번성이** 그 국가가 가진 부에 달려 있다고 믿고, 세계 경제와 국제 무역의 전체 양은 변하지 않는다고 믿는 경제 이론입니다. 이에 따라 경제적 자산은 국가가 보유하고 있는 금, 은 등의 양으로 나타나고 그것은 다른 나라와의 무역에서 수출이 수입보다 더 많을 때 가장 크게 증가한다고 보았어요. 따라서 정부는 관세정책을 통하여 수출을 장려하고 수입을 억제하는 보호주의적 정책을 취하게 되는 것이죠.

16세기에서 18세기 사이 유럽의 거의 모든 경제학자들은 중상주의를 언급하고 있는데 중상주의가 처음 등장하는 곳은 1620년대 영국입니다. 애덤 스미스는 영국의 상인 토마스 먼(Thomas Mun, 1571~1641)이 중상주의 시스템의 주요한 창시자라고 간주하고 있습니다. 그러나 중상주의를 모범적으로 따른 나라들은 영국이 아니라 프랑스, 신성로마제국, 이탈리아 같은 나라들이었어요.

프랑스에서 중상주의는 부르봉 절대왕정 하에서 재상을 지낸 콜베르(Jean-Baptiste Colbert, 1619~1683)에 의해 주도되었어요. 콜베르는 산업과 무역을 통제함으로써 프랑스의 부를 극대화한 인물이었는데, 그의 이름을 따서 프랑스의 중상주의를 '콜베르주의' 라고도 한답니다. 신성로마제국에 속했던 18세기 독일 여러 연방들의 재정정책 역시 절대적인 중상주의 하에서 주도된 정책이었죠.

**콜베르**

프랑스의 국부 증대에 큰 기여를 한 프랑스의 정치가

그러나 중상주의는 여러 국가들의 상업적 이해에 따라 주도된 것으로 어떤 통일된 경제 이론이 아니었어요. 따라서 중상주의 경제 이론은 일반적인 경제 이론으로 발전할 수는 없었습니다. 중상주의에 따르면 상대방에 이익이 되는 것은 필연적으로 나에게 해가 될 수밖에 없고, 결국 공동의 선을 위한 경제는 존재하지가 않아요.

영국에서는 중상주의적 규제가 18세기에 서서히 없어지기 시작해, 19세기 영국이 세계무역을 지배하게 되면서 애덤 스미스의 자유주의 정책을 채택하게 되었어요. 프랑스에서는 프랑스 혁명 후 사라지게 되었고요. 독일에서는 19세기에서 20세기 초까지 중요한 사상으로 남아 있게 됩니다.

# 케네와 중농주의

케네(1694~1774)는 파리 근교에서 태어났습니다. 16세 때 의사가 되는 공부를 하고 곧 개업의가 됩니다. 그 후 1744년 의학박사가 된 후 베르사유 궁전에서 프랑스 루이 15세의 주치의로 있으면서 프랑스 정계에 막강한 인맥을 지닌 인물이 됩니다.

FRANÇOIS QUESNAY
NÉ A MÉRÉ
1694—1774

케네

중농주의를 창시한 프랑스의 경제학자

그 후 그는 경제학 연구에 몰두하여 최초의 경제학파로 알려진 중농학파의 중심인물이 됩니다. 중농학파들은 경제의 힘이 농업에서 나온다고 믿었고, 루이 15세 정부가 농업에 대한 규제를 풀고 세금을 줄이면, 프랑스가 영국과 같이 부유한 국가가 된다고 믿었습니다. 케네의 경제학은 자유방임적인 것이었고, 실제 자유방임 (laissez-faire, laissez-passer) 이라는 말을 만든 사람도 케네였습니다.

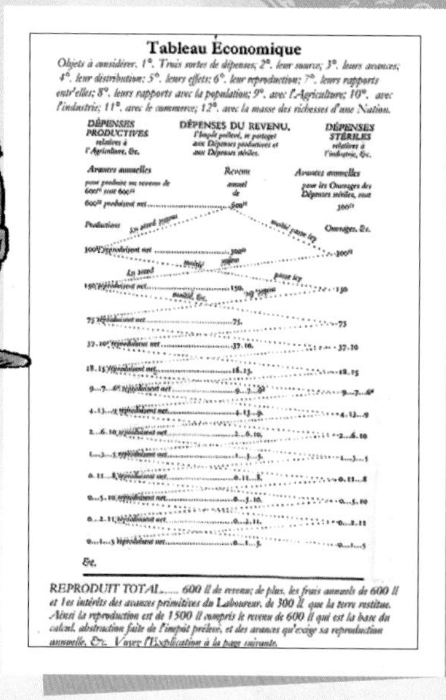
Tableau Économique
Objets à considérer. 1°. Trois sortes de dépenses; 2°. leur source; 3°. leurs avances; 4°. leur distribution: 5°. leurs effets: 6°. leur reproduction; 7°. leurs rapports entr'elles; 8°. leurs rapports avec la population; 9°. avec l'Agriculture; 10°. avec l'industrie; 11°. avec le commerce; 12°. avec la masse des richesses d'une Nation.
DÉPENSES PRODUCTIVES relatives à l'Agriculture, &c.
DÉPENSES DU REVENU, l'Impôt prélevé, se partaget aux Dépenses productives et aux Dépenses stériles.
DÉPENSES STÉRILES relatives à l'industrie, &c.
Avances annuelles
Revenu annuel de
Avances annuelles pour les Ouvrages des Dépenses stériles, sont 300
Productions
Ouvrages, &c.
&c.
REPRODUIT TOTAL...... 600 ll de revenu; de plus, les frais annuels de 600 ll et les intérêts des avances primitives du Laboureur, de 300 ll que la terre restitue. Ainsi la reproduction est de 1500 ll compris le revenu de 600 ll qui est la base du calcul, abstraction faite de l'impôt prélevé, et des avances qu'exige sa reproduction annuelle, &c. Voyez l'Explication à la page suivante.

경제표

케네가 인체의 혈액순환을 본떠서 만든 경제순환표

케네 학파는 계몽주의 사상을 이어 받았으나 계몽주의자들처럼 인간이 자연을 지배할 수 있다고는 믿지 않았습니다. 역으로 인간이 만든 경제 질서는 신이 만든 자연적 질서에 순응하지 않으면 안 된다고 보았던 거죠.

1758년 케네는 경제표(Economic Table)를 발간하게 되는데, 인체를 해부하여 혈액순환계를 도표로 나타내듯이 경제표를 통해 경제 내부의 소득순환 경로를 나타내고자 했습니다. 즉 혈액순환계가 동맥, 정맥, 심장으로 구분되듯이, 경제라는 몸은 생산계급 (농민), 비생산계급 (상공업 및 제조업 종사자), 소유계급 (지주) 등이 상호의존관계에 있다고 보았습니다.

농민 계급에 의해 생산된 사회의 부가 제조업 계급 및 지주 계급에 분배되고, 이것이 다시 농민 계급에 되돌아오는 경제 순환의 이론을 인간의 혈액 순환에 비교하여 파악했던 것이죠. 이것은 역사상 처음으로 국민경제를 전체로 고찰하여 부의 생산, 유통, 분배 및 재생산 과정을 밝혔다는 점에서 독창적인 경제 이론이었습니다.

# 12 애덤 스미스 국부론

손기화 글 | 남기영 그림

**01** 《국부론》을 쓴 경제학자는 누구일까요?

① 케인스 ② 마르크스 ③ 엥겔스
④ 애덤 스미스 ⑤ 토인비

**02** 《국부론》에서 다루는 가장 큰 주제는 무엇일까요?

① 여러 나라에서 부자들이 살아가는 방법
② 국가의 재산을 늘리는 방법
③ 국가 간의 경제적인 분쟁을 해결하는 방법
④ 국민들에게서 세금을 잘 거두는 방법
⑤ 국민들이 재테크를 잘 하는 방법

**03** 애덤 스미스는 《국부론》에서 생산력을 향상시키는 방법으로 어떤 것을 제시하고 있나요?

① 분업 ② 파업 ③ 자동화 ④ 기계화 ⑤ 노동 운동

**04** 다음 중 화폐로 사용되었던 것이 아닌 것은 무엇일까요?

① 가축 ② 소금 ③ 설탕 ④ 금속 ⑤ 물

**05** 애덤 스미스는 '그 상품을 사려고 하는 사람들이 동의하는 범위에서 결정되는 최고의 가격'을 무엇이라고 불렀을까요?

① 시장 가격 ② 자유 가격 ③ 독점 가격
④ 정부 가격 ⑤ 시민 가격

**06** 사람들이 장사나 사업을 할 때 필요한 돈을 무엇이라고 할까요?

① 용돈 ② 자본 ③ 생활비 ④ 부동산 ⑤ 주식

**07** 다음과 같은 세 가지 요소가 합쳐져 결정되는 것은 무엇일까요?

노동자의 임금, 자본가의 이윤, 지주의 지대

**08** 시장에서 두 개의 상품이 교환될 때 각 상품의 가치는 무엇에 의해 정해질까요?

09 중상주의는 국가의 번영이 그 국가가 가진 부에 달려 있다고 믿고, 세계 경제와 국제 무역의 전체 양은 변하지 않는다고 믿는 경제 이론입니다. 이에 따라 경제적 자산은 국가가 보유하고 있는 금, 은 등의 양으로 나타나고 그것은 다른 나라와의 무역에서 수출이 수입보다 더 많을 때 가장 크게 증가한다고 보았습니다. 그래서 정부는 관세 정책을 통하여 수출을 장려하고 수입을 억제하는 보호주의적 정책을 취하는 것입니다.

10 첫째, 영국 식민지는 다른 식민지에 비해 토지 소유가 독점되지 않고 분할이나 자유 매매가 가능했습니다. 둘째, 영국 식민지는 세금이 상대적으로 적었습니다. 셋째, 영국 식민지는 자기들이 소비하고 남은 생산물을 자유롭게 수출할 수 있었습니다. 넷째, 영국 식민지 주민에게는 자신의 일을 자유롭게 처리할 수 있는 의회가 있었습니다.

**09** 중상주의를 추구하는 나라의 정부가 관세 정책으로 수출을 장려하고 수입을 억제하는 보호주의적 정책을 취하는 이유를 쓰세요.

**10** 영국의 식민지는 프랑스나 에스파냐 등의 다른 유럽 나라들보다 성공적이었는데, 그 이유를 세 가지 이상 답하세요.

## 정답

01 ④

02 ② : 《국부론》은 원래 '여러 국가들의 부의 성질과 여러 원리에 관한 연구'라는 뜻을 가진 책으로, 국가가 어떻게 부유하게 되는지를 가르쳐 주는 경제서입니다.

03 ① 분업이란 노동을 분할해서 무엇을 만들어 내는 것을 말합니다. / 04 ⑤

05 ③ : 애덤 스미스는 개인이나 어떤 회사에 부여된 독점은 제조업의 비법(코카콜라의 콜라 제조 비법과 같은 것)과 같은 효과를 가질 수 있고, 독점가들은 시장을 끊임없이 공급 부족 상태로 유지하여 유효 수요를 완전히 충족시키지 않고 특별 이윤을 남긴다고 했습니다.

06 ② : 07 상품의 가격

08 시장에서의 흥정이나 조정에 의해 결정됩니다.

진시황제와 중국 통일
코페르니쿠스와 과학 혁명
마르크스 레닌주의
제2차 세계 대전